はじめて学ぶ

イギリスの歴史と文化

指 昭博
［編著］

ミネルヴァ書房

はじめに

イギリスの歴史は古い。今から七〇万年前には人類がすでに暮らしていたことを示す遺物が見つかっているが、当時、まだ大陸とは陸続きであり、これを「イギリス」というのはちょっと無理があるだろう。八五〇〇〜八〇〇〇年前ころ、温暖化による海岸線の後退により大陸と分離し、ようやく島国となった。しかし、まだ歴史というには古すぎる。

有名なストーンヘンジのもっとも古い部分の建造が始まるのが、紀元前三一〇〇年ころとされているが、この建造物を作った人びとについてはよくわかっていない。そもそも、ストーンヘンジは、短期間に一気に建てられたものではなく、一〇〇〇年間にもわたって順次建造されたもので、作った人びとの構成も変わっているかもしれない。ストーンヘンジもまた、本書で歴史として扱うには古すぎるだろう。

こうした先史時代にイギリスの地に暮らしていた人びとと、その後のイギリス史を作っていった人びととの関係もよくわかっていない。支配民族の交代があったという見方もあれば、多様な人びとがヨーロッパ大陸から渡っては来るが、それは少数で、住民の大部分はずっと同じなのだ、という考えもある。

ただ、紀元前後の数世紀間、のちに「ケルト」と呼ばれることになる人びとがいて、その後、この地に入ってきたローマ人やゲルマン人とは異なった文化をもっていたことは、同時代の記録にもあるし、彼らケルトとそれ以外の民族の違いが今日まで影響を残していることも確かである。

イギリスは「イギリス」ではない？

ところで、ここまで「イギリス」という言葉を使ってきたし、本書のタイトルでもあるのだが、じつは、この言葉はこの国の歴史を学ぶ際には要注意の言葉である。現在のイギリスは、正式名称を「グレートブリテン島および北アイルランド連合王国」といい、イングランド、スコットランド、ウェールズ、北アイルランドなどから構成される。「イギリス」という言葉は、日本でしか用いられない呼び名で、もともとは「イングランド」を指すポルトガル語がなまったものである。しかし、普通われわれは、イングランドだけに限定せず、連合王国全体を漠然と指す言葉として用いている。

そのため、英語に置き換えるときには注意が必要になる。イギリス全体のつもりでEnglandと訳してしまうと、イギリスの一部しか指し示さないことになる。イギリス人というつもりでEnglishといった場合、スコットランドやウェールズの人は含まれないことになる。

ストーンヘンジ
ソルズベリ平原に立つ古代の遺跡。古くから謎の建造物として，人びとの好奇心をそそってきた。

ちなみに、アイルランドの南部は現在「アイルランド共和国（エール）」として別個の独立国家となっているので「イギリス（連合王国）」ではないが、二〇世紀前半に独立するまでは、イギリスの支配を受けていたので、その扱いはかなり微妙である。

もっと不思議なのは、「連合王国」に含まれないイギリスもあるという点である。マン島や海峡諸島（ジャージー島やガーンジー島など）といった「国王直轄保護領」と呼ばれる地域がそれで、歴史的な経緯から、連合王国とは別個に、イギリス国王の支配下にあった地域である。つまり、連合王国とは並列関係になり、各々独自の行政、議会、法体系を維持し、独自の通貨や郵便制度ももっている。さらに、現在では、スコットランドとウェールズも独自の議会をもち、課税を含む大幅な立法権を認められている。イングランドとスコットランド、ウェールズは、祝日も異なるし、教育制度も同じではない（たとえば、イングランドの大学は三年制だが、スコットランドは四年制）。

したがって、これらの地域を、日本の関東や近畿、九州といった地理区分と同じだと考えるのは誤解のもとになる。むしろ、個々別々の「国」と理解したほうがわかりやすいだろう。たとえば、ラグビーの「六か国対抗（Six Nations）」という国際試合での六か国とは、イングランド、ウェールズ、スコットランド、アイルランド、フランス、それにイタリアである。「国」対抗といいながら、イングランドやウェールズ、スコットランドが「イギリス」としてまとまるのではなく、各々がフランスやアイルランドと同等に並んでいるのである。同様に、サッカーのワールド・カップでも、イングランドやスコットランドのチームはあっても、「イギリス」というチームが存在しないことはよく知られている。

二一世紀の現在、これらの地域は、「イギリス」として融合していくというよりは、むしろ各々の独自性を尊重する方向に進んでいる。スコットランドとウェールズには独自の議会があるが、さらに分離独立を求める運動も大きな力をもっており、国政選挙のたびに独自の候補を立てて、議員を国会に送っている。こうした独立志向には、ＥＵの存在が背景として考えられるが、北アイルランド問題（第10章一八八頁参照）は、プロテスタントとカトリックの宗派対立が絡んで事態を深刻化させている。イギリスからの離脱を求める勢力とそれに反対する英国系プロテスタント勢力双方のテロ行為にエスカレートし、流血事件が続いた。

ケルト

こうした地域の独自性・独立性は、もともとは各々の地域が民族的に異なっていた点に原因がある。すなわち「ケルト」の存在である。イギリスといえば、合衆国とともにアングロ＝サクソンの国とひとくくりにされて論評されることが多いが、合衆国も色々な人びとの集合体であるように、イギリスに関してもそれでは正確ではない。スコットランドやウェールズ、アイルランドは、ケルト系の人びとが多く、ウェールズでは、今でも人口の二割がケルト系のウェールズ語を主として話しており、ウェールズ語が第一公用語になっている（英語は第二公用語）。

以前は、ゲルマン人（アングロ＝サクソン人やジュート人など）がイギリスに渡ってきた際に、こうしたケルト系の人びとが周辺地域に追いやられたのだ、とされてきたが、近年は、大きな民族追放のようなことはなかった、という見解が強くなっている。つまり、ケルト系の人びとの多くは、言葉（英語）など征服民族の文化を受け入れることで、次第に同化していったということである。

それでも、イギリスを構成する諸地域の歴史は、本書でも随所に触れるように、ゲルマン人の国イングランドが周辺のケルト地域を併合してゆく過程であったことは間違いない。したがって、イギリスの歴史は、初めから多民族状況を抱える歴史であったのだが、近代以降はさらに、帝国の拡大とともにその領域内からの移住者や難民、亡命者なども加わり、現在では、各々は少数ではあるが、アジア系、アフリカ系など実に多様な民族がこの国に住んでいる。その結果、宗教もまた、キリスト教はもちろん、イスラーム教やヒンドゥー教、仏教など多様である。その多様性は、オリンピックなどスポーツの大会を見れば一目瞭然だろう。白人ばかりではなく、多くの有色人のイギリス選手が登場する。日々放送されるイギリスのテレビ番組も同じである。なかにはインド系の人びとを対象にしたチャンネルすらある。「多様性」こそがイギリスの歴史を理解する鍵といえるだろう。

本書の使い方

最後に、本書の構成について触れておこう。本書は、時代順に五つのパートに分かれ、その各々にイギリスの歴史を概観した章とその時代の文化を中心に扱った章を配している。さらに、各パートには、その時代に関わりのあるテーマを扱った「歴史の扉」を配している。そこでは、概説部分では触れられなかった特定のテーマについて詳しく説明することを目的にしている。

イギリスの歴史の流れをたどりたい場合は、各パートの最初に置かれた概説部を順に読んでいただければいいし、文化の流れを知りたい場合には、文化を扱った章を参照していただければよい。興味のあるテーマについては、「歴史の扉」で歴史研究の面白さや幅広さを感じ取っていただき、さらには、そこで読書の導きとして紹介されている参考文献を手がかりに、いっそう探求を深めていって欲しい。

それでは、イギリス二〇〇〇年の歴史の話を始めよう。

はじめて学ぶイギリスの歴史と文化

目次

第I部　中世キリスト教文化の時代——一五世紀まで

第Ⅱ部　ルネサンスからバロックへ――一六～一七世紀

第Ⅲ部　エレガンスの時代——一八世紀

第Ⅳ部　繁栄の光と影――一九世紀

第Ⅴ部　落日の残照——二〇世紀

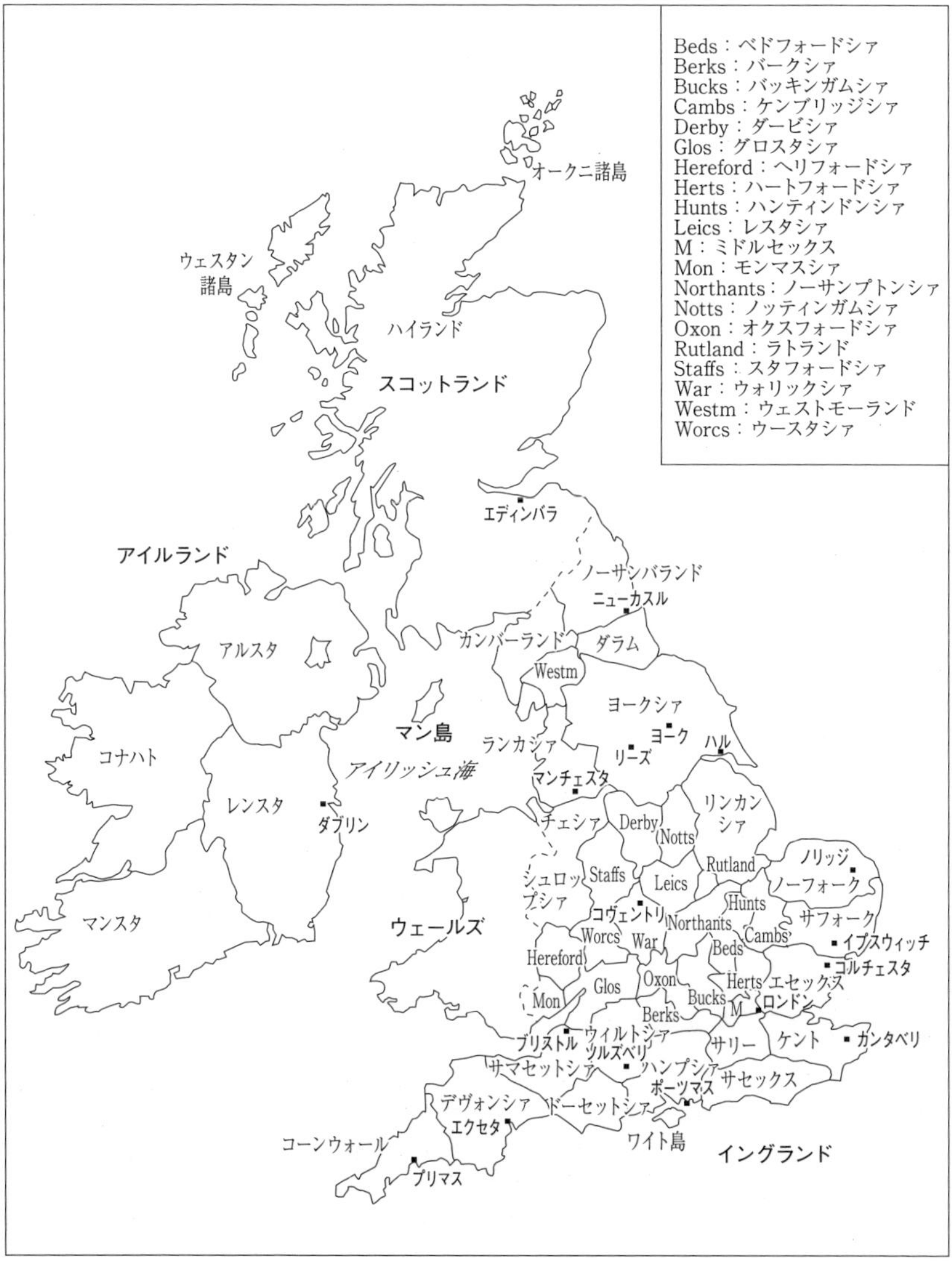

イギリスの歴史的な州区画

イギリス王室系図

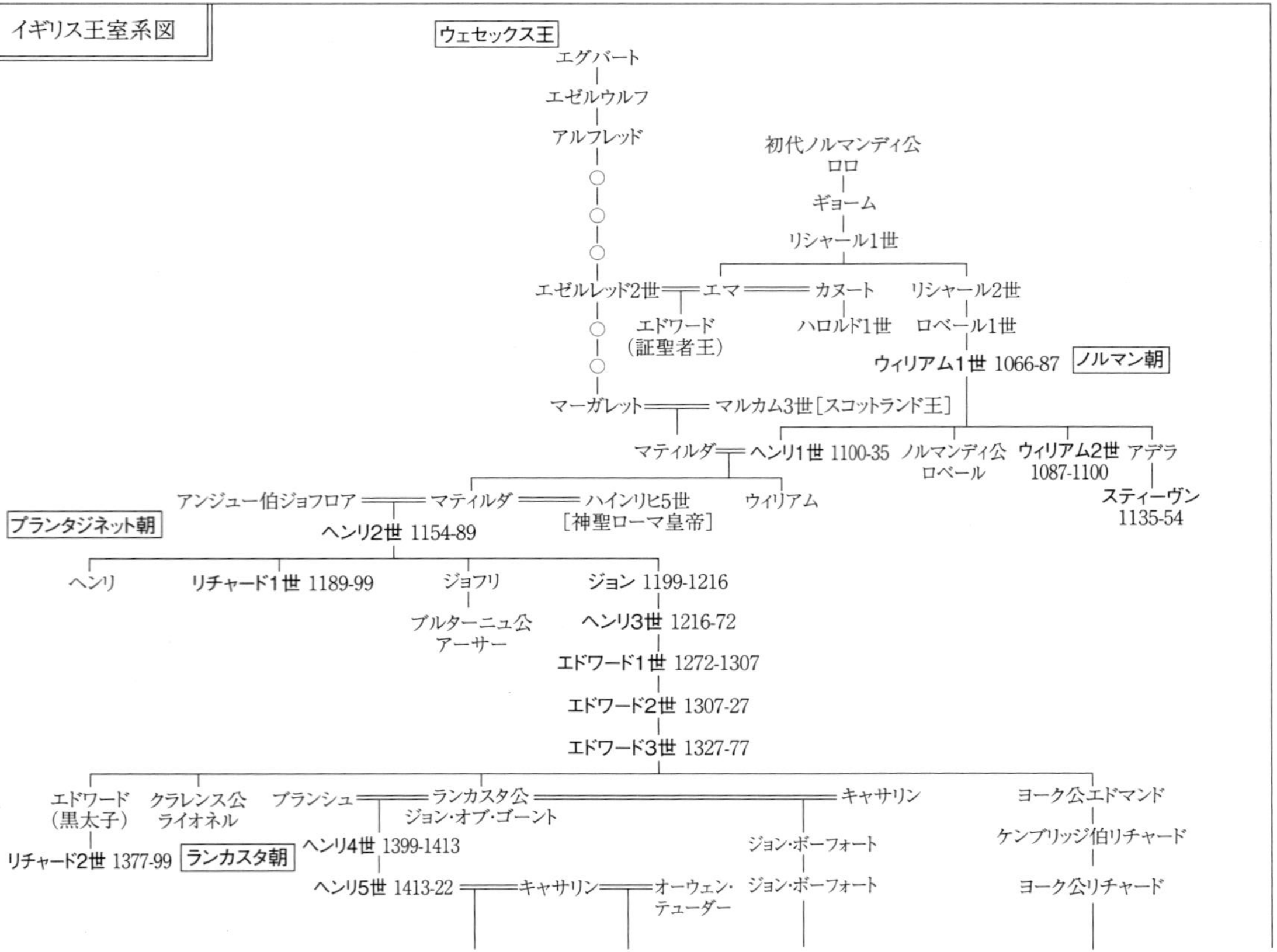
ウェセックス王
エグバート
エゼルウルフ
アルフレッド
エゼルレッド2世
エマ
カヌート
エドワード（証聖者王）
ハロルド1世
初代ノルマンディ公ロロ
ギョーム
リシャール1世
リシャール2世
ロベール1世
ウィリアム1世 1066-87
ノルマン朝
マーガレット
マルカム3世［スコットランド王］
マティルダ
ヘンリ1世 1100-35
ノルマンディ公ロベール
ウィリアム2世 1087-1100
アデラ
スティーヴン 1135-54
アンジュー伯ジョフロア
マティルダ
ハインリヒ5世［神聖ローマ皇帝］
ウィリアム
プランタジネット朝
ヘンリ2世 1154-89
ヘンリ
リチャード1世 1189-99
ジョフリ
ブルターニュ公アーサー
ジョン 1199-1216
ヘンリ3世 1216-72
エドワード1世 1272-1307
エドワード2世 1307-27
エドワード3世 1327-77
エドワード（黒太子）
クラレンス公ライオネル
ブランシュ
ランカスタ公ジョン・オブ・ゴーント
キャサリン
ヨーク公エドマンド
リチャード2世 1377-99
ランカスタ朝
ヘンリ4世 1399-1413
ジョン・ボーフォート
ケンブリッジ伯リチャード
ヘンリ5世 1413-22
キャサリン
オーウェン・テューダー
ジョン・ボーフォート
ヨーク公リチャード

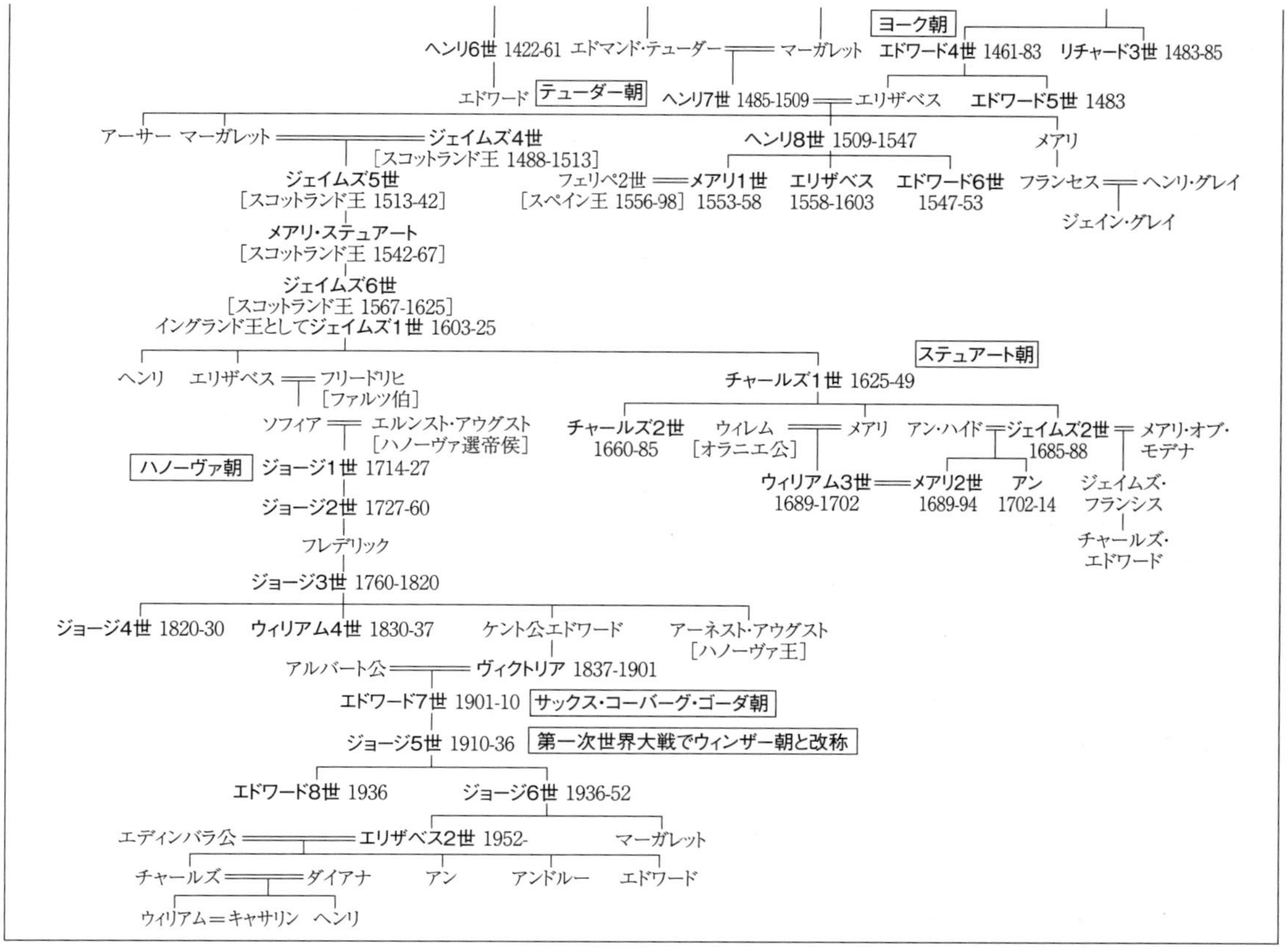

ヨーク朝
ヘンリ6世 1422-61
エドマンド・テューダー
マーガレット
エドワード4世 1461-83
リチャード3世 1483-85
エドワード
テューダー朝
ヘンリ7世 1485-1509
エリザベス
エドワード5世 1483
アーサー
マーガレット
ジェイムズ4世
[スコットランド王 1488-1513]
ヘンリ8世 1509-1547
メアリ
ジェイムズ5世
[スコットランド王 1513-42]
フェリペ2世
[スペイン王 1556-98]
メアリ1世 1553-58
エリザベス 1558-1603
エドワード6世 1547-53
フランセス
ヘンリ・グレイ
ジェイン・グレイ
メアリ・ステュアート
[スコットランド王 1542-67]
ジェイムズ6世
[スコットランド王 1567-1625]
イングランド王としてジェイムズ1世 1603-25
ステュアート朝
ヘンリ
エリザベス
フリードリヒ
[ファルツ伯]
チャールズ1世 1625-49
ソフィア
エルンスト・アウグスト
[ハノーヴァ選帝侯]
チャールズ2世 1660-85
ウィレム
[オラニエ公]
メアリ
アン・ハイド
ジェイムズ2世 1685-88
メアリ・オブ・モデナ
ハノーヴァ朝
ジョージ1世 1714-27
ウィリアム3世 1689-1702
メアリ2世 1689-94
アン 1702-14
ジェイムズ・フランシス
ジョージ2世 1727-60
チャールズ・エドワード
フレデリック
ジョージ3世 1760-1820
ジョージ4世 1820-30
ウィリアム4世 1830-37
ケント公エドワード
アーネスト・アウグスト
[ハノーヴァ王]
アルバート公
ヴィクトリア 1837-1901
エドワード7世 1901-10
サックス・コーバーグ・ゴーダ朝
ジョージ5世 1910-36
第一次世界大戦でウィンザー朝と改称
エドワード8世 1936
ジョージ6世 1936-52
エディンバラ公
エリザベス2世 1952-
マーガレット
チャールズ
ダイアナ
アン
アンドルー
エドワード
ウィリアム＝キャサリン
ヘンリ

第Ⅰ部

中世キリスト教文化の時代——一五世紀まで

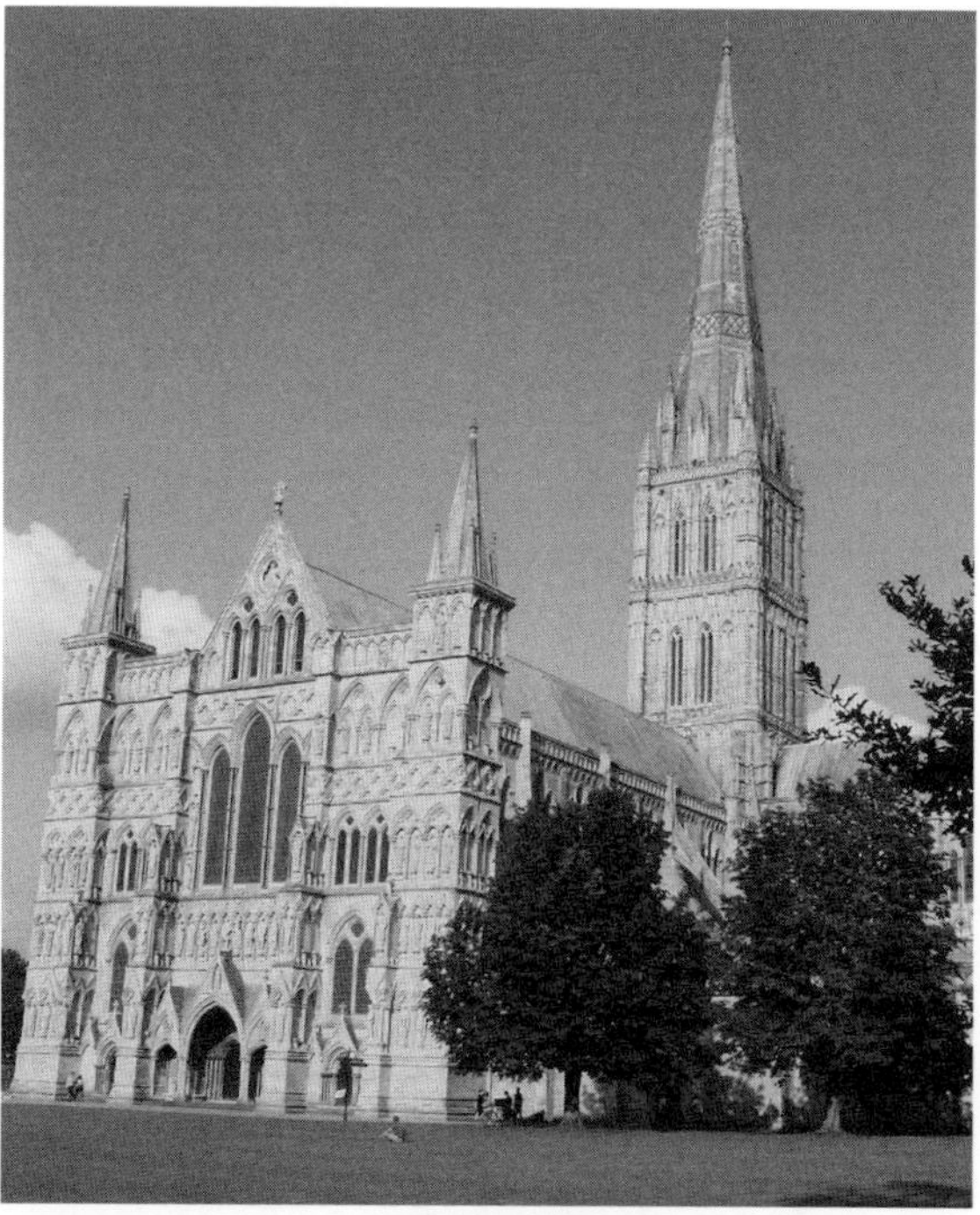

ソルズベリ大聖堂
ゴシック（初期イングランド様式）建築の代表例（13世紀）。

第1章

中世の政治と社会

ローマの支配

紀元前五五年にユリウス・カエサル率いるローマ軍がドーヴァー海峡を越えてブリテン島に渡ってきたとき、そこに住んでいたのがケルト系の人びとであった。イギリスの先住民としてよく知られる「ケルト人」であるが、近年は、その歴史やケルトという概念そのものの見直しも進んでいる。イギリスへは大陸から数次にわたって渡来してきたという旧来の学説には疑問も向けられている。すなわち、ケルト人とは、少なくともイギリスに関しては、土着の人びとであって、ヨーロッパ大陸とは無関係であったことになる。その土着のケルト人諸部族を支配下に置くことで、ローマはブリテン島を「ブリタニア属州」としてその帝国に組み込んだ。しかし、ローマの支配は、今日のスコットランドには及ばず、境界線に設けた防衛のための「ハドリアヌスの城壁」がローマ帝国の北限となった。

四世紀にはローマ帝国の支配も弱体化し、各地で異民族の侵入が繰り返される。ブリタニア属州を維持することがむずかしくなったローマは撤退を決定し、五世紀初め、ローマによるイギリス支配は終わりを迎えた。

「七王国」

ローマが退いたあと、イギリスの地に入り込んできたのが、アングル人、サクソン人、ジュート人といったゲルマン系の諸民族であった。彼らは各地に定着し、自分たちの国をつくってゆく。そんななか、七つの王国が力を備え、順次強国として覇権を握った。これらを「七王国《ヘプターキー》」と呼ぶ。

その際、ケルト系の人びととの関係はどうなったのだろう。従来は、ウェールズなど周辺地域に追いやられたという理解が一般的であったが、最近は、両者は平和的に共存し、次第に融合していったと考えられている。ケルト人渡来への疑問と同様、ここでも民族の交代といった激変は考えにくいということである。しかし、言語や文化では、ゲルマン人の言葉（英語）や社会習慣が定着していった。

図１－１　ハドリアヌスの城壁
後世，石材として転用されたため，現在の高さは，元の半分くらいになっているが，今なお当初の壮大さを感じることができる。

七〜八世紀に、七王国のひとつノーサンブリアが全盛期を迎える。「ノーサンブリア・ルネサンス」と呼ばれるキリスト教文化が開花し、カール大帝が推進した大陸のカロリング・ルネサンスにも影響を及ぼした。ゲルマンとケルト、それにローマ文化が一体となった美しい装飾写本「リンディスファーンの福音書」がその質の高さを今日に伝えている。

ついで、マーシア、ウェセックスが覇権を握るが、このころから、その後一〇〇〇年間引き継がれることになる「州（シャイア）」の制度が整ってゆく。また、アングロ＝サクソンは農業技術にも長けており、土地を大きく二分割して、春

図1－2　七王国

七王国のおおよその中心地域を示した図であり，同時期にこれら7つの王国が図のような勢力範囲を維持していたわけではない。

秋の作物を植える二圃制や休耕地を組み込んだ三圃制が広まった。三圃制は一八世紀まで、イギリスの農業の基本として受け継がれることになる。

キリスト教の伝播

いつイギリスにキリスト教が伝わったのかについてはよくわからないが、ローマ時代には、全域に広まっていた。しかし、ゲルマン人は独自の信仰を維持しており、キリスト教はケルト社会で維持された。ゲルマン人の異教信仰に対して、六世紀末、教皇グレゴリウス一世はブリタニアへの布教を計画した。修道院長アウグスティヌスが派遣され、ケント王国の支援を得て、カンタベリに最初の司教座を置いた。ローマから新たにもたらされたキリスト教は、国王や貴族といった社会上層に普及した。しかし、庶民層には、ケルト社会に広がっていた旧来のキリスト教が広まっていた。これは、アイルランドなどの修道院を活動基盤とするもので、ローマの教皇を頂点とする教会制度とは異なるものであった。この系譜の異なる二つのキリスト教は、その後、対立を強めることになり、六六四年にウィトビーで宗教会議が開かれたが、ローマ教会の勝利に終わった。以後、イギリスでのキリスト教はローマ教会のもとで展開することになった。

ヴァイキングとノルマン征服

八世紀末ころから、スカンジナビアやデンマークでゲルマン人の一派であるヴァイキングの活動が盛んになり、イギリスにもたびたび侵入するようになる。九世紀の半ばにはイギリスの大部分を征服し、キリスト教にも改宗した。ヴァイキングの勢いを押し止めたのが、ウェセックス王アルフレッド（大王）で、八八六年にロンドンを奪回し、イングランド南部を支配下に置いた。ヴァイキングのデーン人はイングランド北東部を支配し、自分たちの法律を施行したので、この地域を「デーンロー（デーン人の法律）地帯」と呼ぶようになった。その後、デーン人の王カヌートがイングランドの大部分を支配したが、その死後、サクソン人の王エドワードが即位した。彼は、敬虔なキリスト教徒で、ウェストミンスター寺院を創建し、「証聖王」と称される。

一〇六六年にエドワードが亡くなると、遠縁にあたるフランスのノルマンディー公ウィリアムが王位を主張して、イングランドに侵攻した。ヘイスティングスの戦いで勝利を収めたウィリアムは「ウィリアム一世」として即位した。ノルマンディー公国はヴァイキングのノルマン人が立てた国であったので、ウィリアムの建てた王朝

図１－３　バイユーのタペストリ
ウィリアム１世の立場から，ノルマン征服の過程を描く。絵は刺繍で描かれている。

図１－４　ロンドン塔
ウィリアム１世がロンドン監視のために建てた城。その後，歴代の王の居城として機能した。

を「ノルマン朝」と呼ぶ。同名の国王を「〜〇世」と呼んで区別するが，イギリスでは，このノルマン征服以降でカウントするのが習わしである。

ノルマン朝からアンジュー帝国へ

「征服王」ウィリアム一世の課題は，頻発するアングロ＝サクソン人の反乱への対処であった。反乱を鎮圧し，ほとんどのアングロ＝サクソンの貴族から土地を没収し，自らが大所領を確保するとともに，配下のノルマン貴族に分配した。さらに，全国の土地の詳細な調査を行い，その結果は土地台帳「ドゥームズ・デイ・ブック」に反映された。これらによって，国王の経済的な基盤が確立し，他のヨーロッパ諸国に比べて強大な力をもつことができた。

しかし，ノルマン朝は，ウィリアム一世の子ヘンリ一世の息子がドーヴァー海峡で海難死したことをきっ

図１－５　アンジュー帝国
ヘンリ２世の支配地域。アンジュー伯領に加えて，妻エレアノールの所領アキテーヌ，イングランド王としてのイングランドとノルマンディー，息子ジョフリの収めるブルターニュを支配下に置いた。

かけに混乱をきたす。ヘンリ一世が代わりに娘のマティルダを後継者としたのに対し、甥のスティーヴンが王位を主張し、マティルダとスティーヴンの間で内乱が勃発した。結局、スティーヴンの王位を認める代わりに、その後はフランスのアンジュー伯であったマティルダの息子アンリが継ぐことで決着した。

一一五四年、アンリはイングランド王ヘンリ二世として即位し、プランタジネット朝が始まる。ヘンリ二世は、自らのイングランド、ノルマンディー、アンジュー伯領に加えて、妻エレアノールの所領アキテーヌ、息子ジョフリが婿入りしたブルターニュを含む広大な地域を支配に収めた。これを「アンジュー帝国」と呼ぶ。ヘンリ二世は、イングランド王でありながら、一方、フランスではフランス国王に臣従する貴族であったが、その所領はフランス国王よりはるかに広大なものであった。この両国をまたいでねじれた臣従関係が、こののち両国の戦争を引き起こすことになる。

このアンジュー伯の強大な力は、フランス国王にとってはやっかいな問題であったため、その力を削ぐことが課題であった。ヘンリ二世が没したのち、フランス王フィリップ二世は、ノルマンディー攻略を始め、アンジュー伯領も含めて、北フランスの領土をイングランド国王ジョンから奪い取ってしまう。ここに「アンジュー帝国」はあっけなく崩壊した。対フランス戦争のために課税を強化したジョンに不満を募らせた貴族たちは、一二一五年に自分たちの権利を認めさせる文書「マグナ・カルタ」を起草し、ジョンに承認させた。また、ジョンは、ローマ教皇との間にも紛争を起こして破門されるなど、対外政策での失敗を繰り返すことになった。

エドワード一世の征服戦争

ジョンのあとを継いだヘンリ三世は、貴族との関係修復に努めるが、フランス領の回復を目指して軍事行動を続けたため、貴族の間にその負担への不満が高まった。ついには、国王派の貴族とシモン・ド・モンフォールに率いられた改革派貴族の間で戦いとなった。一時は国王を捕縛するなど勢いに乗ったシモンは、一二六五年に、貴族、高位聖職者、州代表の騎士、都市代表を集めた議会を開いた。しかし、王子エドワードの指揮する国王派の巻き返しにあって、結局シモンは敗れてしまう。

王子はエドワード一世として即位すると、国王権力の強化に努めるとともに、周辺ケルト地域への侵略戦争に乗り出した。まず、一二七六年にウェールズでの蜂起を機に軍隊を送り、ウェールズの支配者ルウェリンを制圧した。その後、ルウェリンを暗殺してウェールズを完全に掌握すると、一三〇一年には、遠征中にウェールズで生まれていた王子に、ルウェリンから奪った「プリンス・オブ・ウェールズ（ウェールズの君主）」の称号を与え、イングランド王家がウェールズの支配者であることを宣言した。その後、王位継承予定者がこの称号を得ることが慣例となり、現在まで続いている。

図1－6　コンウィ城
エドワード1世がウェールズ攻略のために築いた城のひとつ。町全体を囲む城壁が今も残る。

一二九〇年代にスコットランドで王位継承問題が生じると、エドワード一世はこれに介入し、ついにはスコットランドの統治権を奪い、スコットランド王戴冠の際に用いられてきた「スクーンの石」を持ち去ってしまう（スコットランドへ返還されたのは一九九六年）。その後、スコットランド独立のための戦いが続けられるが、敗北を重ねた。結局は、エドワード一世の死によって弱体化したイングランド軍を破って独立を回復するものの、イングランドからの圧力は続くことになる。

図1－7　クレシーの戦い
イングランド軍（右側）の長弓とフランス軍の弩《いしゆみ》を対比して描かれている。速射に優れた長弓が威力を発揮し，イングランド軍に勝利をもたらした。

百年戦争

フランスでは、カペー朝が断絶したのちヴァロア朝のフィリップ六世が即位した。一三三七年に、王は、自らの支配基盤を固めるために、フランスに残っていたイングランド領アキテーヌの没収を宣言した。これに対し、スコットランドを支援するフランスへの不信を強めていたイングランド王エドワード三世は、自分の母がカペー朝のフィリップ四世の娘であることを理由に、自らフランス王位を主張し、かつての「アンジュー帝国」の再現をもくろみ、フランスへの侵攻を始めた。周辺諸地域を巻き込んだ「百年戦争」の始まりである。

当初は、王子エドワード「黒太子」の指揮のもと、クレシーやポアティエの戦いなどでフランス軍を破り、パリを包囲するまでにいたった。しかし、黒太子が病没したころから形勢は逆転し、イングランドは苦戦を強いられるようになる。

大陸での戦争が膠着状態になっている間に、イングランド国内では、エドワード三世のあとを継いだリチャード二世（「黒太子」の子）が、戦費調達のための課税や寵臣に頼る政治を行ったため、有力貴族と対立を深めていった。不満を募らせた貴族は、リチャードの従弟ランカスタ公ヘンリのもとに集結し、リチャードを廃位した。ランカスタ公はヘンリ四世として即位し、ランカスタ朝が始まる。

ヘンリ四世は親フランス路線をとったが、次のヘンリ五世は、百年戦争を再開し、アザンクールの戦いなどで勝利を収めた。ヘンリ五世はフランスの王女と結婚し、その子ども（ヘンリ六世）が両国の王位を継承することになった。しかし、フランス王太子シャルルはこれを認めず、対イングランド戦争を継続していたが、形勢は不利なままであった。そこに登場したのが、ジャンヌ・ダルクである。彼女の活躍によってイングランド軍に包囲されていたオルレアンが解放されたのを機に、シャルル軍は勢いを回復し、イングランド貴族間の対立などもあって、ついにはイングランドはフランスの領土のほとんどを失ってしまう。

ばら戦争

父ヘンリ五世の急死で幼くして即位したヘンリ六世は、戦乱の時代に王として生きるには神経が繊細であった。精神に異常をきたし、百年戦争の敗北に不満を募らせる貴族を押さえることができず、一四五五年に王族のヨーク公が王位を主張して挙兵すると、ついにイングランドは内戦状態になった。のちに「ばら戦争」と呼ばれることになる戦いである。ヨーク公は戦死するが、息子エドワードが国王軍を破り、一四六一年にエドワード四世として即位した。ロンドン塔に長らく幽閉されていたヘンリ六世は、一時ランカスタ派に救出され王位を回復するが、ロンドン商人などの支援を受けたエドワードが巻き返して、王位を奪還した。

一四八三年に、不摂生がたたってエドワード四世が急逝すると、弟リチャードが議会を動かして、幼少のエドワード五世を廃位し、自らが即位した（リチャード三世）。この動きに対して、ランカスタ派の生き残りであったリッチモンド公ヘンリ・テューダーがフランスなどの支援を得て挙兵し、ボズワースの戦いでリチャードを破った。すぐにヘンリはヘンリ七世として即位し、テューダー朝を開き、ばら戦争は終結に向かった。

この三〇年にも及ぶ内戦の結果、有力貴族の多くが廃絶し、国王の権力が強まった。貴族が少数になったことで、このにち、ジェントリと呼ばれる地主層を中心とした新たな社会秩序が形成されることになる。

図1－8　中世の農作業の様子（ラトレル詩篇）
蒔いた種をねらうカラスを石で追い払いながら作業している。

中世の人びとの生活

中世の人びとの生活は、現在のわれわれの生活とは大きく異なっていた。ノルマン征服のころ、イングランドの総人口は一五〇～二〇〇万人ほどで、農業を主体とした社会であった。南東部に人口が集まり、北西部の人口は少なかった。人びとの食生活は、穀物と野菜が主で、肉は庶民には贅沢な食べ物であった。穀物生産以外では、羊毛生産が古くから知られ、毛織物の原料としてフランドル地方に輸出されていた。

村々には教会の聖堂が立ち、人びとの信仰の場として、誕生から結婚、死にいたるまでの儀式を司る場所として、そしてときには、人びとが集まれる唯一の集会・宴会場としても機能していたが、北部などでは、聖堂の数も少なく、礼拝のために遠くまで歩いてゆく必要があった。

伝統的な農作業は、中世以来の「三圃制」に基づいて行われた。これは、耕地を三つの耕圃に区分し、たとえば耕圃Aで春播きの大麦を、耕圃Bでは秋播きの小麦やライ麦を栽培し、耕圃Cは休閑地とする。各々の耕圃は秋播き、春播き、休閑地のサイクルを繰り返すのである。休閑期間を設けることによって、地味の回復が効果的に行えた。

また、この場合、耕地に畦《あぜ》などの区画がない「開放耕地」が普通であった。各耕圃を短冊状の地条《ちじょう》に分割した上で、農民がそれを保有するのであるが、個人個人がその地条で自由に耕作を行うことは許されなかった。各耕圃を単位として、村落共同体全員が同時に共同作業を行わなくてはならなかった。中世においては、三圃制の導入により飛躍的に農業生産が伸びたのであるが、共同体規制のもとでは個人の意志が反映しにくいという一面をもっていた。全員の意向が一致しにくいため、この制度のままでは、時代に対応したシステムの改良や新技術の導入は困難であった。

元来、ヨーロッパの麦を中心にした農業は、東洋の米を中心にした農業に比べて、収穫率が低かった。一七、一八世紀にいたっても、ヨーロッパでは麦の収穫量の二〇～二五パーセントを種籾として次年度に残しておかなくてはならなかった。これに対し、米の場合、江戸時代の技術水準でも、種籾は収穫量の一～二パーセントで足りたとされる。したがって、ヨーロッパは常に「飢饉」に陥る危険と隣合わせの状態にあったといえる。

実際、近世のイギリスでも、一六世紀後半から一八世紀半ばにかけての時期、この期間の四分の一が不作で収量不足の状態であったし、さらに状況の悪い「凶作」の年も全期間の一六パーセントを占めた。不作、凶作の年は連続するのが常で、飢饉をも伴った。一六世紀だけでも、一五二七～二九年、一五四九～五一年、一五五四～五六年、一五九四～九七年と繰り返されている。こういった状態が社会不安を生み出し、時々の政治状況にも影響したのはもちろんのこと、人びとの健康や生存をも脅かすことになった。人口維持もままならぬ状況であり、ましてや人口の順調な増加を期待することは無理であった。旧来の開放耕地・三圃制に代わる技術革新が必要とされていたのである。

第2章

中世の文化

アングロ＝サクソン時代の文化

ローマ人が築いた文化遺産は、イギリスの場合、その後破壊されたため、もとの形状で残っているものはほとんどない。ヨーロッパ各地に残る円形競技場などはイギリスでは見ることはできない。モザイク床や浴場などの跡が、考古学の発掘によって日の目を見る程度である。もちろん、「野蛮な」ゲルマン人、すなわちアングロ＝サクソン人に破壊の全責任を押しつけることはできない。キリスト教の大聖堂などは、古代ローマ遺跡の上に建てられていることも多く、中世という時代を通じて、古代ローマの遺産が利用されたと考えるべきだろう。

アングロ＝サクソン人の生活を知る資料として有名なのが、サフォークのサトン＝フーで発見された七世紀の遺跡である。船が丸ごと埋められており、その船室から、スカンジナビアから東ローマにいたる様々な地域からもたらされた財物が発見された。この地の人びとが、広い範囲の地域と関係をもっていたことがわかる。この時代の建築はほとんど残っていないが、八世紀初めに建てられたブラッドフォード・オン・エイヴォン（ウィルトシァ）の教会は、サクソン様式の典型例とされ、イギリスで現存する最古の建築物である。

アングロ＝サクソン時代の学問を代表するのが、ベーダとアルクィンである。ベーダは初期イギリス史の史料として欠かすことのできない『イングランド人の教会史』を著したほか、旺盛な執筆活動を行った。ヨークで学んだアルクィンは、カール大帝に招かれて、カロリング・ルネサンスの立役者となった。

ふたりが活躍したノーサンブリアでは、七世紀にリンディスファーン島に修道院が建てられ、その活動を通じてキリスト教がイングランド北部に広がっていった。七世紀末から八世紀の初めころ、この修道院で作られたもっとも重要な文化遺産が、『リンディスファーンの福音書』と呼ばれる書物である。その豊かな装飾は、ケルト系のらせん模様、ゲルマン系の動物文様や組紐文様が巧みに融合され、さらに地中海系の人物（福音書家）像が添えられており、複数の文化的影響を見ることができる。さらに、一〇世紀末に、ラテン語本文の行間にサクソン語で訳文が記されたが、これは、現在知られるもっとも古い聖書の英語訳である。

それ以外の同時期の福音書の写本としては、『ダロウの書』と『ケルズの書』が重要である。『ダロウの書』は七世紀前半に、やはりノーサンブリアで作られ、『ケルズの書』は八世紀末にスコットランドのアイオナ島の修道院で作られた。これらは共通して、ケルトとゲルマン、大陸の要素が融合した装飾をもっている。

アングロ゠サクソンの写本の伝統は、その後も、九七〇年頃にウィンチェスターで製作された『聖エセルウォルドの祝祷』に引き継がれ、その洗練の極みに達した。線を強調した描写や色彩の好みにイギリス写本の特徴が表れている。しかし、こうした文化伝統も、一ヴァイキングやデーン人の侵攻によって阻害され、一

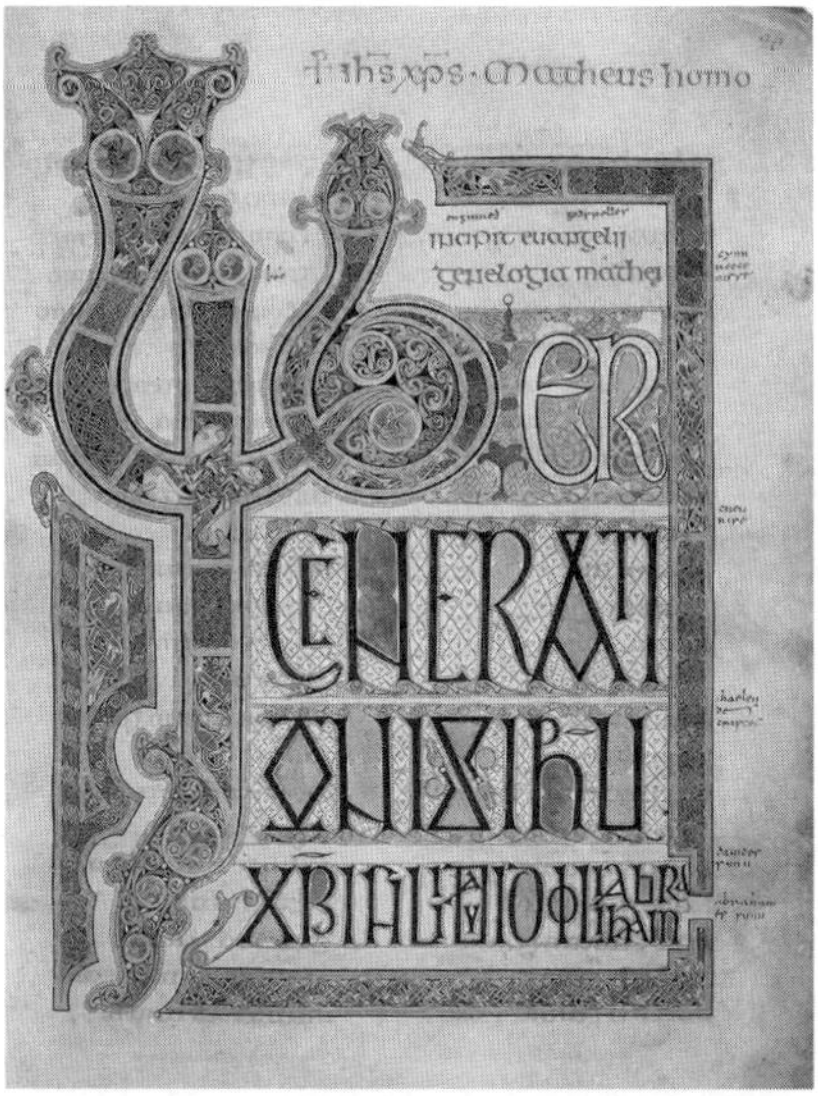

図2－1　リンディスファーンの福音書
マタイの福音書の冒頭部分。

図2－2　聖エセルウォルドの祝祷

一世紀のノルマン征服以降は、大陸の影響を強く受け、イギリスの独自性は薄れていくことになる。

教会建築

西ヨーロッパ中世の教会建築は、大きくロマネスクとゴシックに二分して説明されるが、イギリスでは、「ノルマン様式」「初期イングランド様式」「装飾様式」「垂直様式」の四つの時期に区分されることが多い。

その最初の画期となったのがノルマン征服で、フランスからロマネスク様式が征服とともにもたらされた。そのため、イギリスでは「ロマネスク」より、「ノルマン様式」と呼ばれることになった。ノルマン様式の建築として、ダラム大聖堂がよく例に挙げられるが、円形アーチなど、ロマネスク様式が随所に見られるものの、身廊部の天井はリブボールトが用いられゴシック様式の最初の例でもある。

その後、ゴシック様式がフランスで発達し、その成果がイギリスにも伝えられた。初期イングランド様式（一二世紀後半～一三世紀前半）は、大陸の盛期ゴシックにあたる。リンカンやソルズベリの大聖堂が代表的な例で、尖頭アーチや高い天井を特徴とする。

その後、イギリスでは天井や壁面の装飾に力点が置かれるようになり、独特の「装飾様式」（一三世紀後半～一四世紀前半）が展開する。天井のボールトのリブの数が増えて装飾的に絡み合い、ステンドグラスを含めて随所に装飾が施されるようになる。エクセターやイーリーの大聖堂が代表的な例である。

中世末になると、とりわけイギリス的な様式ともいわれる、垂直方向の縦線を強調した「垂直様式」（一四世紀後半～一六世紀前半）が現れる。窓は縦長になり、天井には扇が開いたように見える繊細華麗なイギリス特有の「扇状《ファン》ボールト」が用いられた。上に伸びた柱と扇状ボールトの組み合わせは、大木が並んで上空に樹冠を連ねているようにも見える。グロスター大聖堂やウェストミンスター寺院のヘンリ七世礼拝堂などが代表的である。

大規模な大聖堂などでは、完成するまでに時間がかかるため、建物の部分によって様式が変わることも多い。

図２－３　ロチェスター大聖堂
一部ゴシック様式も見られるが，円形アーチなどにノルマン様式（ロマネスク様式）の特徴を見ることができる。

図２－４　聖バーソロミュー教会(ロンドン)
円形アーチなどノルマン様式の特徴を見ることができる。

図２－５　ソルズベリ大聖堂内部
リブボールトなど，初期イングランド式の特徴がうかがえる。

図２－６　ヨーク大聖堂正面
アルプス以北ではもっとも大規模なゴシック建築である。

図２－７　ヨーク大聖堂内陣の天井
装飾式のリブボールトの例。

また、古い聖堂が増築や修復を重ねていく場合も、複数の様式が混在することになる。たとえば、ヨーク大聖堂は、地下聖堂《クリプト》はノルマン様式、南北の翼廊が初期イングランド様式、身廊は装飾様式、内陣と東端部に垂直様式が見られる。むしろ、ソルズベリ大聖堂のように、短期間で完成したため、様式的に統一がとれている例のほうが珍しいといえる。

中世の絵画

中世のイギリス絵画の作例として、われわれがすぐに思いつくものはあまり多くない。それは、中世美術において重要であった教会内の聖像や壁画、ステンドグラスなどの多くが、宗教改革や一七世紀の内戦によって破壊されてしまったからである。すべてではないが、今日教会で見られる「中世」壁画は、一九世紀以降の教会改修の際に漆喰の下から見つけられて修復されたものが多い。

現在、イギリスの教会の内部壁面や柱などには、ほとんど装飾はなく、石材の地肌がそのまま見えているのが普通であるが、中世の教会は、壁や柱は彩色や壁画で覆われていた。木製の調度も、彫刻や絵で飾られていて、聖人像などの彫像も含めて、聖堂は図像にあふれた空間であった。

中世イギリス絵画の代表的なジャンルとされる装飾写本も、やはり宗教改革の際に大きな被害を受けている。こうした絵画表現自体が、カトリック的要素と見なされたためであるが、破壊を免れて現在まで伝えられた作品によっても、その魅力とすばらしさを知ることはできる。

ノルマン征服によって、大陸の文化が持ち込まれると、写本の世界も、ロマネスクの影響が強くなった。一二世紀前半の『セント・オールバンズ詩篇』や一二世紀後半の『ウィンチェスター聖書』がロマネスク写本の代表的な作品である。中世後半の興味深い装飾写本として、一四世紀半ばに制作された『ラトレル詩篇』は、欄外装飾として、当時の人びとの生活の様子が描かれ、貴重な資料を提供してくれるが、それ以外にも怪物の図像が随所にちりばめられ、中世人の奇想を垣間見ることができる。こうした宗教的な書籍ばかりでなく、植物学や動物寓話《ベスティアリ》の写本なども中世にさかんに作られており、装飾の美術的な価値とともに、中世人の自然観や世界観を知る上で重要である。

ゴシック様式絵画の代表的な遺品としては、『ウィルトンの二面祭壇画』（一四世紀末）が、当時のヨーロッパで流行していた国際ゴシック様式の特徴（繊細な写実描写）をよく示している。

図２－８　ウェストミンスター寺院の扇状ボールト
イギリスにおける後期ゴシック様式の特徴である繊細な扇状のボールト。

図２－９　ウィンチェスター聖書

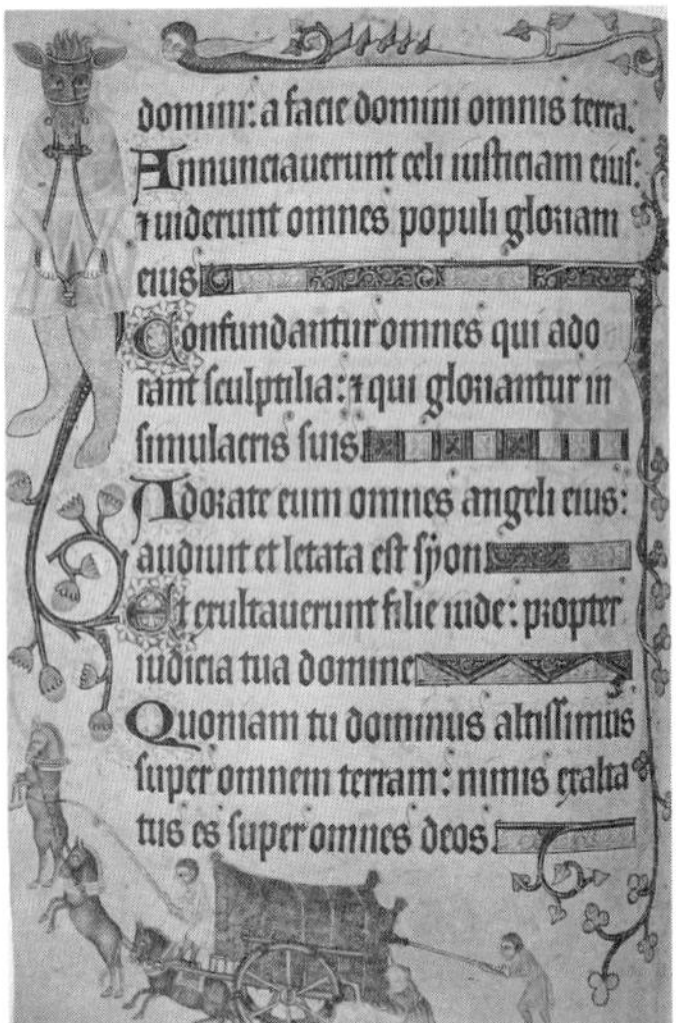

図２－10　ラトレル詩篇
欄外に描かれた当時の人びとの暮らしの様子は貴重な図像資料である。頻繁に登場する怪物の図も興味深い。

中世の文学

イギリス文学史は『ベーオウルフ』から始まる。八世紀前半に成立したこの古英語による叙事詩は、北欧の伝説にキリスト教的要素が加わり、雄大な英雄の物語を描き出している。

しかし、古英語の文学世界は、フランス語を話すノルマン人に征服されたことで、支配層の英語使用が途絶え、英語は庶民の口承言語となり、大きな変化を余儀なくされた。そんななか、一二世紀末に聖職者レイアモンが著した『ブルート』は、古代ブリテン伝説であるブルータス伝説やアーサー王伝説を扱った最初の英語詩である。

百年戦争の際、敵国語フランス語を避け、英語を使用しようというナショナリズムから、エリート層の英語使用が復活すると、再び英語による創作活動が活発化した。リチャード二世に仕える宮廷人であったジョフリー・チョーサーは、ダンテやボッカチオといったイタリア文学やフランスの宮廷文学の強い影響を受け、『トロイラスとクリセーデ』や『カンタベリ物語』など、多くの作品を残し、後世に大きな影響を及ぼした。チョーサーと

図2－11　ウィルトンの祭壇画
諸聖人（洗礼者ヨハネ，エドワード証聖王，エドマンド殉教王）に伴われて聖母子を拝して跪いているのは国王リチャード2世。1400年ころの国際ゴシック様式の代表作。

同じく一四世紀に生きたウィリアム・ラングランドは『農民ピアーズの夢』において、宗教的寓話の形で、厳しい社会批判を展開したが、ラングランド自身についてはあまりよくわかっていない。

『ブルート』でも扱われたアーサー王伝説は、ケルト系伝説に端を発するが、ネンニウスやモンマスのジョフリといった歴史家の叙述に取り上げられたことで「史実」として定着していった。アーサー王伝説や聖杯伝説は、フランスなどにも広がっていたが、一五世紀にトマス・マロリーが『アーサー王の死』として集成し、ウィリアム・カクストンによって一四八五年に活字本として刊行されたことで、決定版としての地位を確かなものにした。

カクストンは、フランドルで商人として活動したのち、ドイツで当時最新の技術であった印刷術を習得し、ブリュージュで印刷業を始めた。イギリス帰国後もウェストミンスターで印刷工房を経営し、イギリスで最初の印刷業者となった。彼は、自ら積極的にラテン語やフランス語などの作品を英語に翻訳し、自分の工房で印刷刊行を行った。カクストン以降、その徒弟などから印刷術がイギリスにも定着していったが、印刷の普及によって、手書きでは流動的であった英語の綴りや用字法が固定化されてゆくことになった。

一五世紀には、都市民衆の演劇である「神秘劇」が盛んになった。ヨークやチェスター、ウェイクフィールドといった裕福な都市で、都市ギルドが主体となって、聖書の物語を自分たちで演じた一種の祝祭劇である。聖書の物語を数十のエピソードに分割して、移動式舞台で市内を巡回しながら演じてゆくという壮大なもので、経費の大きさも含めて、都市の力を誇示するとともに、都市共同体をまとめ上げていく機能があった。しかし、一六世紀になると、ギルドが衰退して経済的な負担に耐えられなくなったことや、宗教改革によって、こうした演劇がカトリック的迷信であるとされ、各地で禁止されたことで消滅した。

歴史の扉 1

修道院の文化

イギリスを見る上で、キリスト教を見落とすわけにはいかない。ここでは、キリスト教の一つの重要な側面である修道院に注目して、中世の終わりまでに、当時の社会のなかでどのような宗教的理想が人びとを捉えたのか、そしてその理想が実際にはどのようなかたちで実践されたのかを考えてみよう。キリスト教はいわゆる教義や信仰の問題として理解されがちだが、人間に関わることである以上、時代や社会のあり方と深く関わっており、修道院といっても時代などによって大きな違いがあった。

修道士・修道女とは？

イギリスの南半分を勢力下においていたローマ帝国が衰退するにつれて、イギリスからキリスト教徒は完全に姿を消したわけではなかったが、ほとんど目につかない存在になっていた。しかし、イギリスと、ローマ帝国が最後まで支配できなかったアイルランドは、四世紀から六世紀にかけてなされた伝道運動によって、キリスト教へゆっくりと改宗していった。その流れは時計回りの動きで理解できる。まずブリテンからアイルランドへ、そしてアイルランドからブリテン島の北部（現在のスコットランド）へ、さらにそこから南に向かってというように。これら各段階の代表的人物として、アイルランドの守護聖人となった聖パトリック、コルンバ、エイダンを順に挙げることができる。この時計回りの動きを締めくくるように、ブリテン島南東部には、五九七年にアウグスティヌスがローマ教皇グレゴリウス一世によって派遣された。注目すべきは、これらの代表的伝道者たちのすべてが修道士だったことである。アウグスティヌスが修道院を建てて拠点としたカンタベリの地には、現在もイングランド国教会の首座が置かれている。このように、イギリスやアイルランドのキリスト教の歴史の初めから、修道士は中心的な役割を果たしてきた。しかし、そもそも修道士とはどういう人びとなのだろうか。

修道士とは、清貧・貞潔・服従の生活を送るという誓いを立て、個人で所有物をもつことを放棄し、戒律に従って、基本的には修道院で生活を共にする人びとである。このような修道生活の起源は、キリスト教が生まれた後まだ間もない三世紀にエジプトなどで、神に近づくために世俗的な生活を離れて、ひとりで荒野に隠遁《いんとん》した人びとにあった。その少し後には、独住ではなく集団で共住し、祈りと労働を中心とした禁欲的な共同生活を始めた人びとも現れた。後の修道者たちの歴史には、独住して隠遁する隠者あるいは隠修士《いんしゅうし》の伝統と、厳格な秩序のもとで共同生活をおくる伝統という、ふたつが絡み合うように現れる。

修道生活という新しい生活形式は四世紀に地中海沿岸のヨーロッパに移植されて、さらに広まっていった。たとえば、アイルランドの伝道に旅立った聖パトリックは、その前にガリア（現在のフランス）の修道院に学んだと考えられている。その後、アイルランドのキリスト教は、隠修士的な要素をもつ独自の修道院文化として開花した。現在もカトリック教会全体で守られている、聖職者に対して罪を個人的に告白あるいは懺悔《ざんげ》する行為は、アイルランドの修道院に起源がある。アイルランドの修道院文化は、スコットランド西岸の小島アイオナへ、そしてそこから南方のノーサンブリア（現在のイングランド北部）の王オズワルドの招きを受けて、リンディスファーンへと拠点を築いていった。アイルランド系の修道院で製作された『ケルズの書』や『リンディスファーンの福音書』などの豪華装飾写本は、その独特な美意識と宗教性を伝えている。

修道生活を律する修道規則には様々なものがあった。しかし、西ローマ帝国滅亡直後の時代に、ヌルシアの聖ベネディクトゥス（四八〇年ころ〜五五〇年ころ）がローマ近郊のモンテ・カッシーノ修道院の修道士たちのために定めた「戒律」がとくに重要である。ベネディクト戒律は長い時間をかけて徐々に多くの修道院で用いられるようになり、カロリング帝国のカール大帝《シャルルマーニュ》がこれを唯一有効な修道戒律と定めたことで決定的に標準的な修道規則となった。ベネディクト戒律に従う修道生活は、一所に定住し、手仕事とミサや一日八回の聖書（なかでもとくに詩編）を朗誦し祈祷をする聖務日課などの典礼を日々の活動の中心とし、極力沈黙を保ち、神に思いをはせるものだった。

イングランドに来たアウグスティヌスも、ローマ近郊の修道院でベネディクトゥスの「戒律」が律する生活に親しみ、それをイングランドにもたらしたと考えられている。この時代のイングランドでもっとも名の知られた重要な修道士が、この時代を知る上で欠かすことのできない『イングランド人の教会史』を著したベーダである。

ベーダが活動したイングランド北部のモンクウェアマスおよびジャロウ修道院（六七四年創建）では、ベネディクトゥスの「戒律」そのものでないとしても、それをもとにした規則に則った修道生活が行われたと考えられている。これに対して、先に触れたブリテン島北部やアイルランドの修道院はアイルランド系の修道戒律を用いていた。この二つの若干異なる伝統が七世紀になって衝突することになる。具体的には、キリストの復活を記念する復活祭《イースター》の日付の計算方式の違いが争点となった。現代の私たちには非常に些細なことに思えるかもしれないが、当時の人びとにとっては、時間を統べ、典礼の基礎となる暦、しかもその典礼の中心である復活祭の日付の決定はきわめて重要な問題であった。ベーダによれば、六六四年のウィットビー教会会議の結果、アイルランド系修道院も、イングランド側が支持し教皇も採用を明言した日付の計算法（ディオニュシウス復活祭表：五二六年作成）に従うことになり、統一されたのである。

キリスト教は、王自身が改宗しなかったとしても、その家族を通じて王国内に、そして彼らの婚姻や亡命などを通じてひとつの王国から別の王国へと広がっていったと考えられている。キリスト教徒となった王やその家族をはじめとする裕福な社会の上層に属する人びとは、自らが永遠に救済される最善の方法は、修道士あるいは修道女としての生活を送るか、それが無理であれば、修道生活の維持と普及に努めることだと考えた。修道院への寄進文書のなかには、万事がはかなく移り変わってゆくこの世のなかで、修道院は、揺るぎない永遠の世界を保存する唯一の存在として想像されていたことを示す文言がしばしば見られるのである。

こうして修道院に与えられた財産は、修道院の建設地そのものである場合もあるが、「荘園《マナー》」の場合もあった。後者の場合、荘園で働く農民たちにとって修道院は領主ということになる。イングランドの修道院は往々にして大領主であった。一〇六六年のノルマン征服以前のイングランドには四五のベネディクト修道院（前述したベネディクトゥスの「戒律」を守る修道院）があったが、「ドゥームズ・デイ・ブック」によれば、これらの修道院の土地財産は、あわせるとイングランドの土地財産全体の六分の一に及んでいた。個々人としては私有財産をもたず清貧に生きる修道士たちは、修道院全体としてはもっとも富裕な財産を有する存在だったのである。

修道士たちは、当時の社会においてもっとも文字の読み書きに秀でた人びとであり、修道院は図書館や写本工房、写本を書き写すための写字室を備えていた。神の言葉に仕える修道士は、その神の言葉を記した写本を丁寧に書き写しただけでなく豪華に彩色し装飾を施した。カール大帝《シャルルマーニュ》は、七八九年の「一般的勧告」で、すべての修道院に学校をつくるように命じた。これは修道院を、祈りと手作業の場としてだけでなく、過去の知的遺産を保護し教える存在へと発展させていくことになった。実際、修道院の図書館は、古代からの文献を数多く保存し、現代にまで伝えることに大きく寄与することになったのである。

一〇世紀になって、フランス・ブルゴーニュ地方に位置するクリュニー修道院をはじめとするいくつかの修道院で新しい動きが始まった。クリュニー修道院を特徴づけるのは典礼の強調である。クリュニー修道院では、ベネディクト戒律で求められている度合いをはるかに超えて、一日の大半を典礼に費やすようになったのである。修道士たちは、自分たちの修道院に土地や財産を寄進した富裕かつ上層の人びとの魂の救いをとりわけ祈ることになった。ベネディクト修道院は、修道院外に対しても、旅行者のための食料と避難所を提供し、施しをなした。しかし、富裕層に仕え華美な典礼を執り行う修道生活のあり方に対して、それとは別の修道的な生き方を模索する人びとが一一世紀末に現れてきた。

その話に移る前に、在俗《ざいぞく》聖職者について触れておこう。カトリック教会に属する聖職者には、在俗聖職者という、修道士・修道女とは別のグループの人びとがいる。たとえば、カトリック教会の聖職者といえば「神父」という言葉が思い浮かぶかもしれないが、この神父（正式には司祭）が在俗聖職者の代表的存在である。在俗聖職者には男性しかなることができない。また、修道士・修道女とは違って、戒律に従った生活を送る必要はなく、私有財産をもつこともできる。ただし、結婚はできない点で修道士・修道女と同じである。在俗聖職者の任務は、一般信徒、つまり世間の人びとの宗教的な指導訓育をし、ミサを執り行うことである。こうした指導訓育は、羊の群れを守る牧者の仕事といったイメージから、司牧《しぼく》と呼ばれていた。在俗聖職者の多くは教区司祭だった。イングランドでは、一一世紀末から一二世紀にかけて、その隅々までが、およそ九〇〇〇の教区に分けられ、各教区にひとつの教区教会が建てられた。各教会には教区司祭が配置された（必ずしも教区内に在住したわけではないが）。教区司祭は、いくつもの教区を束ねる司教区の長である司教の監督下に（さらに司教は大司教の、そして大司教は教皇の監督下に）置かれていた。イングランドの場合は、カンタベリとヨークにそれぞれの大司教の本拠（大司教座）があった。このように、在俗聖職者は、教皇を頂点とするピラミッド型の組織をかたちづくっていた。これに対して、修道士の多くは、在俗聖職者のピラミッド型の組織からは外れた存在だった。しかし、修道生活の理想は、一一世紀の終わりから、在俗聖職者の一部をも魅了していった。

一二世紀の様々な修道運動

一一世紀の終わりに、最初はイタリアや南フランスで新しい教会改革運動とそれと連動した修道運動が起こり、それがイギリスにも波及していった。これは、修道院や修道的生活の理想に関わる人びとの社会階層が、社会の上層だけでなく、より広範に広がっていったことと関連している。

当時、在俗聖職者の間では、教区司祭禄や司教の地位を金銭で売買する聖職売買や、親類縁者間で聖職を融通し合う縁者びいきが頻繁に見られた。聖職者の妻帯は、それまであまり徹底して禁止されてはいなかったが、婚姻で結ばれた有力な家系が教会内部の様々な判断に介入することを許してしまい、それがこうした問題につながっていた。さらに、修道院でも、ベネディクト戒律の定めるところから乖離した言動が目に余るものになっていた。これらに対して、一一世紀の終わりからわき上がった教会改革の動きは、それまでのどれよりも激しく深いものであった。当時の教皇グレゴリウス七世は、聖職売買と聖職妻帯の禁止の徹底を図る「グレゴリウス改革」を推し進めていたが、これは教会改革を望む下からの動きと呼応していたのである。

在俗聖職者の一部が修道生活にあこがれたのは、この改革の推進と関係していた。すなわち、在俗聖職者であっても修道戒律に従う共住生活を始めることで、教会内部の規律を向上させられると思われたのである。しかし、在俗聖職者でいながらベネディクト戒律を守ろうとすれば、一般信徒の司牧・慈善・学校運営など、世俗社会と深く関わる在俗聖職者の責務を果たすことができなくなり、修道的な生活と在俗聖職者の責務を両立することがむずかしくなる。

この問題に対する彼らの解決策は、ベネディクト戒律よりもはるかに緩やかな規律を定める「聖アウグスティヌス戒律」を採用することであった。この戒律を守ることで、在俗聖職者でありながら修道生活を行おうとした人びとのことを「律修参事会員」あるいは「アウグスティヌス律修参事会員」と呼ぶ。彼らの修道院は、一二世紀前半のイングランドで爆発的な広がりを見せ、イギリスではもっとも数の多い修道院となった。

若干遅れて、フランスでは、ベネディクト戒律の精神が徹底されなくなっていると考えた修道士たちが、フランス東部のシトーに新しく修道院を設立し、シトー会という修道会を形成した。彼らは、ベネディクト戒律に従ったが、それまでのベネディクト修道院よりもはるかに厳格にそれを守り質素な聖性を求めた。たとえば、ベネディクト修道士が着ていた黒の修道服に対して、黒に染めるのは十分な清貧とはいえないとして、染めていない簡素で廉価な白い衣服を着用した。また、少なくとも最初期には自ら農地で労することを重んじて、既存の荘園などがない未開発な土地を求めた。これは、「労働」といいながらも、自ら土地開拓に汗をかくことはせず、修道院の保有する土地を耕す農民から得られた小作料や一〇分の一税に依存していたベネディクト会士とは正反対の態度であった。シトー会の修道院を創設することを望んだ寄進者たちの多くは、かつてベネディクト修道院を創設した人びとよりも富裕さで劣る領主だった。そうした人びとにとって、未開発で経済的にあまり価値のない荒涼とした土地は、より豊かな土地に比べると寄進しやすかった。そうしたことも含め、一二世紀前半に急激にシトー会修道院が広がっていくことになる。

このようにして得られた土地は、シトー会士が自ら耕すには広大すぎることがすぐに明らかになった。まもなく、助修士あるいは労務修士《コンウェルシ》と呼ばれる、修道士ではない人びとが修道士に代わって労働し、さらに付属農園《グランギア》を形成するようになった。こうしたシトー会修道院での羊毛生産は、近代イギリスの羊毛業・毛織物業につながる最初の基礎を意図せずして作り出すことになった。

シトー会についてもうひとつ特筆すべきなのは、その中央集権的な体制である。元来、ベネディクト修道院はそれぞれが独立した存在であり、統一的な「修道会」を形成していなかったのだが、ベネディクト修道院のなかでも前述したクリュニー修道院は「母修道院」として、自らの影響力のもとに創設された「娘修道院」を統括する中央集権化の動きを示していた。シトー会はこれをさらに推し進め、毎年九月にシトーにすべてのシトー会修道院の代表者が集まって総会を開き、修道生活の遵守、典礼、慣習について統一性を保つようにした。こうしたシトー会の組織のあり方は、後に生まれた修道会にも引き継がれていった。

アウグスティヌス律修参事会員やシトー会の誕生は、一二世紀において人びとが当時支配的だったベネディクト修道院的な修道生活のあり方に満足せず、新しいあり方を模索したことを物語っている。この二つ以外にも、数多くの修道会がこの時代に誕生した。十字軍と深い関わりをもつテンプル修道会や聖ヨハネ修道会などの騎士修道会も重要である。しかし、イングランドに関しては、同じ一二世紀前半に設立されたギルバート会に注目しておこう。同会は、センプリンガムのギルバートが、一一三一年ころに自らが教区司祭を務めていたセンプリンガム教区で、同教区を管轄するリンカン司教の許可を得て、修道生活を望む女たちのために教区教会に隣接した女子修道院を設立したことに始まる。ギルバート会は、女子修道院に男子の律修参事会員の修道生活を組み合わせた独特の男女複合修道院を生み出すことになった。

一三世紀から中世末期まで

このように様々な修道運動がわき上がってきた一一世紀末から一二世紀は、都市が発達し始めた時期でもあった。当初、修道生活、とくに隠修生活を求めることは、世俗生活を避けて、往々にして人の少ない農村、あるいはさらに荒野を志向することだった。しかし、当時勃興しつつあった都市に集まってきた多くの人びとも、キリストの弟子である使徒たちが送ったような共同生活（使徒言行録二章四四～四五節）を自らも実践したいと願う「使徒的生活《ウィタ・アポストリカ》」の理想に魅了されたのである。こうした都市の人びとの宗教的需要に応えて、正統信仰を広めるために一三世紀初頭に誕生したのが、托鉢修道会である。

都市に修道院を構え、積極的に民衆に対して説教を行うことで告白に導くという托鉢修道会の修道生活の形態は、世俗を避け、しばしば農村部の修道院に引きこもる、それまでの修道生活形態とは、同じ修道生活といってもまったく正反対の方向性をもっていた。

最初の托鉢修道会は、グスマンのドミニクスが設立した

図1　ウィトビー修道院址

図2　施しを行う修道士（ヨーク，オール・セインツ教会のステンドグラス）

貧窮者に対して施しを行ったり，病人の世話を行うことも，修道院の大きな役目で，いわば中世の福祉活動を担う存在であった。

説教者兄弟会（ドミニコ会）である。ほぼ同時期に、裕福な商人の息子として生まれたアッシジのフランチェスコは回心を経験した後、教皇インノケンティウス三世の許可を得て「小さな兄弟会」（フランシスコ会）を設立した。托鉢修道会は、教皇権に従わない異端を説得して正統信仰を伝えられるように、当時成立したばかりの大学に進出し、一二世紀から発展したスコラ学を推し進めていく。こういった動きの代表として、ドミニコ会士トマス・アクィナスが挙げられる。とはいえ、托鉢修道士の大多数は大学教育まで進むことはなく、それぞれの修道会の地方管区修道院付属学校で教育と説教の訓練を受け、一般信徒の司牧活動に従事していった。托鉢修道士の説教の執筆・筆写・口頭伝達の規模は、近年、活版印刷のそれと比較可能なマス・メディアとして考えられるようになっているほどである。説教をし、人びとの告白を受け入れる彼らは、世間の人びとの人気を集めることになった。興味深いことに、このように新しい修道運動が出てきたからといって、古い型の修道院や修道士たちが完全にいなくなることはあまりなかった。したがって、西ヨーロッパの他の地域と同様に、イギリスでも中世後期までには非常に様々なタイプの修道院が存在することになったのである。

こうして、修道院は中世後期の人びとの生活のごく自然な一部をなしていたが、一六世紀にヘンリ八世が彼のイギリス宗教改革の動きのなかで修道院解散令を発したことによって、わずか数年のうちにイギリスの修道院には終焉がもたらされた。なぜそれが可能だったのかについて歴史学者の間で議論が続いているが、近年では、一部に頑強な抵抗が見られたものの、強力な王権と王権への人びとの忠誠心のほうが、そのような抵抗運動を上回っていたと考えられている。

こうして修道院の文化は近世以降のイギリスから消え去ることになったが、これまで見たように、一口に「キリスト教の修道院」といっても、それぞれの修道院・修道会が生まれた時代や、それらを支えた人びとが求めた宗教生活の理想や経済状況などの要素の組み合わせにより、時にはまったく正反対の方向性をもつほど多様な存在だったことがわかる。中世における宗教は、社会のごく一部に囲い込まれた存在ではなかった。むしろ社会全体が宗教に浸かっていたとすらいえる。そのことは、世俗に距離を置こうとした修道院の歴史に、逆によく表れているといえるだろう。

（赤江雄一）

参考文献

K・S・フランク著、戸田聡訳『修道院の歴史——砂漠の隠者からテゼ共同体まで』教文館、二〇〇二年。
今野國雄『修道院——祈り・禁欲・労働の源流』岩波新書、一九八一年。
シャン・ルクレール著、神崎忠昭・矢内義顕訳『修道院文化入門——学問への愛と神への希求』知泉書院、二〇〇四年。
朝倉文市『修道院にみるヨーロッパの心』（世界史リブレット）山川出版社、一九九六年。

第Ⅱ部

ルネサンスからバロックへ——一六～一七世紀

セント・ポール大聖堂

ロンドン大火の後，C・レンの設計によって再建された。ローマのサン・ピエトロ大聖堂を意識したデザインとなっている。

第3章

近代社会の幕開け

ヘンリ七世の治世

力で王位を得たヘンリ七世にとって重要であったのは、自らの王位継承権の正統性を示し、テューダー家の王朝を存続させることであった。ヨーク朝復活につながるような反乱の芽を摘み、有力貴族の力を削ぐことに力を注ぐ一方、エドワード四世の娘を妻として、アーサー王などの中世伝説まで利用して自らの血統が由緒正しいものであることを宣伝した。王子のためにスペインから妃を迎えることができたことも、王朝の正統性を対外的に示すことになった。

またヘンリは、ばら戦争によって断絶した貴族からその所領を獲得し、王室の財政基盤の強化に努めるとともに、貿易を振興して関税収入の確保を図った。統治機構においては、貴族に頼るよりは新興の地主であるジェントリ層（第6章を参照）を登用し、新しい社会を準備した。さらに、コロンブスの成功に刺激されて、カボット父子を北アメリカ大陸に派遣し、のちのニューファンドランドの領有に道を開いた。

ヘンリ八世と宗教改革

ヘンリ七世は豊かな国庫を息子に残して死去したが、王位を継いだヘンリ八世は、堅実な父とは対照的に、華やかなルネサンス君主であることを目指し、父が開いた新大陸進出の道よりも、昔ながらのヨーロッパ大陸での軍事的栄光を求めた。そのヘンリ八世治世の前半を支えたのが、トマス・ウルジー枢機卿であった。ウルジーは王の信任を背景に、国政を牛耳り、権勢をほしいままにした。

しかし、王妃との間に男子の王位継承者がいないことに端を発したヘンリ八世の離婚問題の解決に失敗したウルジーは失脚してしまう。その後、ヘンリを補佐し、重要な諸改革を進めていったのが、トマス・クロムウェルであった。

離婚を認めようとしないローマ教皇に対して、ついにヘンリとクロムウェルは、カトリック教会から離脱して、一五三四年に、国王を首長とするイングランド独自の教会を設立することになる。離婚を実現したヘンリは、アン・ブリンと結婚し、娘エリザベスを得るが、やはり男子には恵まれず、アンを見限って処刑し、新たな王妃ジェーン・シーモアによって待望の男子エドワードを得ることになった。

図3－1　ヘンリ8世の肖像（ホルバイン画）

このようにして誕生した国教会であったが、ヘンリ時代には教義の変更はあまり見られず、プロテスタント化が進展するのは次のエドワード六世の時代である。しかし、財政難解消のために修道院のもつ莫大な土地財産に目をつけたヘンリは、法律で修道院を解散し、その土地を没収した。

図3－2　英訳聖書の表紙

大聖書《グレート・バイブル》と呼ばれる公認聖書。すべての教区に設置することが求められた。天上の神の意向を受けて，ヘンリ８世が「神の言葉（聖書）」を聖俗の人びとに分け与える様子を描いている。

人びとの生活に密着していた修道院の解散には反発も大きく、北部で「恩寵の巡礼」と呼ばれる反乱も起こったが、その鎮圧を機に北部支配の体制が強化された。同じころ、ウェールズもイングランドに併合され、政治的な区分としては消滅した。

その後、クロムウェルも保守派の巻き返しによって失脚するが、クロムウェルなき後のヘンリは、再び大陸への野心を強め、無益な戦争を繰り返すことになる。その莫大な戦費をまかなうために、没収していた修道院領が次々に売却され、再び王室財政は苦しくなった。一方、売却された土地を購入した新興ジェントリ層は、それを足がかりに台頭し、国王に選任された治安判事になるなど、地方統治の一翼を担い、イギリスの支配階級を形成してゆくことになる。

メアリとエリザベス

短命のエドワード六世の急激なプロテスタント化政策ののち、姉メアリがイングランドで初めての女性君主として即位すると、カトリック教会への復帰が図られた。もともと多くの人びとは伝統的な信仰に共感していたので、カトリックの復活自体は、それほど抵抗は無かったと思われる。しかし、売却された修道院領や教会財産を所有していた人びとは、それらを手放すことには強い難色を示したため、それらを教会に回復することはあきらめざるをえなかった。

メアリはスペイン王太子フェリペ（のちに即位してフェリペ二世）と結婚したため、イングランドはヨーロッパの国際政治の舞台ではスペインの陣営に組み込まれ、フランスとの戦争に参戦することになった。この戦争でイングランドは最後の大陸領土であったカレーを失ってしまう。

図3－3　エリザベス1世(アルマダ・ポートレイト)
アルマダ海戦の勝利を記念して描かれた肖像画。背後のパネルに海戦の様子が描かれている。

メアリは治世わずか五年で病没し、そのカトリック改革は中途で挫折することになる。あとを継いだのが異母妹エリザベスである。エリザベスは、メアリのカトリック復活政策を廃し、再びプロテスタントの国教会設立へと方針を転換した。しかし、人びとのカトリック信仰は根強く、一方で徹底的なプロテスタント改革を志向するピューリタンの動きも過激化したため、両者を弾圧しつつ、「中道」路線による国教会体制の定着に努めた。

大部分のカトリック教徒は女王に対して公然と抵抗することはなかったが、なかにはエリザベスを廃して、スコットランドから亡命していた元女王メアリ・ステュアートを君主にすることをもくろむ過激なグループもいた。メアリの存在は、一五六九年の北部でのカトリック貴族の反乱をはじめ、何度かのエリザベス暗殺計画となって、エリザベスを悩ませたが、ついにメアリの関与を示す証拠が明らかになり、一五八七年にメアリは処刑された。

カトリックの大国となっていたスペインとの関係は、エリザベスが明確にプロテスタント路線をとったため、しだいに険悪なものになっていたが、両者の対立は、当時スペイン領であった低地地方（現在のオランダ、ベルギー）をめぐって決定的なものになった。羊毛の輸出先として低地地方を維持したいイングランドがオランダの独立運動を支援し、さらに、イングランドの私掠船（公認の海賊）によって新大陸からの財物を運んでくるスペインの艦船が襲撃されるという事態に、スペインは、一五八八年夏、無敵艦隊《アルマダ》を派遣して、イングランド侵攻に踏み切った。しかし、無敵艦隊はイングランドとオランダの連合軍に海戦で上陸を阻止され、侵攻をあきらめて帰還途中に嵐によって壊滅的な被害を受けてしまう。危機を脱したイングランドも、スペインの再度の来襲に備えるために軍事費がかさみ、財政を悪化させる要因となった。

長引く対スペイン戦争は、イギリスの社会に大きな負担となり、フランドルの不安定さから貿易も不振で、長期の不況からも脱却できなかった。そこに凶作や疫病などもあり、都市には失業者や浮浪者がひしめき、社会不安が広がっていた。これがエリザベス時代の裏の姿であった。

ステュアート朝の成立

一六〇三年にエリザベスが独身のまま死去すると、メアリ・ステュアートの息子、スコットランド王ジェイムズ六世に王位が提示された。これを受諾したジェイムズは、イングランド王ジェイムズ一世として即位した。これは両国の合併を意味するのではなく、ひとりの君主が複数の国の君主を兼務するもので、「同君連合」と呼ばれる。学者肌のジェイムズの政策は、様々な対立関係を和解させることを目指したといえる。まず、外交面ではスペインとの戦争を終結させ、大陸での三十年戦争にも参加せず、イギリスに戦渦が及ぶのを防いだ。国内では、スコットランドとイングランドを完全に統一した「グレートブリテン王国」の実現を訴えるが、両国の反発は強く、構想だけに終わった。宗教面では、国教会とピューリタンの仲介者の役割を果たそうとしたが、結局は、国教会体制を維持することになった。

ジェイムズは、王位は神によって定められたものであるという王権神授説を信奉し、国王大権の制限を図る議会と対立した。戦争を避けた和平路線も、戦費調達のために議会を開くことを嫌ったことが一因であった。ジェイムズを継いだ息子のチャールズ一世も王権神授説に立って、さらに議会との軋轢を強めた。議会が国民の権利の確認を求めた「権利の請願」を出すと、それ以後は、ほとんど議会を開かずに政治を進めていった。

内戦から共和政へ

チャールズ一世はスコットランドにも国教会制度を導入しようとしたが、よりプロテスタント色の強い長老派が浸透していたため、反乱を招いてしまう。鎮圧のための戦費承認を求めて開いた議会では、長年抑えられていた国王批判が吹き出した。さらにアイルランドでもカトリック教徒の反乱が起こると、鎮圧のために軍隊を動かそうとした王に対して、軍隊で議会の反国王派を弾圧するのではないかと議会は不信を強めた。国王と議会の対立は、一六四二年についに内戦へといたる。

当初、国王側の優勢で推移した戦いも、国王軍の資金難や議会軍を率いたオリヴァ・クロムウェルの活躍などで形勢は逆転し、議会派が勝利を収めた。勝利後の議会派内部では、穏健派が排除され、強硬派によってチャールズ一世の処刑が行われた。国王処刑に反発し、王の息子チャールズ二世を立てて抵抗したスコットランドに対して、クロムウェルは軍隊で制圧する一方、アイルランドも征服し、アイルランド人から土地を奪って完全に植民地化してしまう。

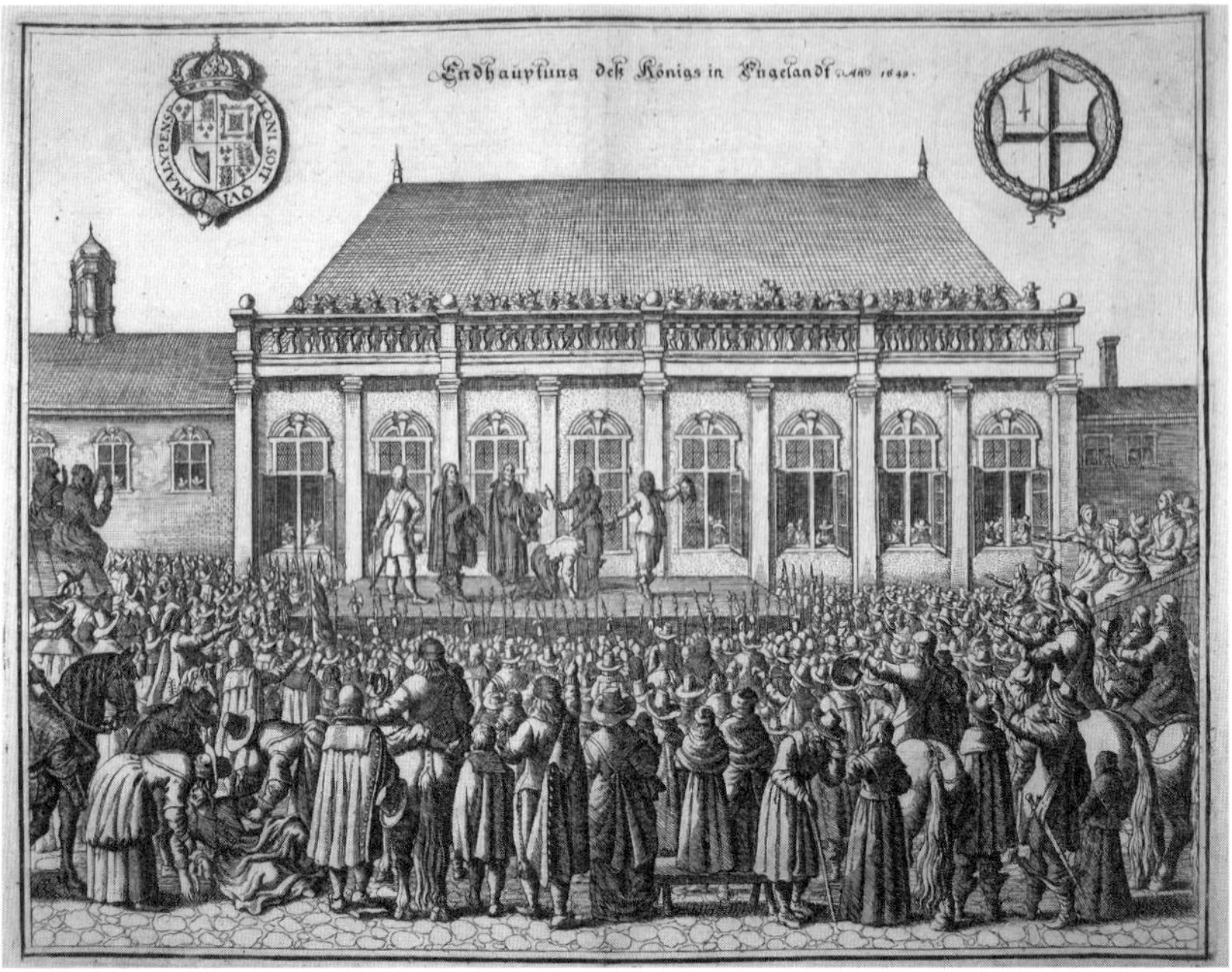

図3－4　チャールズ１世の処刑（17世紀後半，オランダで刊行された版画）
チャールズ１世は，バンケティング・ハウスの前で斬首された。国王派の視点で描かれているので，処刑の様子を見て卒倒する人びとが描かれるなど，処刑の不当性が強調されている。

ここに国王のいない共和政が成立するが、実態は、クロムウェルの権威によって維持された軍事独裁であった。軍隊と議会は対立を深め、厳格なピューリタニズムに基づく統治に人びとの反発は強く、政情は不安定で、解決策としてクロムウェルへの王位提供すら議論された。一六五八年にクロムウェルが死去すると、ほどなく共和政は崩壊し、亡命していたチャールズ二世が戻り、一六六〇年に王政が復活し、共和政期にいったん廃止されていた国教会も復活した。しかし、内戦までの過程で廃された封建特権は復活せず、議会による改革の多くは維持された。王政復古は単なる過去の古い体制の復活ではなかった。

オランダとの戦争

一七世紀になると、スペインが衰退を始め、代わってオランダが台頭し、貿易をめぐってイギリスと対立するようになる。一六二三年にはアンボイナ島（モルッカ諸島）でイギリス商館がオランダに襲撃され、日本人を含む商館員全員が虐殺される事件が起こった。これを機にイギリスは東アジアから撤退し、日本の平戸にあった商館も閉鎖された。

クロムウェル政権時、議会は航海法を制定して、中継貿易からのオランダ船舶の排除を図ったが、両国の対立は戦争に発展した（第一次英蘭戦争）。王政復古後も、チャールズ二世のもとで二度の対オランダ戦争が行われた。第二次戦争時には、オランダ海軍がテムズの支流メドウェイ川まで侵攻し、チャタムにあった海軍基地を襲撃されるなど、苦戦が続いた。結局、戦争に勝利を収めることはなく、戦費による財政負担などが重くのしかかることになった。しかし、この戦争はオランダにも大きなダメージを与え、結果的には、オランダの力を削ぐことになり、イギリスが海運国として台頭する契機となった。

ペスト流行

王政復古が実現して間もなく、ロンドンはペストと大火という二つの災厄に見舞われた。当時のロンドンは、人口四〇～五〇万の大都市で、全人口のほぼ一割近くがロンドンに集中していた。イングランドの場合、ロンドンだけが突出して大きいのが特徴で、ロンドンに次ぐノリッジやブリストルなどでも、せいぜい五万人程度にすぎなかった。当時は、基本的には農村社会で、都市に住む人は全人口の一五パーセントほどであったといわれる。つまり、都市人口の三分の二がロンドンに集中していたのである。

一七世紀中ごろのロンドンは、中世以来の狭い道が不規則に通り、丸石で舗装されていればまだしも、未舗装の道も多かった。建物は床面積を増やすために二階以上がせり出した木造建築が多く、道への日照を遮っていた。道には、人ばかりでなく、ネズミや放し飼いのブタなども往来していたので、異臭も甚だしかっただろう。さらに、薪を燃料にしていたため煤煙がひどく、それがスモッグとなって人びとの呼吸器官を痛めた。

こうした住環境がペスト流行の一因となり、中世以来、流行を繰り返していた。もともと「ペスト」という言葉は疫病一般を指し、必ずしも今日ペストと呼ばれる病気と同じとは限らないが、歴史上「ペスト」といえば、中世末期の黒死病の流行がよく知られる。ネズミにつくノミが媒介する「腺ペスト」であったと思われるが、近世になっても各地で疫病は頻発していた。一七世紀のロンドンでも、一六〇三年、一六二五年、一六四〇年にも大規模な流行が見られた。しかし、一六六五年の大流行は、毎日一〇〇〇人以上、七万人の死者を出す大きな被害をもたらした。富裕な人びとはロンドンから退避したが、カトリック教徒が毒薬を撒いたのだというデマまで流れ、世情は混迷した。ちなみに、当時、疫病の原因は「ミアズマ」と呼ばれる瘴気と考えられていたので、ハーブによる匂いやかがり火による空気の「浄化」が効果的だとされていた。細菌が病気の原因になることが発見されるのは一九世紀後半のことである。

図３－５　ロンドン大火

ロンドン大火

ペスト流行が一段落したロンドンは、今度は大火に見舞われる。一六六六年九月二日、パン屋の失火から出た火は、おりからの強風にあおられて一気に広がり、消火活動が後手に回ったこともあって、三日間燃え続けた。その結果、ロンドンの大部分が罹災し、一三〇〇〇棟以上の家屋、セント・ポール大聖堂を含む八八の教会が焼失した。焼け出された人びとは七万人とも一〇万人ともいわれるが、死者は少なかった。一〇名に満たないとされるが、詳細は不明である。中世以来の木造家屋が延焼を加速したのは明らかであったので、これ以降、ロンドンでは木造での新築は禁止されることになった。この大火でも、カトリック教徒による放火説が流れ、のちに建造された大火記念碑には放火説が銘文に記され、カトリック教徒への敵意があおられることになる。

ロンドンをどのように復興するかが次の大きな課題となった。建築家クリストファ・レンが提案した大陸型の都市計画がよく知られているが、実際に具体的な検討がなされたかは不明である。結局は、統一的なプランが実現することはなく、ロンドンの複雑な街路の多くは今日まで残ることになる。レンの考えたイメージが具体化できたのは教会の再建であった。ローマのサン・ピエトロ大聖堂風のドームを載せたセント・ポール大聖堂をはじめ、市内の多くの教会がレンの設計によって再建され、その後のロンドンの景観を特徴づけることになった。

図３－６　ウィリアム３世

名誉革命

チャールズ二世には子どもがいなかったので、後継は王弟ジェイムズ（二世）が予定されていた。しかし、ジェイムズは、公然たるカトリック教徒であったため、その即位への賛否をめぐって議会は二分した。結局、即位は実現したものの、親カトリック政策の推進に対して、ジェイムズ二世を排除し国教会を擁護することで一致した議会は、王の娘メアリの夫でチャールズ一世の孫にあたるオランダ総督ウィレムに軍事介入を求めた。

ウィレム軍が一六八八年一一月にイングランドに上陸すると、貴族の多くが王を見限ったため、ジェイムズ二世は国外へ逃れた。翌年、ウィレム夫妻はウィリアム三世・メアリ二世として即位し、共同統治を行った。大きな戦いもなく王位が移行したので、この政変は「名誉革命」と呼ばれる。政変を主導した議会は「権利の章典」を制定して国民の権利を確認し、議会中心の政治体制を確固としたものにした。

スコットランドでは、当初、イングランドの議会がステュアート家の王を追放したことに対し反発を強めたが、ウィリアム三世がスコットランド側の「権利の要求」を認めたことで、王として受け入れた。

一方、王位復活を目指すジェイムズ二世は、フランスのルイ一四世の支援のもと、一六八九年三月にアイルランドに上陸し、カトリック教徒の支持を得たが、七月一日、ボイン川の戦いでウィリアム三世自らが率いる軍隊に敗北し、再びフランスへと逃れていった。この戦勝記念日は、今日でも、北アイルランドのプロテスタントによって、少数派のカトリックへの示威・挑発行為を伴う「オレンジ行進」として祝われており、北アイルランドの宗教紛争の火種となっている。

イギリスはオランダとそれまで三度の戦火を交えていたが、ウィリアム三世のもとで、その外交は大きく方向転換した。オランダ総督でもあるウィリアムにとって重要なのは、侵略攻勢を強めていたフランスからオランダを防衛することであったため、三十年戦争以降のヨーロッパの紛争から距離を置いていたイギリスも対フランス戦争に引き込まれることになった。このあと一〇〇年以上、対フランス戦争がイギリス外交の基本となり、ヨーロッパはもちろん、植民地などでもフランスとの戦いが繰り広げられることになる。

歴史の扉
2

イギリス人の信仰

国教会

イギリスでは一八〇一年から一〇年ごとにセンサス（国勢調査）が実施されているが、二〇〇一年のセンサスは、一八五一年以来、宗教についての質問項目が盛り込まれた一五〇年ぶりのセンサスであった。その結果を見ると、「キリスト教徒」がひとくくりのチェック項目になっているという問題点があるものの、イギリスの総人口の少なくとも七割以上（七一・八二％）がキリスト教徒としてのアイデンティティをもっていると回答しており、イギリスは今なおわれわれの抱く「キリスト教国」のイメージに適っているといえる。

また、政教分離が盛んに主張される日本と比較して、イギリスの政治と社会は驚くほどキリスト教にコミットしている。イギリス国教会の二人の大主教をはじめとする主教たち（全員ではない）は、今なお議会上院である貴族院の議員であるし、国王の戴冠式など、王室行事の場として使用されることが多いウェストミンスター寺院は、中世以来常に王室と密接な関係をもった「教会」である。しかし、イギリスのキリスト教がどのようなものであるかについては、あまり理解されていないのではないだろうか。

高校の世界史では、一六世紀の宗教改革の項目で、ルターやカルヴァンの付録のように「イギリスの宗教改革」が紹介され、国王ヘンリ八世の離婚問題に端を発してイギリス国教会が成立したとされる。今なおイギリス社会においてイギリス国教会の影響力はきわめて大きいが、その特徴を一言で説明するのはむずかしい。近代以降イギリスが帝国として世界中に植民地を築くと、イギリス国教会系の教会も世界中に広がり、日本では聖公会と呼ばれるようになった。現在の聖公会はカトリックとプロテスタントの橋渡し役であることを自認し、両者の中間にある存在であることを強調する場面が多いので見誤りやすいが、そのアイデンティティが形成された近世においては、強烈なプロテスタント意識こそが国教会の存立基盤であったといってよい。そのようなプロテスタント意識が、イギリス国家のナショナル・アイデンティティ形成とも大きく関わったというのが、近年の歴史家の一致した見解である。

本稿は、そのようなイギリスのプロテスタント・アイデンティティの形成を跡づけることを目的とする。なお、ここでイギリス国教会と呼んでいる教会は正確にはイングランド国教会であり、少なくとも国教会が成立したとされる一五三四年時点では、スコットランド、アイルランド、ウェールズはイングランド王国の一部ではなく、それぞれイングランドと異なった宗教的歴史をもつ。また、イングランドにおいてもキリスト教のすべてが国教会ではなく、ときには国教会とするどく対立し、ときには協調しながら、大きな影響力をもったプロテスタント非国教徒の伝統がある。以上の点に留意しながら、叙述を進めていきたい。

宗教改革

宗教改革とは、西ヨーロッパ全体を包含しローマ教皇を頂点とする一体的なキリスト教世界のなかから、新たにプロテスタントと呼ばれる「宗派」が登場したことを指す。しかし、そのことは同時に、西ヨーロッパ唯一の宗教であったローマ・カトリック教会までもが一つの「宗派」となることを意味し、それゆえ宗教改革とは普遍的キリスト教世界の解体でもあった。

また、中世のキリスト教社会にあっては、宗教は政治や経済、文化と併置される人間の活動の一領域ではなく、社会のありようそのものと同義であったから、宗教改革のもつ社会的意味はきわめて大きかった。キリスト教社会においては、上は国王から下は貧民にいたるまで、あらゆる人びとが、社会の階層的秩序や人間を取り巻く自然、生活のなかで起こるあらゆる出来事を、聖書に基づく世界観のなかで理解し、把握した。また、人は生まれると教会で洗礼を受け、教会で結婚し、死ぬと教会の墓地に埋葬されるといったように、キリスト教は人間のライフサイクルのあらゆる面に関わった。宗教改革の起こった一六世紀の社会はそのようなキリスト教社会の枠組みを維持していたので、宗教改革は現代人の考えるような「宗教」の変化ではなく、人間を取り巻く世界と社会の変容として大きな意味をもったのである。

イングランドの宗教改革は、国王ヘンリ八世の離婚問題を契機として起こった。ヘンリはドイツでルターが宗教改革の狼煙をあげると、ルターに対して反駁の書物を著して教皇から「信仰の擁護者」という称号を授与されるほど教皇に忠実であり、終生保守的な信仰をいだき続けたといわれる。しかし、だからこそ、自身が最初の王妃でスペイン王家出身のキャサリンとの婚姻の解消を教皇に申し出たとき、教皇はすぐにでもそれを認めるだろうと確信していた。しかし、時の教皇クレメンス七世にはヘンリの離婚を認められない理由があった。当時、クレメンスはローマに進軍した神聖ローマ帝国軍の事実上の捕虜であり、皇帝の意向に刃向かえる状況ではなかった。時の皇帝カール五世は同時にスペイン国王でもあり、今まさにヘンリ八世が離婚しようとしているキャサリンの甥だったのである。自身の離婚問題について教皇の許可を得られないことが判明したヘンリは、この問題をイングランドの議会に持ち込んだ。一五二九年に始まったいわゆる宗教改革議会は、矢継ぎ早に反ローマ立法を成立させる。三三年にローマ教皇庁を含む王国外への上訴を禁じた上告禁止法によって離婚を国内のカンタベリ大主教法廷で決着させた後、翌三四年の国王至上法は国王をイングランドの教会の「至高の首長」であるとして、ローマ教皇権を否定したのである。一般には、これがイングランド国教会の成立であるとされる。

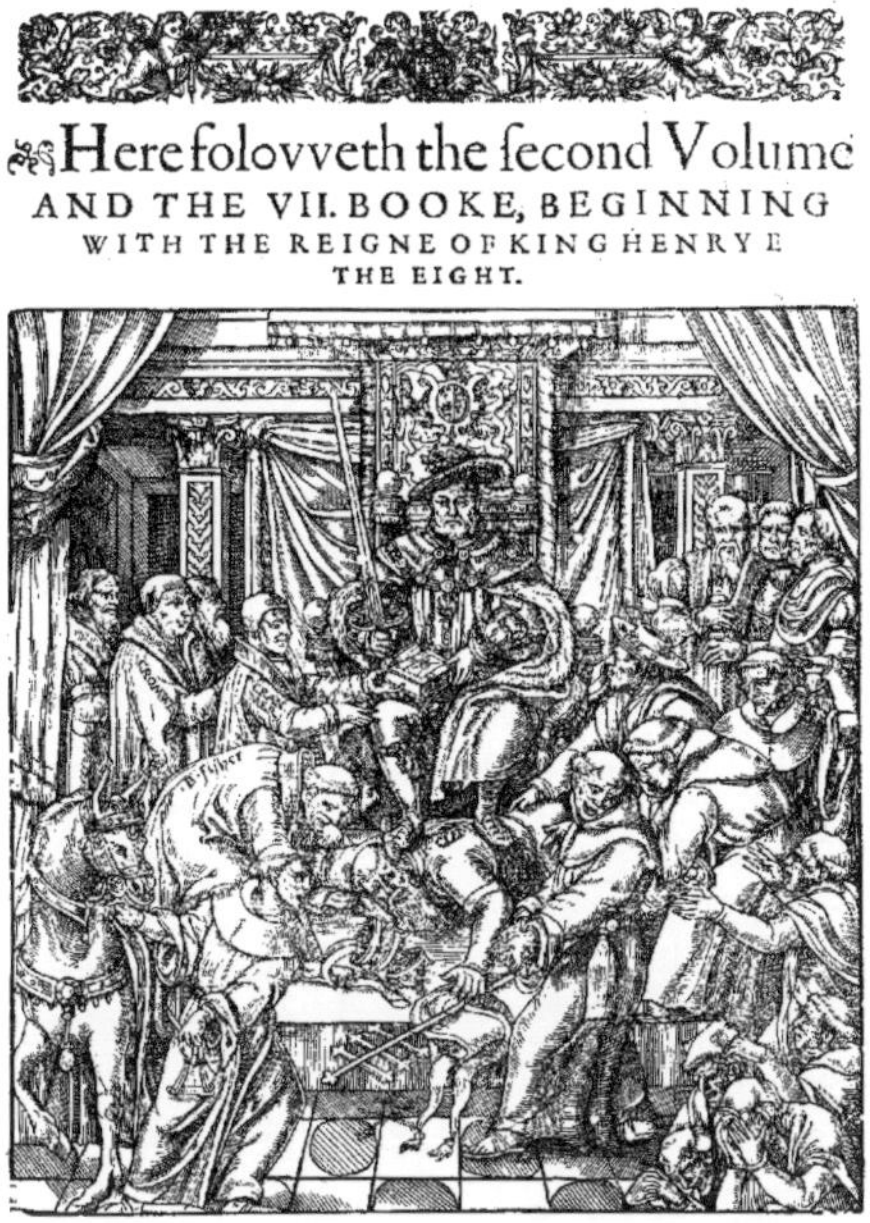

図１　宗教改革を断行するヘンリ８世

エリザベス時代の教会史家フォックスの『殉教者の書』の挿絵。ヘンリがローマ教皇を踏みつけ，家臣に聖書を手渡している。イングランドの宗教改革の理念を描いたもので，もちろん，現実の光景ではない。教皇は，ヘンリの離婚を認めなかったクレメンス７世で，周囲のカトリックの聖職者が狼狽している。

　イングランド国教会は、教皇権を否定しカトリック世界と断絶したという意味ではプロテスタントであった。しかし、そのような経緯で成立した国教会の内実は、理屈から言えば教皇抜きのカトリック教会であった。それゆえにこそ、これ以降、宮廷と国教会内部には、国教会のさらなるプロテスタント化を志向する改革派と、それ以上の改革を望まない保守派が形成され、激しい綱引きが繰り広げられることになる。

　またヘンリ八世の死後は、三人の子どもが順次王位を継いでいくことになるが、各君主の信仰を反映して、短期間のうちに政府の公的な宗教体制は二転三転した。すなわち、エドワード六世の治世には急進的なプロテスタント改革が押し進められ、共通祈祷書などの後の国教会のありようを規定する重要な文書が作成されたが、姉のメアリ一世が即位すると即座にエドワード治世の宗教立法は廃棄され、翌年には国王至上法をも含むヘンリ八世治下の宗教立法も廃棄されて、イングランドはカトリック世界に復帰したのである。一五五八年に二五歳で即位したエリザベス一世の宗教体制は、一般に「中道」であるといわれるが、これはプロテスタントとカトリックの中間を行く新しいキリスト教を目指したということではない。一六世紀中葉の宗教的激動期を経験したエリザベスが目指したのは、プロテスタント路線を基本としながら極端を排して、可能な限り多数の国民を包括する国家教会であった。四五年に及ぶエリザベス治世の動向は、その後のイングランドのプロテスタント・アイデンティティの形成と深く関わる。この点については次項で詳しく見ることにしたい。

ところでイングランドで宗教改革が始まった時期は、イングランドとイングランド王権の宗主権下にあった地域との関係が大きく変化した時期でもあった。ウェールズとアイルランドである。ウェールズは一五三六年の合同法により、正式にイングランド王国の一部となった。ウェールズの四つの主教区はそれ以前からイングランドのカンタベリ大主教管区に下属していたこともあり、イングランド宗教改革の結実を順調に受け入れていくことになる。

他方アイルランドでは、代々イングランド王権の代理としてダブリンで総督を務め、事実上アイルランド統治を任されていた地元大貴族キルデア伯が、まさに国王至上法が成立した一五三四年に反乱を起こした。内実はともあれ、反乱者はカトリックの擁護を旗印とし、結果として鎮圧された。これ以降イングランド王権はアイルランドの直接統治を目指すことになり、一五四一年にはアイルランド王を兼ねることを宣言したのである。これが、アイルランドにおける少数のプロテスタントによる多数のカトリックの支配という構造の始まりのひとつとなった。

イングランド宗教改革はこのように周辺地域への「押しつけ」としても進行したが、イングランドの民衆社会にとってはどうであっただろうか。ドイツの宗教改革においては、カトリック教会の腐敗と悪弊が問題とされ、プロテスタントの浸透は民衆の教会への不満が原因であったとされる。イングランドの宗教改革もかつてはそのような大陸の宗教改革に連なるものと考えられ、たとえ国王の離婚問題を契機としていたとしても、民衆の反聖職者感情こそが宗教改革を下支えしたという見方が主流であった。しかし近年の研究は、宗教改革前夜のイングランドの体制教会の健全性と、民衆の反体制教会感情が希薄であったことを強調している。その場合、宗教改革は民衆社会に押し付けられたものであったとされる。エドワード六世治下には、民衆にも理解できるようにラテン語の礼拝に代わって英語の礼拝が導入されたが、一五四九年に起こった西部反乱においては、そのような礼拝をありがたみのないものとして、旧来の礼拝に戻すことが要求された。では、イングランドのプロテスタント・アイデンティティとはいったいどのようにして形成されたものなのだろうか。この点を次に考えてみよう。

プロテスタント・アイデンティティの形成

エリザベス一世の教会体制は、すでに述べたように基本的にはプロテスタント路線であった。即位と同時に国王至上法が再制定され、「至高の統治者」と表現は変えたものの、女王を教会の長として教皇権を否定し、エドワード六世治下のもっともプロテスタント的な英語祈祷書が導入された。同様に、聖画像は偶像崇拝であるとして聖堂からの撤去が命令され、プロテスタントの説教集を各教会の聖職者が定期的に教区民に読んで聞かせることが求められた。それでは、そのような教会体制が四五年にわたって続いたことがイングランドにプロテスタント・アイデンティティをもたらしたのだろうか。もちろんそれも一因であると考えられるが、それだけではない。

まず考えられるのはいわゆるピューリタンの影響力である。急進的な教会改革は決してエリザベスの望むところではなかったが、エリザベス治世にはプロテスタント改革派の活動が勢いを増した。とくにメアリ治世下にプロテスタントの「本場」であるドイツやスイスに亡命してエリザベスの即位とともに帰国した人びとは、たとえば俗人の聖書釈義集会をイングランドに持ち込むなど、急進的な活動を展開した。いわゆるピューリタンである。ただし、ピューリタンはもともと性急な改革を目指す人びとに悪口として向けられた言葉であり、この時点では自称しうるものではないし、「ピューリタニズム」という用法はきわめて稀で、統一的な思想を抽出できる集団でもない。また、ピューリタンがのちの非国教徒の伝統に大きな影響を与えたことは間違いないが、主教制に代えて長老制を導入しようとするような人びとであっても、エリザベス治世下にあっては、あくまで国教会内部での改革を志向したということを強調しておきたい。ただし、道徳の改革をも目指し、酒場や劇場を非難するピューリタンは、民衆世界からは自分たちとは違う生真面目な「堅物」と見なされることが多く、ナショナルなプロテスタント・アイデンティティの形成に必ずしも大きな影響力をもったとは思われない。

むしろエリザベス期に重要だったのは、敵としてのカトリックへの眼差しが醸成されていったことである。エリザベスの宗教体制は、最終的にはカトリックとピューリタンの両方を取り締まりの対象とするが、「カトリックの脅威」は治世後半に向けて高まり続けた。ところで一六世紀にはイングランドとはまったく別の独立した王国であったスコットランドでは宗教改革の過程もまったく違っており、一五六〇年代に長老主義教会を導入しようとするカルヴァン派貴族のカトリック王権に対するクーデター・内戦として宗教改革が展開する。結果としてスコットランドでは長老主義のスコットランド教会が成立し、カトリックの女王メアリ・ステュアートは王位を追われてイングランドに亡命することになる。

イングランド王位の継承権をもつメアリのイングラン

ド亡命は、国内のカトリック勢力の策動を引き起こし、北部カトリック貴族の反乱、教皇によるエリザベスの破門を招いた。さらにメアリ・ステュアート処刑の翌年にはカトリック大国のスペインがイングランドに無敵艦隊を派遣し、「カトリックの脅威」は頂点に達する。そのように次々と立ち現れる「カトリックの脅威」に対峙したとき、自分たちを真のキリスト教徒と見なすプロテスタント・アイデンティティもまた必然的に生み出されることになったのである。スペインの無敵艦隊を撃退したイングランドは、神の恩寵を確信しプロテスタントとしての自信を深めたに違いない。

そもそもエリザベス期の民衆世界においては概して伝統的な宗教のあり方への愛着が見られるものの、何がプロテスタントで何がカトリックであるかといったことが十分に理解されたとは思われない。イングランドのプロテスタント・アイデンティティは、対峙するカトリックとの自己の差異化のなかで形成された部分が大きいと考えられる。その意味では、反カトリックとしてのプロテスタント・アイデンティティは、いわゆる宗教改革とは無関係に形成されたともいえるであろう。

このような反カトリック意識は、このあと一貫して近世イングランドの通奏低音であり続け、ナショナル・アイデンティティの形成に大きな寄与を果たした。それゆえに、これ以降のイングランドの歴史のほとんどの局面を反カトリックで説明することも可能である。エリザベスが子を残さずに一六〇三年にこの世を去ると、メアリ・ステュアートの息子でスコットランド国王のジェイムズ六世がイングランド国王ジェイムズ一世として即位した。スコットランドの長老教会体制を良く思っていなかったジェイムズは、イングランド王としてはエリザベスの国教会体制を維持することにつとめた。一六〇五年に議会の議場を国王ごと爆破しようとしたカトリック教徒が未然に逮捕された火薬陰謀事件が起こると、難を逃れたジェイムズは英雄視された。だが事件によって反カトリック感情はますます高まり、今度は逆に三十年戦争への不介入を決めたジェイムズに、カトリックに対して弱腰であるとして非難が浴びせかけられることになる。

一七世紀の二度の「革命」も反カトリックを抜きにしては考えることができない。ジェイムズの息子チャールズ一世の一一年間にわたる無議会政治において、宗教面ではカンタベリ大主教ウィリアム・ロードの教会改革が広範な人びとの非難を巻き起こしたが、その原因はロードの信奉するアルミニウス主義が忌避されたという神学問題というよりは、ロードが国教会強化策として押し進めた儀式重視政策が、多くの人びとにカトリックを想起させたからである。一六四〇年にいわゆるピューリタン革命が勃発すると、ロードはその舞台である長期議会で真っ先に逮捕・処刑された。

革命はピューリタン諸派のなかでも穏健な長老派から独立派へと権力が移り、国王チャールズ一世の処刑と共和政への移行、独立派のクロムウェルによる軍事独裁へと進んでいったが、聖画像破壊などに見られる反カトリック感情が吹き荒れた時代でもあった。クロムウェルはアイルランドのカトリック討伐のために大規模な遠征を行った。また、ブリテン島全体に長老主義を導入しようとしたスコットランドは、その達成のために議会派から王党派へと目まぐるしく陣営を変え、内乱の帰趨に大きな影響を与えた。この一七世紀半ばの内乱が、近年「三王国戦争」とも呼ばれるようになったゆえんである。

一六六〇年にチャールズ一世の息子チャールズ二世が帰国して王政復古が成ると、当初は、反動からピューリタン非国教徒への圧力が強まったが、やはりその後にはカトリック問題が焦点となった。チャールズが親カトリック政策をとったからである。後の政党政治の起源となるホイッグとトーリーの形成も、カトリック教徒であることを公言していた王弟ヨーク公ジェイムズを王位継承から排除することの是非が争点であった。また、名誉革命もそのようなカトリック問題の延長線上にある。ジェイムズが一六八八年にジェイムズ二世として即位し、同時にカトリック王位を継承しうる男児を得ると、議会は一致団結してジェイムズの娘でプロテスタントのメアリとその夫オランダ総督ウィリアムを国王に招いたのである。ジェイムズが戦わずして逃亡した「無血」の名誉革命は、本質的にはオランダの軍事侵攻であり、スコットランドとアイルランドでは激しい武力衝突と流血を招いた。

名誉革命の結果、プロテスタントの王位継承が確定して、その後一五〇年にわたってカトリックは公的な世界から排除されることになった。他方、国教会の線引きとその外にいる非国教徒の扱いも確定した。一六世紀には国教会内部の改革派であったピューリタンをはじめとする人びとは、一七世紀に入って国教会から分離する方向を見せ、非国教徒と呼ばれるようになる。王政復古以降、カトリックへの対抗策として国教会はプロテスタント非国教徒との連携とその取り込みをはかるが、そのための二つの方策が戦わされた。すなわち、国教会の教義や儀式を緩やかにしてなるべく多くの非国教徒を国教会内部に取り込もうとする「包括」と、国教会の外での礼拝の自由を認める「寛容」である。最終的には名誉革命のもとで寛容法が成立し、非国教徒は国教会の外での礼拝の自由を認められ、そのあり方が確定したのである。

近世から近代そして現代へ

一七〇七年、イングランドとスコットランドが合同し、スコットランド議会はウェストミンスターの議会に統合されたが、スコットランド教会はそのままであった。国家と政治の統合に宗教の統合は伴われなかったのである。こう

図2　バイランド修道院の廃墟（ヨークシァ）
イングランドでは宗教改革の過程で全ての修道院が解散されたが，その後，多くの修道院が破壊されたり，放置されて廃墟となった。現在も各地にこうした廃墟が残る。

して、現在までスコットランドでは長老主義のスコットランド教会が体制教会となった。

一八世紀は「啓蒙の時代」と呼ばれ、宗教の重要性が相対的に低下した時期であるとされる。しかし、イギリスでは一八世紀前半を通して反カトリック意識は広範な影響力をもったし、「教皇教」、「教皇教徒」という蔑称で呼ばれたカトリックは脅威と考えられ続けた。また、名誉革命で亡命したジェイムズ二世とその子どもたちのイギリス王位を支持するジャコバイトは、ステュアート家がカトリックであったために、名誉革命体制にとっての危険要因であった。一七四五年に最後のジャコバイト反乱が鎮圧され、ようやくカトリックの脅威は去ったのである。

カトリックの脅威が大きく減じるのと軌を一にして、一八世紀後半には国家とキリスト教のありようも次第に変化していった。名誉革命体制はプロテスタント非国教徒に礼拝の自由を与えたが、それは国教会による国民の包括を断念し、国教会までが「宗派」となる途を開くことでもあった。またイングランド・スコットランド合同では、体制教会の統合をはかることはできなかった。結果として国家と表裏一体であり、国家統合の要であった教会の意義は失われていくことになる。

また同時に、社会と世界を把握する根源的な規範としての宗教が、人間生活の一領域としての宗教、すなわち近代的な意味での宗教になっていく過程も進行していた。一八世紀の後半には、工業化と新しい社会秩序の形成に呼応するかのように、国教会・非国教会を問わず、いわゆる福音主義運動が盛り上がりを見せ、キリスト教信仰に基づく道徳や社会の改革が盛んに提唱された。メソディストの登場や奴隷制廃止運動に象徴されるこれらの動向は「信仰の復興」とも位置づけられる。しかし、それは上記のような変化の過程のなかにあったキリスト教が、社会における自らの新たなる位置づけを模索した結果であったと考えることもできよう。イギリスが帝国として世界中に植民地を建設していくと、こちらも国教会・非国教会の双方が各種宣教団体を設立して競って海外伝道に乗り出したが、これらも同様のベクトルのなかで考えることができるのではないだろうか。

工業化と自由主義の影響下でなされた一九世紀前半の一連の改革によって、近世的なイギリスのキリスト教のありようは最終的に終止符を打たれた。すなわち、近世イングランドのアイデンティティでもあった反カトリックに基づくカトリック教徒への法的な差別が撤廃されたのである。それに先立って、プロテスタント非国教徒への差別立法であった審査法と自治体法が一八二八年に廃止された。しかし、プロテスタント非国教徒への差別措置は、事実上一八世紀を通して骨抜きにされており、一八世紀末には非国教徒の文化的影響力が高まったのはすでに見た通りである。一八二九年に成立したカトリック解放法は、カトリック教徒の選挙権・被選挙権と公職就任を認めることになった。同時期に、儀式重視の立場や修道会復活を押し進めたオクスフォード運動は、国教会高教会派を担い手として盛り上がりを見せたが、この運動は、近世的な宗教のありようの解体に対する反応であったともいえるであろう。

最初に述べたように、一八五一年には史上初めてセンサスに宗教に関する条項が盛り込まれた。その結果を見ると、イングランドとウェールズ全体の人口のうち、半数以上が礼拝には出席しておらず、礼拝出席者のうち国教会はかろうじて過半数を占め、プロテスタント非国教徒は約四三パーセント、カトリックは四・二パーセントであった。なおプロテスタント非国教徒の内訳では、一八世紀に誕生したメソディストの躍進と、かつて最大の非国教徒勢力であった長老派の凋落が著しい。

二〇世紀に入ると、国教会は世界中に拡大した聖公会とのつながりを維持しつつも、一九二〇年にウェールズにおける国教会制廃止を経験し、まさに「イングランド国教会」となった。二〇〇一年の国教会の統計を見ると、もっとも礼拝出席者が多いと予想されるイースターとクリスマスでもそれぞれ出席者は約一六〇万人と二六〇万人である。それゆえに二〇世紀には教会離れが進んだとされるが、それでもなお、七割以上の人口がキリスト教徒のアイデンティティをもっていることは紹介した通りである。イギリスにおけるキリスト教の影響力をはかるためには、歴史的な経緯を押さえた上での検証が不可欠なのである。

（山本信太郎）

参考文献

リンダ・コリー著、川北稔訳『イギリス国民の誕生』名古屋大学出版会、二〇〇〇年。

浜林正夫『イギリス宗教史』大月書店、一九八七年。

J・R・H・ムアマン著、八代崇他訳『イギリス教会史』聖公会出版、一九九一年。

第4章

ルネサンスとバロックの文化

ルネサンス文化の輸入

「ルネサンス」という用語は、世界史上の特定の時期を指すというよりは、各地域ごとに「ルネサンス的」な文化が花開いた時期を指すと考えたほうがよいだろう。そのため、イタリアのように、一四世紀に「ルネサンス」という場合もあれば、イギリスのように一六世紀、それも後半になってようやく花開く場合もある。

地理的な要因もあって、文化的流行に「遅れていた」イギリスでは、ルネサンス文化はイタリアやフランスなどからの「輸入」として始まった。そして、その舞台となったのが、宮廷であった。国王や女王はもちろん、宮廷に集う廷臣がパトロンとなってルネサンス文化の受容に努めたのである。当時のヨーロッパで広く読まれていた宮廷人のマニュアルといってよいカスティリオーネの『廷臣論』が英語に翻訳されたことも、イタリア風の洗練された宮廷作法の導入に貢献した。

ヘンリ八世の宮廷に出仕していたトマス・ワイアットは、外交官としてヨーロッパ文化に触れる機会を得て、同じく武人として大陸に渡ったサリー伯とともに、ペトラルカ風の「ソネット」形式の詩を紹介し、英詩に応用して新しい詩形を生み出した。これがのちに、シェイクスピアなどに受け継がれてゆくことになる。しかし、文学の受容は、大陸のモデルそのままではなく、イギリスの嗜好に合わせて変形されていくが、規範を絶対視する立場からは批判も見られた。

詩と演劇

一六世紀前半にもたらされた新しい文学形式は、世紀後半に豊穣な成果を生み出し、エリザベスの時代を華やかなイメージで飾ることになる。宮廷人も在野の文人も、こぞって作中でエリザベス女王を神格化して、神話世界を作り上げていった。エドマンド・スペンサーの叙事詩『神仙女王』がそうした女王礼賛の代表的作品である。シェイクスピアの劇にも、エリザベス女王賛美の言葉を見つけることができる。

サー・フィリップ・シドニーも、エリザベス女王に仕える廷臣としてネーデルランドでの戦争に従事する一方、ソネット形式による『アストロフェルとステラ』や牧歌文学『アーケイディア』によって、エリザベス時代の詩の水準を高めた。シェイクスピアもソネットの傑作を発表している。

そのシェイクスピアに代表される演劇も、エリザベス時代に大きく花開いた分野である。それまで旅回りの劇団が旅籠などを臨時の舞台として上演していた芝居が、一五七六年にロンドン郊外に初めての常設芝居小屋「劇場座《ザ・シアター》」ができたことで、劇場専属の劇団が上演するレパートリーを増やす必要が生じたことが、戯曲の創作活動を刺激した。最初は、ローバート・グリーンやクリストファ・マーロウといった大学出の劇作家が中心であったが、一五九〇年代にシェイクスピアが登場する。シェイクスピアは、歴史劇（『ヘンリ六世』『リチャード三世』など）でその劇作家としてのキャリアを始めた。歴史劇は生涯を通じて書き続けられるが、一六世紀の間は、喜劇（『お気に召すまま』『十二夜』など）が多く書かれ、一七世紀になると四大悲劇（『ハムレット』『オセロ』『リア王』『マクベス』）が生み出される。晩年の作品は、人びとの和解をテーマにしたロマンス劇（『冬物語』『テンペスト』など）が特徴的である。その後も、ベン・ジョンソンやジョン・ウェブスター、F・ボーモン、J・フレッチャーなど優れた劇作家が活躍するが、一七世紀の共和政期にはピューリタンによって劇場が閉鎖され、演劇の伝統はいったん途絶えてしまう。

一七世紀前半の文学としては、ジョン・ダンが「形而上詩」に優れた作品を残し、この流れはジョージ・ハーバートやヘンリ・ヴォーンといった詩人に引き継がれた。また、内乱の混乱のなか、ロバート・ヘリックは田園生活の情趣を詩に歌い、アンドリュー・マーヴェルは、形而上詩の流れに立ちながら、北部ヨークシァの自然を歌った。

また、一六一一年にジェイムズ一世の指示で「欽定英訳聖書」が完成したことは、その後の英語の標準化や文学作品に大きな影響を与えることになった。

歴史研究と地誌

シェイクスピアの歴史劇は、その素材を当時刊行されていた『ホリンシェッド年代記』や『プルターク英雄伝』の英訳といった歴史書から得ていた。テューダー朝は、その正統性に弱点があったので、その権威を支える歴史叙述を必要とした、という事情や、宗教改革後のイギリスの教会の正統性を主張する必要性などから、歴史研究は政治的にも重要な意味をもった。こうした需要とルネサンス人文主義の成果とが結びつき、一六世紀には歴史研究が盛んになっていたのである。

政治的な動きと歴史著作の結びつきは強い。トマス・モアはヘンリ七世の求めに応じて、先王リチャード三世を批判する歴史書を著していたし、イタリア人の人文主義者ポリドール・ヴァージルも、ヘンリ七世の依頼で、ヨーロッパの読者に向けてラテン語のイギリス史を著した。ヘンリ八世時代にはエドワード・ホールがテューダー朝によるランカスタとヨーク両家の合同を称揚し、宗教改革を支持する歴史書（『ホールの年代記』として知られる）をまとめた。エリザベス時代には、ウィリアム・カムデンが、対外的に女王の正統性を訴えることを目的とした『エリザベス女王治世史』を、女王の側近セシルの依頼で書いている。

ジェイムズ一世の「グレートブリテン王国」構想に対しては、ジョン・スピードが大著『グレートブリテン史』（一六一一年）を刊行している。スピードのこの著作は、前半部分がイギリス全土の地図帳『グレートブリテンの舞台』で、後半が歴史書となっているように、一六世紀には地理的な面でもイギリス探求が進んだ。地図製作でのパイオニアがクリストファ・サクストンであった。サクストンはエリザベス女王の支援を得て、一五七〇年代にイングランドとウェールズ全州の地図を完成したが、それは迫り来るスペインとの戦争への備えでもあった。そして、地誌研究の先駆が、ヘンリ八世時代のジョン・リーランドであり、大成したのがエリザベス時代のカムデンであった。カムデンの『ブリタニア』は地誌としても、また本格的な古代史研究としても、その後の歴史学の進展に大きな影響を与えた。

建築と庭園

中世の建築で大きな比重を占めた教会は、宗教改革期にはあまり新規建造は見られず、ルネサンスの影響が表れた建築は、世俗の建築需要が中心となる。なかでも、大規模な建築では、宮殿やジェントルマン階級がこぞって建てた豪壮な屋敷に、この時代の特徴が見られる。そうした立派な宮殿や邸宅を建てることが、権威の象徴となった。

テューダー期は、様式的には、中世のゴシック様式からルネサンス風の古典様式への移行期であり、その両者の特徴を見ることができる。ウルジーが建て、ヘンリ八世に取り上げられたハンプトン・コート（一五一四年着工）は、テューダー・ゴシック様式を基本として建てられている。ただ、中世風の石材ではなく、煉瓦を多く用いている点や装飾などにルネサンス建築の要素が見られ、移行期の特徴をもっている。この他にも、宮殿建築としては、ヘンリ七世が建てたリッチモンド宮殿（一五〇〇年ころ）やヘンリ八世のナンサッチ宮殿（一五三八年着工）が重要である。両方とものちに破却されて現存しないため、詳細については不明な点が多い。ナンサッチ宮殿は、ヘンリ八世のライバルであったフランソワ一世の居城シャンボール城を意識して建てられた。北面は中世風であるが、南のファサードはルネサンス様式で作られていたことが、当時の絵などから確認できる。

図４－１　ハンプトン・コート
テューダー・ゴシック様式の代表作。トマス・ウルジーが建てたが，その豪奢な生活ぶりをとがめられ，ヘンリ８世に譲渡した。

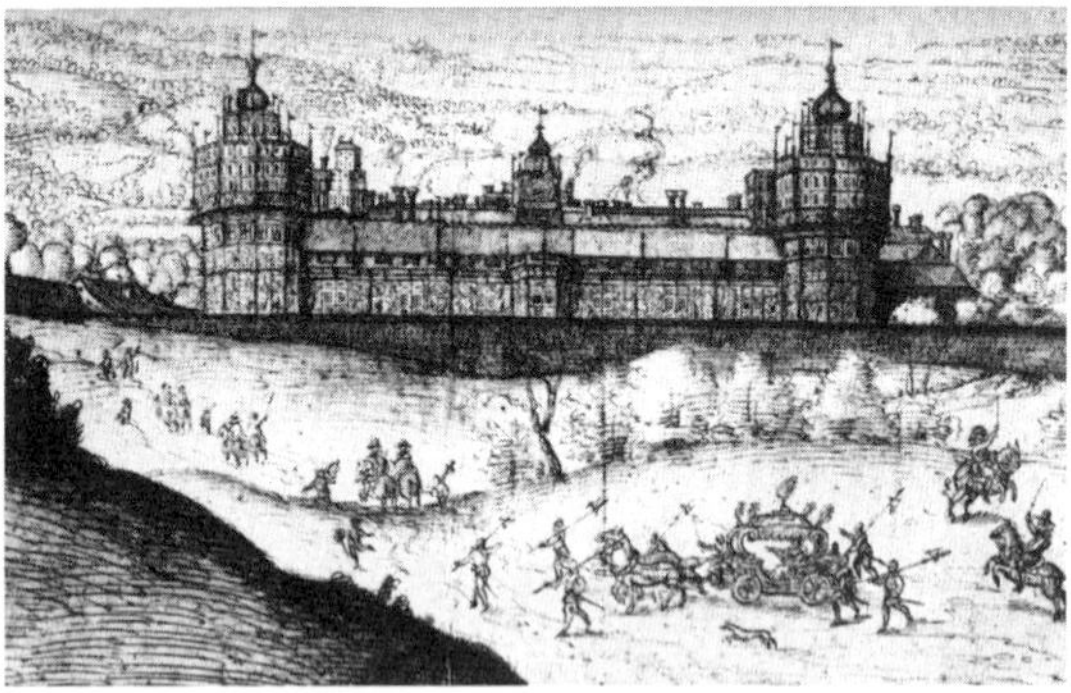

図４－２　ナンサッチ宮殿
フランスのシャンボール城に倣った城であったが，17世紀に破却された。

一六世紀半ばには古典様式の建物も現れる（最初期の例は、一五五〇年に建てられたサマセット公の屋敷とされる）が、多くはやはり旧様式と新様式が混在した折衷的なものであった。一六世紀後半には、新たに王宮を建てることは財政難もあってなくなり、建築の主体は貴族・ジェントルマンの屋敷になった。そうした建築の多くは既存の屋敷の増改築という形で進められたため、古い要素と新機軸が同居することになったのである。その代表的な例とされるのが、ウィルトシァのロングリート（一五六八年着工、サー・ジョン・タインとロバート・スマイソンズ設計）とノッティンガムシァにあるウーラートン・ホール（一五八〇年代、ロバート・スマイソンズ設計）である。

図４－３　ウーラートン・ホール（19世紀の版画）

この時期のジェントルマンの屋敷には、ロング・ギャラリーという細長い部屋（廊下部屋とでもいうべきか）を伴うものが多く、そこに歴代国王の肖像画を飾ることが流行した。国王への臣従の証であったが、そこに飾るために数多くの国王肖像のコピーが作られた。

屋敷に付随するものとして庭園もまたルネサンス期の文化をよく示すものである。中世の庭園は高い壁に囲まれた閉じた空間であったのが、ルネサンス庭園の出現によって、より開放的な空間が生み出された。造園は、上流階級であるジェントルマンにとって必須の教養とみなされた。ルネサンス期を代表する哲学者フランシス・ベイコンによれば、庭園とは「人間の喜びでもっとも純粋なもの」であり、「人間精神の最大の慰安」であるとされた。ルネサンス期の庭園は、幾何学的に設計されたプランをもつものであったが、直線といった人工的なデザインで自然を加工することが、造園者の権力を示すことになったのである。そして、ところどころに配された花壇には、異国の珍しい植物が植えられ、それらを入手した持ち主の財力を誇示する手段となった。

肖像画とミニアチュール

宗教改革によって宗教画の需要が無くなり、教会の壁画なども否定されたため、肖像画が絵画制作の主流となった。しかし、一六世紀にはイギリス人の優れた画家はあまり登場しなかった。重要な絵画制作は、海外から渡ってきた画家が担った。なかでも重要なのが、ドイツのハンス・ホルバインである。彼は、アウクスブルクの同名の画家ハンス・ホルバインの息子で、エラスムスの紹介でトマス・モアを頼ってやって来た。その後いったん帰国するが、再度イギリスへ渡り、一五三〇年代半ばから、ヘンリ八世の宮廷で、王やその周辺の人びとの肖像画を描くようになる。ドイツ・ルネサンス風の精緻な描写による肖像画は、イギリス人画家にも大きな影響を与えることになった。ホルバインは一五四三年に疫病で亡くなるが、そのあとメアリやエリザベスの宮廷での仕事

図4－4　トマス・モアの肖像（ホルバイン画）

図4－5　「バラに囲まれた若者の肖像」（ヒリアード画）
ミニアチュールによる肖像画の代表的な作品（1588年ころ）。

をこなしたのが、フランドル出身のハンス・イワースであった。

外国人画家が活躍するなか、イギリス独自の展開を見せたのが、エリザベス時代の細密肖像画である。ニコラス・ヒリアードやアイザック・オリヴァーなどが女王や廷臣などの優れた肖像作品を残している。羊皮紙に描くこうしたミニアチュール（細密画）は、中世では装飾写本の挿絵などでは必須の手法であったが、宗教改革によって需要が無くなり、衰微していた。エリザベス時代に、ペンダントなどに仕込んで身につけることができる小さな肖像画にふさわしい技法として、復活したのである。

彫刻の分野でも、宗教改革によって教会の聖像が破壊されたように、中世のようなキリスト像や聖人像は作られなくなる。ルネサンス期のイギリスでは彫刻への関心は低く、彫像の主たる分野は墓のための作品であった。

図4－6　バンケティング・ハウス天井画（ルーベンス画）
ジェイムズ1世が天上に導かれてゆく様を描いている。

当時、貴族やジェントルマンが競って豪壮な墓を建てることが流行し、その墓に設置される被葬者の肖像彫刻が求められたのである。ただ、必ずしも厳密な「似姿」というわけではなく、ある種、抽象化された人物像であることも多い。芸術作品として見た場合、見るべきものは少ないが、例外的に重要な作品としては、宗教改革以前ではあるものの、ヘンリ七世が自らの墓のために、イタリア人ピエトロ・トリジアーノに作らせた肖像彫刻がある。

図4－7　クイーンズ・ハウス（グリニッジ）

宮廷とバロック文化

造形芸術の分野では外国人が活躍するという傾向はステュアート朝になっても、ルーベンスやヴァン・ダイクなどの招聘という形で続いた。ルーベンスは、チャールズ一世の肖像画やホワイトホールのバンケティング・ハウスの天井画などを制作している。ヴァン・ダイクは肖像画に優れ、長くイギリスに滞在して、多くの貴族らの注文に応じた。こうした肖像画の伝統は、その後もオランダ出身のピーター・リリーやドイツ人のゴドフリ・ネラーなどに受け継がれ、イギリス絵画の重要な分野であり続けた。

貴族ジェントルマンの子弟がイタリアやフランスなど、大陸の文化先進地域に長期間出かける、いわゆる「グランドツアー」も文化史に大きな意味をもった。単に、現地でルネサンスやバロックの芸術作品を直に見て、作品を鑑賞する力の涵養が図られただけではなく、帰国後、彼の地の建築様式を模倣した屋敷をこぞって建てることになり、そこに現地で大量に買い求めた美術作品を飾ることで、イギリスの文化にとって、大規模な文化の輸入を果たし、芸術に対する嗜好の変化をもたらすことになった。海外の経験はやはり大きな意味をもったのである。

建築では、イニゴ・ジョーンズが、イタリアの建築家パラディオの影響を強く受け、古典様式の建築をイギリスに定着させた。グリニッジのクイーンズ・ハウス（一六一六年着工）は、イギリスで最初の純粋な古典様式で建てられた建築である。また、右記のバンケティング・ハウス（一六二二年完成）もジョーンズの作で、焼失前のセント・ポール大聖堂の南翼廊のファサードなども手がけた。ジョーンズは、ベン・ジョンソンとともに、ステュアート朝宮廷で流行った仮面劇《マスク》の上演に関わり、舞台装置にも古典様式を取り入れている。

共和政期、国王や王党派の貴族が亡命していた際に、大陸の文化に触れたことが王政復古以降のイギリスの文化に大きな影響を与えることになる。この時期、大陸で広まっていたのがバロック文化であり、イギリスへのバロックの導入は王政復古によってもたらされたといえる。

図4－8　オクスフォードのシェルドニアン・シアター（C・レン設計）

クリストファ・レン

建築でバロック文化を代表するのが、クリストファ・レンである。もともとオクスフォード大学の天文学の教授であったレンは、その幾何や数学の才能を生かして、建築に携わるようになった。そうしてできたのが、オクスフォード大学の式典用の建物シェルドニアン・シアターで、斬新な横長のD字形のプランをもつ建物は、古代ローマ建築に想を得たものであった。

ペストが流行すると、パリへ避難したレンは、そこでヴェルサイユ宮殿などバロック建築を観察することができた。翌年、帰国すると老朽化で中央の塔が倒壊の危機にあったセント・ポール大聖堂の改修計画に対して、当時のイギリスには馴染みのなかったドームに置き換えるプランを提案した。その直後、ロンドン大火によって大きな損傷をこうむった大聖堂を一から建て直すことになり、ローマのサン・ピエトロ大聖堂をモデルと

図4－9　カスル・ハワード（ヨークシァ）

したドームを戴く聖堂というレンのプランが採用されることになる。これまで、中世ゴシック風の聖堂しかなかったイギリスの教会にとって大きな転機であった。当初、ゴシックこそがイギリス教会の様式であるという反発も強かったが、時代とともにそのユニークな形はロンドンを象徴するランドマークとなった。第二次世界大戦時に空襲を受けながらも奇跡的に焼け残ったことは、人びとの愛国心を鼓舞し、ナショナル・シンボルとしての機能を果たした（一九一頁参照）。

レンは、大火で焼失したロンドンの教区教会も次々と設計し、都市景観を一変させることになった。一九世紀の教区統合や第二次世界大戦の空襲でかなりのレンの教会が破壊されたが、今でも二〇以上の教会がその姿を留めている（修復や復元を含む）。

王政復古以降の文芸

一七世紀後半、政治の世界からピューリタンは消え去るが、文学の世界において重要な作品を残したのが、ジョン・ミルトンとジョン・バニヤンである。内戦以前から詩人として活躍していたミルトンは、共和政期にクロムウェル政権のラテン語秘書として働くが、王政復古後は隠棲を余儀なくされ、その失意のなかから叙事詩『失楽園』（一六六七年）や『楽園の回復』（一六七一年）を生み出した。同じピューリタンではあるが、一介の鋳掛屋にすぎなかったバニヤンは、違法説教で投獄中に、信仰を素朴な寓話で説いた『天路歴程』（一六七八～八四年）を著した。

他方、世紀後半の文学世界の表舞台に君臨したのが、詩、演劇、批評の分野で活躍したジョン・ドライデンである。演劇では古典主義に基づいた作品を発表し、作曲家パーセルと組んで多くの音楽劇や儀式用の詩文を書いている。イギリスでは初めての王室付きの詩人である桂冠詩人に任命されていたが、カトリックに傾斜していったため、名誉革命でその地位を失うことになった。

世紀末に劇作家として活躍したのが、ウィリアム・コングリーヴで、社交界を舞台にした喜劇で才能を発揮した。同様の喜劇でコングリーヴと人気を競ったジョン・ヴァンブラは、のちには、ヨークシァのカスル・ハワード（一七〇〇年）や、アン女王がマールバラ公に戦勝の報償として与えたブレナム宮殿を設計するなど（一七〇五～二五年）、バロック様式の建築家としても重要な仕事を残した。

科学の世紀

一七世紀は「科学の世紀」ともいわれる。ルネサンスで育まれた合理的な思考が自然科学の世界で花開いたのである。フランシス・ベイコンは、学問の目的は人間の生活を豊かにすることであると考えて、学問を体系化し、のちの自然科学研究への道を開いた。

ジェイムズ一世とチャールズ一世付きの医師であったウィリアム・ハーヴェイは、解剖研究に基づき、血液の循環を発見し、それは近代医学への重要な貢献となった。気体力学の「ボイルの法則」で知られるロバート・ボイルは、アイルランド貴族の出で、その豊富な資力で数多くの実験を行い、ベイコンの理想である有益な科学の推進を図った。その理想が結実したのが、科学者たちの議論・情報交換の場として企画された「王立協会《ロイヤル・ソサエティ》」の設立（一六六〇年）である。

そういった知的環境から、アイザック・ニュートンが登場する。万有引力の法則で知られる力学研究や微積分といった数学、反射望遠鏡の発明につながる光学の分野で大きな功績を残した。まさにニュートンによって、宇宙を含む世界の姿は中世的な世界観から脱却したといえるのだが、彼自身は錬金術の可能性を信じるなど、中世的な世界の名残を残していた点は興味深い。

歴史の扉 3

イギリスの音楽

音楽のない国

「音楽のない国」――今から一〇〇年ほど前にドイツのある批評家がイギリスを指して述べたこの言葉は、それ以降、イギリス人自身によっても何度も使われてきた。「音楽のない国」とまでは認められなくとも、「自分たち自身の音楽のない国」とはある程度認めざるをえない、半ば自嘲気味に自国の過去を振り返る際に現在でも使われる常套句といえる。イギリスの音楽といえばビートルズをはじめとするブリティッシュ・ポップス、あるいはウェストエンド・ミュージカルの存在を思い浮かべた人にとっては、これは意外なことかもしれない。けれども、とりわけクラシック音楽の世界において、ある時期、他国の作曲家が主要な音楽活動を牽引し、イギリス人によるイギリスならではの音楽が影をひそめていたのは事実である。

　いや、ある一時期とは限らず、イギリスの歴史を音楽という視点で繙けば、イタリアやフランス、その後はドイツと、ヨーロッパ各国から招き入れた作曲家や演奏家がイギリスの音楽界をリードしてきたことがわかる。このことは、裏を返せばイギリスが、他国の音楽家にとって活動の場として魅力のある土地であったわけでもあり、こうした事実がすべて、「イギリスの音楽」を特徴づける要素といえよう。たしかに、一七世紀以前にはイギリス生まれの作曲家が本国の音楽界を賑わすとともに他国にも大きな影響を与えた時期があった。しかし、その後はほぼ二世紀近くにわたりもっぱら海外から渡ってくる音楽で沸き返っていたイギリスで、一九世紀末になってようやく始められたアイデンティティ探しを「栄光の過去」に見出した挙句、この時期を「イギリス音楽のルネサンス」とまで命名してしまったことを考えるとき、こうした海外からの影響を抜きにして考えるわけにはいかないだろう。

　こうした事実をふまえ本稿では、①中世から一七世紀までの音楽（自国の作曲家で隆盛した時期）、②一八世紀から一九世紀にかけて（他国の作曲家や演奏家による音楽が隆盛した時期）、③一九世紀末から二〇世紀前半にかけて

（「イギリス音楽」の復興が求められた時期）と分類してイギリスの音楽を語ってみたい。なお、紙面に限りがあるので、ここで扱うのは、主にロンドンの上流層によって育まれた音楽となることをご了解いただきたい。

中世から一七世紀まで

中世のイギリスは、キリスト教化の歩みとともに、音楽も少なからずローマを中心とした大陸からの影響下にあったようである。その一方で、イギリスで独自に普及していったソルズベリ式典礼のための音楽のように、ローマとは異なる特徴も形成されていった。また、資料こそ少ないが、器楽のための音楽や、恋愛などを歌った世俗音楽（すなわち非宗教的な音楽）も当然ながら盛んに作られていた。一三世紀半ばころにレディングで作られたとみられる「夏は来たりぬ」は、イギリスのみならずヨーロッパ全体のなかでも現存する最古のカノンのひとつであり、こうした世俗音楽の一面を垣間見せてくれる。

百年戦争によるフランスとの攻防は、両地域間の音楽交流にとっては損失だけではなく実りももたらしたようだ。とくに、この時期に由来するイタリアの写本にイギリスの作曲家の作品が数多く残されていることをみると、彼らの音楽が大陸にも広く知れ渡っていたことがわかる。それらの作品は、フランスの詩人、マルタン・ル・フランによって「イギリス風の装い」、すなわち「驚くほどの心地よさ」を与える響きをもつと形容された。というのも、実践よりも理論をより重視したフランスの作曲家とは異なり、イギリスの作曲家は、当時の理論では「不協和音」とされたが実際には非常に心地よく耳に響く三度や六度の和音を積極的に音楽に用いていたのである。実際、これらの和音は後になって「協和音」とされ、現在ではもっとも頻繁に使われる和音のひとつになった。そのル・フランによる同じ詩節で、こうしたイギリスの音楽をリードする存在として挙げられているのがジョン・ダンスタブルである。ダンスタブルは、ベドフォード公に随伴して一四二二年から三五年もの間、フランスに滞在した。彼の作品は多くの大陸の写本に残されるとともに、その名は多くの作曲家や音楽理論家によって語られるなど、イギリスが誇る最初の「国際的な作曲家」であった。

奇しくも百年戦争終結と同じ年に世を去ったダンスタブル以降、イギリスでは内外のいずれにも大きな影響を与えた作曲家は輩出されていない。けれどもテューダー朝に入ると一転、現代にいたるまで讃えられ続けるイギリス音楽史上の黄金時代を迎えることになる。自らも作曲を手がけたヘンリ八世、ダンスをこよなく愛したエリザベス一世など、音楽愛好心の強い君主がいたこともその一因となったかもしれない。ヘンリ八世の寵臣でもあったウィリアム・コーニッシュやロバート・フェアファクスにはじまり、一六世紀に入ってジョン・タヴァナー、トマス・タリス、ウィリアム・バードなど、この時期に活躍した作曲家の名前を挙げればきりがない。音楽は宗教作品が多くを占めるが、それらはダンスタブルの時代にすでにみられたイギリス的な特質、すなわち耳には心地よく、さらに声部数の多い重厚な響きをもつ。さらに、各声部が独立して旋律を奏でていくポリフォニックな音楽様式に終始するのではなく、ときには全声部が同時に進行するホモフォニックな様式を挿入させるなど、大陸の音楽に比べると変化に富んだ音楽様式を好んだようである。

一方で、器楽曲や世俗の声楽曲でも大きな隆盛をみた。とくに一六世紀半ば以降、王侯貴族を中心に「宮廷人の嗜みとして」自ら音楽演奏を行う習慣が広まったこともあり、マドリガルなどの合唱曲や器楽合奏曲、ギターの一種であるリュートを伴奏にした歌曲、また小型の鍵盤楽器であるヴァージナルのための音楽など、様々なジャンルの音楽が盛んに作られた。もともと「宮廷人の嗜みとしての音楽」という考え方自体、イタリアからの影響が強く反映されたものであり、これら一連の世俗音楽にもイタリアの影響は否めないが、歌詞として用いた英語の抑揚やアクセントを音楽に反映させていくなど、こうした音楽が浸透する過程で、次第にイギリス独自の特質が付与されていったことも事実である。なお、バードやオーランド・ギボンズらによって開拓されたヴァージナルのための音楽は、この後開花するヨーロッパ鍵盤音楽隆盛の端緒となった。一方、優れたリュート歌曲を数多く残したジョン・ダウランドの音楽は、現在のポップス界にいたるまで影響を与え続けている。イギリス音楽史において「黄金時代」といわれる由縁は、これだけでも明らかだろう。

ところで、ヨーロッパでも例を見ないほどの宗教変動を被った時期に、イギリス音楽の黄金時代が到来したことは興味深い。というのも、先に挙げた作曲家も含め、この黄金時代を支えた作曲家のいずれもが宗教機関に奉仕する身であり、彼らに求められる典礼用の音楽は、当然ながらこうした宗教改革に基づく理念を反映させていなければならなかったのである。プロテスタントたちは典礼への一般信者の参加を推進したため、ラテン語から母語である英語へと、歌詞にも大きな変更が迫られた。そればかりか、会衆が聖歌隊によって歌われる歌詞を聞き取ることができ、さらに自ら歌唱に参加できるような音楽様式への変更が強く求められたのである。すなわち、単語の一音節に複数の音を当てはめたそれまでの音楽様式を改め、一音節には一音のみという様式によって、聴き取りやすく、かつ歌いやすい音楽が作られるようになっていった。

一七世紀に入り、ピューリタンは教会での音楽のほぼすべてを否定したため、オルガンは破壊され音楽家も追放された。一方、ステュアート朝の宮廷では音楽と舞踏を伴った仮面劇、マスクが大いにもてはやされたが、共和政に入ると宮廷は主を失い劇場も閉鎖されたため、マスクも影をひそめた。けれどもその結果、音楽家が貴族の館や海外に職を求めたことにより、音楽の受容層が広がるとともに、王政が復古してから帰国した音楽家たちによってイタリアやフランスの新しい様式がもたらされた。こうした時代に登場するのが、多くのイギリス人が誇る最大の「イギリス人」作曲家、ヘンリ・パーセルである。

王政復古の前年に生まれたパーセルは、頌歌《オード》や器楽合奏曲、また教会音楽にも多くの優れた作品を残すが、もっとも重要なのはその劇音楽であろう。セミ・オペラ（オペラ同様に音楽の比重が大きいが、セリフや語りについては通常の劇と同じ）や劇付随音楽（通常の劇に音楽の挿入されたもの）を書いて大いに人気を博した。ただし、セリフも含めて劇全体が音楽によって進行していくイタリア様式のオペラについてはわずかに一曲「ディドとアエネアス」を残すのみであるが、これがまさにパーセルを代表する作品となっている。三六年という彼の短い生涯、あるいは演劇が根強い人気を保っていた当時のイギリスの状況、そのどちらかでも違っていれば、われわれはパーセルによるもっと多くのオペラを楽しむことができたかもしれない。

一八世紀から一九世紀にかけて

そのイタリア様式のオペラがイギリスに浸透するのは、現在では「イギリスを代表する作曲家」の一人としての地位が定着したジョージ・フリデリック・ヘンデルの移住によってである。ドイツでハノーヴァ選帝侯（のちのジョージ一世）に仕えていた彼が最初にイギリスを訪れたのは一七一〇年で、その後活動の場をイギリスに移して帰化し、五九年に没するまで約半世紀にわたりイギリスの音楽界に君臨した。渡英前にはイタリアもたびたび訪れてそのオペラ様式を身につけており、ロンドンに到着した翌年に作曲、初演されたオペラ「リナルド」は大成功を収めた。その結果、ヘンデルとイタリア・オペラに対する人気は一気に広まり、オペラ推進を掲げた貴族らによって設立されたロイヤル・アカデミー・オブ・ミュージックを足場にヘンデルは次々と新作を発表していった。

けれども、一七三〇年代後半あたりから、ヘンデルの作り出すイタリア・オペラの人気も陰りを見せるようになる。聴衆層やその嗜好の変化、とくにバラッド・オペラのような軽い喜歌劇のヒットなどにもイタリア・オペラ離れの要因が見て取れるかもしれない。バラッド・オペラは英語をテクストに流行歌や風刺を用いて庶民の支持を得たもので、とくにジョン・ゲイの「乞食オペラ」が有名となった。いずれにせよ、四二年にダブリンでオラトリオ「メサイア」の初演を大成功に終わらせたヘンデルは、以降、このオラトリオという新しい声楽形式に創作の場を移していく。

オペラのように大規模な声楽形式だが演技は伴わず、合唱曲に大きな比重の置かれたオラトリオは、「メサイア」以降、様々な作曲家が取り組み、イギリスの聴衆を沸かせてきた。その背景には、この国に古くからみられる、合唱という声楽形式に対する格別な愛着があるのではないかと思われる。一七一五年ころに始まったとみられる三教区合同合唱祭は、ヨーロッパでもっとも古い音楽祭のひとつといわれている。当初はパーセルの合唱曲を、その後はヘンデル、ハイドン、メンデルスゾーンと、いずれも外国人ながらイギリスで大きな人気を集めた作曲家たちのオラトリオを中心に演目が組まれるようになり、現在なおも行われているのである。さらにこうした音楽祭は、一八世紀、一九世紀を通じてイギリス各地で開催されるようになり、それとともに合唱団の結成も促した。一九世紀半ばまでには、人口が二万人以上の都市のほとんどがこうした合唱団体を抱えていたとみられている。同様に、マドリガルやグリーなど、より小規模で軽い曲調の合唱曲を歌う団体も一八世紀半ばに相次いで現れた。こうした声楽アンサンブルへの参加は、先に触れた「宮廷人（ジェントルマン）の嗜み」という理想とも重なりながら一六世紀あたりから上流層の間に徐々に広まったもので、その後は余暇としてより幅広い層にも見られるようになった。このように、古くから続く合唱への愛好心が、イギリスでのオラトリオ人気を支えていたのではないだろうか。

少し時代は下るが、やはりイギリス人が愛好し、イギリス音楽を語る上では見逃せないものにブラス・バンドがある。日本のスクール・バンドとは異なり、イギリスのブラス・バンドは金管楽器のみから構成され、その興りは一九世紀の産業革命期に遡る。炭鉱や工場で働く労働者の余暇として広まったが、実際には労働者層に対する慈善的、啓蒙的な意識、さらには過酷な労働環境から生じる上層への不満を逸らすねらいがあり、ブラス・バンドの普及は社会運動でもあった。運動は効果を上げ、一九世紀末にはイギリス全土に四万ものバンドが結成されたという。さらにコンテストを設けることで互いに競い合わせ、所属する地域や職場の団結力を高めるとともに、労働者層の教化にもつながった。なお、全英をあげてのブラス・バンド・コンテストは現在も続き、優勝を争う団体はプロ並みのレヴェルにある。多くの作曲家がこうしたバンドのために曲を書き、もはやイギリスの音楽を語る上では欠かせない存在であろう。

話を一八世紀に戻そう。ヘンデルだけではなく、一八世紀から一九世紀にかけて、ロンドンの聴衆は外国人音楽家を熱狂的に受け入れた。著名な人びとを挙げるだけでも、J・C・バッハ（大バッハの末息子）、ハイドン、メンデルスゾーン、リスト、ドヴォルザーク、ヴァーグナーなど枚挙にいとまがない。ヘンデルのようにイギリスに移住してしまった者もいれば、頻繁に訪れては作品や演奏を残していくだけの者もいた。一方で、イギリス人の作曲家のなかには、彼らほど支持された者はほとんどいない。最初に述べたように、「自分たち自身の音楽のない国」と認めざるをえないのは、とりわけこの時期において、自国の作曲家よりも海外の作曲家に対する人気が圧倒的に高かった事実があるからだろう。

もちろん、海外からの音楽に対する人気はこの時期に始まったことではない。すでに見たように、中世以降、イタリアやフランスの音楽は学ぶべき対象、追従する対象であり、それは職業音楽家のみならず上流層のアマチュア音楽家においても同じであった。けれども、この時期ほど舶来の音楽ばかりが享受されたことがそれまでにあっただろうか。

こうした異様ともいえる音楽文化状況を作り出したもののひとつに、イギリスでいち早く活発化していった「コンサート」の普及が挙げられるだろう。まず、入場料を払えば誰もが鑑賞できるコンサートが一六七二年にロンドンで初めて行われた。このような有料制による一般公開のコンサートは現在では当たり前だが、もともと音楽を享受することは上流層の私的な集まりにおいて行われるものであり、また音楽を聴くこと自体に金銭を払うという行為も以前には見られないものであった。以後、ロンドンでは毎年コンサートが行われるようになり、一八世紀に入ると貴族やジエントルマンなどの後押しもあって、コンサートを定期的に開く団体が相次いで設立される。こうしたコンサートで紹介されたのが、ハイドンやモーツァルト、ベートーヴェンなどもっぱら大陸の作曲家の作品ばかりであったのである。

一九世紀末から二〇世紀前半にかけて

イギリス音楽史の古典として名高い『イギリスにおける音楽の歴史』（初版は一九〇七年）を書いたアーネスト・ウォーカーは、ヴィクトリア治世の後半期に見られ始めた音楽界の新しい流れについて「ルネサンス」という言葉を用いている。その言葉の指すところは、「イギリス生まれで、イギリス在住の」音楽家（とりわけ作曲家）が、大陸の音楽家たちに比肩しうる質を得てきているというものであった。当時はまだ現役で活動していた作曲家たちについての記述であることから、多少の贔屓目はあっただろう。だが、この言葉はその後、一九世紀末から二〇世紀初頭にかけてのイギリス人音楽家の目覚ましい活動を総称するものとして、現在にいたるまで使われるようになった。実際、ウォーカーが挙げた作曲家のなかには、「イギリス人の」作曲家で現在もっともよく知られたエドワード・エルガーの名前もある。独学で作曲を学び、故郷のウスターで音楽家兼教師として生計を立てていたエルガーは、三〇代の後半になるまでロンドンの楽壇では無名の存在であったが、ドイツで演奏された「ジェロンティアスの夢」が成功したのを機にイギリスでも一気にその名が知られるようになった。「イギリス生まれで、イギリス在住の」作曲家の作品がドイツで成功したというこの事実は衝撃をもって受け止められたらしく、ウォーカーをしてイギリス音楽の「復興《ルネサンス》」と見なされることになったのである。ウォーカーが挙げたその他の作曲家にはエルガーほどの名声を得たものはいなかったけれども、彼らの弟子のなかからは、グスターヴ・ホルストやレイフ・ヴォーン・ウィリアムズなど、国際的にも息の長い評価を得ている作曲家が輩出された。

忘れてはならないことがもう一つある。この「ルネサンス」という言葉の裏には、一九世紀に入って徐々に見られ始めたイギリス古来の音楽に対する関心の高まり、すなわちイギリス音楽の「再発見」が重要な役割を果たしていたという事実が重なっている。当時、東欧や北欧などヨーロッパの辺境地域では、それまでのドイツ・ロマン派の音楽の圧倒的な影響力に抗するかのように、自国の民謡の収集を通して音楽に民族主義的な要素を盛り込むようになっていた。その背景には当然ながら、ナショナリズムや民族主義的な意識の高まりがあっただろう。イギリスにおいても同様に、民謡の収集は一九世紀前半から見られ始めていた。だがイギリスの場合、民謡ばかりではなくテューダー朝時代の音楽やパーセルの音楽など、古い音楽への関心も同時に高まっていったのである。王立音楽院（一八二二年）や王立音楽大学（一八八二年）など音楽学校の相次ぐ創設も、こうした自国の音楽遺産の収集や研究を通してその関心の高まりに拍車をかけたにちがいない。そして、この「ルネサンス」期に活躍した作曲家の多くがイギリスの民謡や古い時代の音楽に関心を寄せ、自らの音楽に織り交ぜながら新しい独自の音楽語法を築いていったのである。

ところで、このような動きとはまったく別に、当時のロンドンの音楽界を賑わしていたもう一人のイギリス人がいる。その名はアーサー・サリヴァン。W・S・ギルバートによる台本で次々とオペレッタを書き、大きな成功を収めた作曲家である。オペレッタはオペラよりも規模が小さくテーマも軽い喜歌劇のことで、サリヴァンはイギリス人好みの風刺とユーモアに富んだテクストに馴染みやすい旋律を当てはめることによって、庶民を中心に多くの支持を得た。一方で、彼が創作したオペラのほうは成功にはいたらず、また先の「ルネサンス」の作曲家のような国際的名声は得られなかった。けれども、一九世紀のイギリスを代表する作曲家としてサリヴァンの名を挙げる人は現在も多い。

その後、二〇世紀初頭の二つの大戦は音楽界にも大きな影響を与えた。度重なるドイツとの戦火によって、前世紀末から少しずつ進んでいたドイツ・ロマン派音楽からの脱皮が加速された。また、このころヨーロッパの音楽界全体に吹き荒れていた大きな変革のうねりによって、「ルネサンス」期の作曲家は第一線から退くこととなる。それに代わって、ベンジャミン・ブリテンやマイケル・ティペットなど、二〇世紀後半にまで影響を及ぼす新たな世代が登場した。このうち、ブリテンのオペラ「ピーター・グライムズ」は、パーセル以降、イギリス人が長らく待ちわびていた「イギリス人によるイギリスのオペラ」として記念碑的に位置づけられている。それが第二次世界大戦終了とともに初演を迎えたという事実には、戦後のイギリス音楽界の活況ぶりを予感させるものがあったといえよう。

（能登原由美）

参考文献

保柳健『大英帝国とロンドン――音楽と都市の出会い』音楽之友社、一九八一年。
山尾敦史『近代・現代英国音楽入門』音楽之友社、一九九八年。
Charles Edward McGuire and Steven E. Plank, *Historical Dictionary of English Music : ca. 1400-1958*, The Scarecrow Press, 2011.

歴史の扉 4

魔術と魔女狩り

現在も続く魔女狩り

魔術と魔女狩りは、以前から研究者だけでなく、一般の人びとからも注目を集めているテーマである。魔女とは誰か？　なぜ魔女は迫害されたのか？　魔女については、おそらく二つのイメージが思い浮かぶだろう。ひとつは、黒い洋服、とがった顎に鉤鼻、ネコやカエルといった使い魔《ファミリア》を従え、夜中になると箒に乗って魔女の集会《サバト》に行き、夜通し悪魔と踊りや乱交を繰り広げるという、幻想的な魔女の姿である。絵本や、おとぎ話に出てくる魔女は、この類のものが多く、ディズニーの子どもの本にも登場している。またこのイメージは、アメリカやヨーロッパで最近増えている、魔術カルトのインターネットサイトでも使用されている。

しかし一方で、歴史的な魔女の迫害や火あぶりといった残忍で暗い魔女の姿がある。こうした魔女は、歴史的な事実はもちろん、現在でもテレビや新聞といったメディアを通して報道されることがある。近年も、アフリカのいくつかの国々では、魔女狩りが行われ、たくさんの犠牲者が出ている。二〇〇九年三月ガンビアでは、ジャメ大統領の親族が亡くなり、呪術医《ウィッチ・ドクター》により魔女の関与が指摘されたことにより、一〇〇〇人が魔女の容疑で捕えられた。魔女の正体を見破るために、彼らは毒を飲まされ、数名がその毒によって亡くなった。二〇一〇年八月ナイジェリアでは、相次いで子どもたちが父親から魔女とされ虐待を受けた事件も報道された。これは、貧困や病は魔術が原因だと考えられているためであり、また現地の聖職者の関わりも指摘されている。

ヨーロッパでも魔女は過去の産物ではない。二〇一一年一月にはルーマニアのブカレストで、魔女や占星術師などが課税対象となり、それを恨んだ魔女が、様々な不思議な材料を使用して、政府に対して呪いをかけると脅していることも話題になった。

このように、魔女は、時間と場所を超えて、常に人びとの関心を惹き付けてきた。そして、これからも続くであろ

図1　魔女逮捕を伝えるパンフレット（1643年）に描かれた魔女

うこの課題は、あまりにも多面的な背景や要素を持ち合わせているため、一言で説明するのはもはや不可能である。ここからは、近世ヨーロッパ、とくにイングランドの魔女狩りはいったいどのようなものであったのかについて、教養のあるエリート層が主導した「上」からの迫害と、民衆、すなわち「下」から行われた魔女狩りの側面に分けて、歴史学的な見地から説明し、この課題について考察していきたい。

魔女狩りの歴史学

魔女狩りについては、一九世紀末から実証的な研究が行われてきたが、一九七〇年代から、それまで蓄積されてきた研究をもとに、学問間の垣根を超え、様々な分野の優れた学者たちが、洗練された意識をもって、さらに莫大な史料の調査に基づく理論を展開し、この課題の再構築を試みてきた。現在では、魔術や魔女狩りは単に原始的な人びとの馬鹿げた迷信ではなく、一つの重要で成熟した歴史的課題とみなされている。

最近の研究では、魔術や魔法の概念はかなり昔から存在していたが、魔女が魔術を用いて悪事を行い、悪魔と契約を結んでいる、という迷信が成立したのは、どうやら一四〇〇年ごろのスイスにおける裁判が初めだったことがわかっている。このような概念は、時を経て発展し、一五世紀になると、神学者の間で、魔女は悪魔の一員であり、反キリスト教の異端派であると認められるようになった。さらにドミニコ会異端審問官ハインリヒ・クラマーとヤコブ・シュプレンガーの『魔女に与える鉄槌』が一四八七年に出版されたことにより、「魔女恐慌」の時代が始まった。一五九〇年代になると、ヨーロッパの様々な地域で魔女裁判や魔女の処刑が行われ、その後魔女狩りが流行していく。しかしながら一六三〇年代になると、多くのヨーロッパの国々で、魔術に対する懐疑主義が教育を受けたエリート層の間で唱えられるようになり、一六五〇年以降、西ヨーロッパでは裁判や処刑の数は急速に減った。その後も、いくつかの国では大きな魔女狩りが行われ続けたが、そのころには、教育を受けたエリート層の間では、魔術はもはや重要な関心事ではなくなった。

ヨーロッパにおける迫害で犠牲になった魔女の数に関しては、様々な研究者によって推定されてきた。現在一般的に出版されている文学や書物、あるいはインターネット上のサイトのなかには、実際よりもかなり多くの人びとが権力者や宗教的な迫害の的となり、魔術の罪で火あぶりとなったと論じているものが多い。あるいはフェミニストたちは、魔女狩りは「女性狩り」であり、独立した向上心のある女性が男性の圧力によって、大虐殺《ホロコースト》として犠牲になった、あるいは「集団殺戮《ジェノサイド》」であった、と主張している。

しかし、近年の研究によって、このように大げさな数字は、一八世紀のドイツ人学者ゴットフリード・クリスチャン・フォークトの単純な計算によって出された九〇〇万人という数字に基づくことが指摘されている。この数字が、のちの学者たちにそのまま引用され、現在でも用いられているというわけである。また、ヨーロッパ全体で長期的に魔女狩りが行われたとも考えられてきたが、現在では一四五〇年から一七五〇年までに、約四万から六万人が魔女として処刑されたことで意見が一致している。

魔女狩りがなぜ行われてきたのかについては、様々な解釈がなされてきた。たとえば、北アメリカやヨーロッパでは、魔術は過去の原始的な人びとの迷信であり、聖職者や裁判官が魔女狩りを推進していたという解釈が主流である。プロテスタント宗教改革やカトリック反宗教改革が、魔女恐慌に及ぼした影響を重要視する解釈もある。あるいは、資本主義の発展による伝統的な社会の崩壊に焦点を絞った解釈、また先ほども少し触れたが、フェミニストの魔女狩りは女性狩りであったという解釈などがある。さらに、人類学者の見解では、魔術はかなり昔から不幸や災害を説明するために用いられており、魔女狩りはそれらを取り除く浄化対策だったとされている。また、最近では、大規模な魔女狩りの発生と天候の悪化の関連を強調する研究も行われている。その他にも、心理学や社会学などから多面的な研究がなされ、魔術の課題にさらに深くメスが入れられている。しかし現在では、魔女狩りは、地域や時期によって大きく事情が異なるため、単一的な説明は不可能で、一つひとつのケースを、様々な背景や要因と照らし合わせながら、綿密に調査することが不可欠となっている。

エリート層の魔女狩り

魔術の観念は多くの社会で見ることができ、とくにヨーロッパでは古代から存在していた。キリスト教が広まったヨーロッパでは、模範的な良いキリスト教徒と、キリストの敵である悪魔に仕える魔女という、対極的な概念が古くからあった。一五世紀中葉から一八世紀中葉にかけて、ヨーロッパにおいて、魔女は、単独の魔法使いではなく、むしろ反キリスト教宗派の一員であり、神やキリスト教国、そしてその統治者の道徳や世界の秩序を覆そうと企んでいるとみなされていた。つまり、ヨーロッパで魔女は社会全体の敵であり脅威であるため、魔女狩りを行う必要があったということになる。

【法律と裁判】

一六世紀中ごろのイングランドでは、ヨーロッパと同じように、君主は、自分たちを失脚させる魔術の陰謀があることを懸念していた。また害を及ぼす魔女や、「カニング・フォーク（魔術を職業にしていた人びと）」に関する言及が教会、世俗裁判記録両方に見られることから、このころ、この問題がすでに人びとの関心であったことがわかる。しかし、魔女を裁いた裁判数は少なかったことから、ヨーロッパとは異なり、イングランドではあまり重要視されていなかったようである。したがって、一五四二年まで魔術は犯罪として法的に定められていなかった。ヘンリ八世によって出されたこの法律は、いったん一五四七年にエドワード六世によって廃止されるが、一五六三年、エリザベス女王の統治下で、魔術を重罪と定める重要な法律が新たに発布された。これにより、魔術による殺人は死刑、また人や動物を傷つけたり、魔法を使用して物を探したり、愛の魔法《ラヴ・マジック》の使用に対しても投獄やさらし台など、重い刑罰が下されるようになった。さらに一六〇四年の法律では、魔術による傷害や魂を呼び出す呪文も極刑となり、死体や、その一部を魔術や魔法のために使用したことに対しても死刑が科されるようになった。

イングランドで魔女裁判は、教会裁判所、自治都市の裁判所、四季裁判所（四半期ごとに開催される）、巡回裁判所など、様々な裁判所で起訴されていた。中央巡回裁判区（エセックス、ハートフォードシァ、ケント、サリー、サセックスの巡回裁判区）では、とくに激しい魔女狩りが行われ、一五五九年から一七〇九年に、七八五件の魔術の犯罪の裁判を行い、四七四人が魔女として申し立てられ（うち九〇パーセント以上が女性）、一〇四人が死刑となり、それ以外の人びとは無罪となった。

【悪魔学《デモノロジー》】

イングランドでは、神学者が、魔術を悪魔と結びつけるまでは、魔術は犯罪として法律で規定され、世俗裁判所で裁かれていた。後期エリザベス朝とジェイムズ一世の時代に、多くのデモノロジーに関する論文が書かれた。一五九〇年ケンブリッジで教育を受けた聖職者で神学者のヘンリー・ホーランドの『反魔女論』、一六〇八年ウィリアム・パーキンスの『呪われた魔術に関する論文』、その他にも、アレクサンダー・ロバーツの一六一六年の『魔術論』や、医師ジョン・コッタの魔術の医学的側面についての小冊子『魔術の裁判』、一六一七年トマス・クーパーの『魔法の謎』、そして一六二七年にはデモノロジーの最後の作品である『大陪審員の手引き』が穏健カルヴァン派のピューリタン、リチャード・ベルナルドによって出版された。

これらの作品には、ヨーロッパのデモノロジーと同じように、神の許し、悪魔の力と悪意、魔女の姿をしたそのエージェントという三つの要素が共通して強調されている。なかでも、神の力は絶大で、悪魔が神を上回ることはありえない。したがって、魔女は罪深い人間を悔い改めさせるため、罪人を罰するため、信仰を試すために神が作ったものとされた。また、ヨーロッパのデモノロジーとは異なり、イングランドのデモノロジーにおいては、魔女のサバトがあまり強調されず、神にそむき、悪魔と契約を結んだことが重要視されている。またピューリタンのデモノロジーは、いかにして人びとに正しいキリスト教の信仰と行いをさせ、神の国を実現させるかということに重点が置かれている。したがって、悪い魔術の根絶は、それらを実現させるための、プロセスの一環にすぎなかった。また、イングランドのプロテスタントが迷信と考えたこと、つまりローマ・カトリック教会の儀式や民衆信仰や慣習を廃止する必要性があった。この標的となったのが、民間呪術を職業としていたカニング・フォークであった。彼らは悪の魔女よりも悪いとみなされ、彼らのもつ力も当然のことながら悪魔から得たものとされた。

このような「上からの」魔術の規定は、魔術を法律やデモノロジーで規定したことで、教会や国家が、魔女狩りに関与してゆくことになった。また、キリスト教以前から、農民が信仰していた異教崇拝を、キリスト教教会や世俗権力者が弾圧したという考えもある。つまり、魔女狩りは、プロテスタントと反宗教改革のカトリックの文化的な影響であったという見方である。キリスト教徒としての正しい知識や行動が人びとに求められるようになり、上からイデオロギーの統一と行動基準が課されたため、それにそぐわない悪が作られたということになる。

民衆の魔女狩り

裁判を行い、デモノロジーを唱えたのはエリートであったが、告発者や告発された当事者、つまり裁判の中心は民衆であったため、近年、民衆が抱いた魔術の概念が注目されている。イングランドにおける「下からの」魔術に関する非常に重要な研究が、一九七〇年代にアラン・マクファーレンとキース・トマスによって行われた。彼らは、エセックスの裁判記録を広範囲に調べ、そこからイングランドの魔術の告発は、判事や聖職者によって行われたものではなく、村人の人間関係の緊張の結果であったことを示した。

また、彼らは、サセックスの膨大な史料の調査を行い、魔女の被疑者と告発者の家主の職業の違いから、ある傾向を見つけ出した。つまり、自作農や商人など比較的裕福な村人が、主に肉体労働者や農夫などの貧しい村人を告訴していることが多かった。つまり、魔女の容疑者は多くが貧しい隣人であったことを発見した。社会が大きく変化した結果として、社会的弱者への慈悲を拒否したことで、そのあとに生じた不幸や災難の原因を、施しを拒否したという罪悪感の裏返しとして、弱者を魔女に仕立ててしまった、というこのモデルは、魔女狩りを「下」から説明したという意味において非常に革新的であり重要である。

【チャリティ拒否モデル】

マクファーレンは、魔術の告発が多くの場合「チャリティ拒否」モデルという規範に当てはまることを発見した。エセックスの史料から、彼が描き出したモデルは次のようなものである。

年配で比較的貧しい女性が、裕福な隣人に、少しの食べ物、ビール、お金、あるいは働き口の斡旋など、慈悲をかけてくれることを頼むが、これが拒否されると、この女性は拒否した隣人に対して、呪いの言葉をいう、あるいは脅しを呟きながら去る。その少し後に、慈悲を拒否した家族に、子どもが病気になる、家畜が死ぬ、家主が疾患にかかるなど不幸が降りかかる。その時点で、このような不幸と、貧しい年配の女性の間に関係が構築され、家族に降りかかった不幸は神の意志、自然、不運などではなく、魔術のせいであると考え、貧しい年配女性を告訴する。

当時、急速な人口増加により、資源や物資が不足していたため、貧しい人びとは、隣人の慈悲に頼って生きていた。しかし、地主の富裕層は商業的な倫理観をもち始め、貧しい隣人に対して慈悲を拒むようになった。こうして社会が大きく変化していくなかで、彼らは商業においては現実的であったが、まだ古い共同体の規範に執着しており、このような貧しい人びとにどのように対処してよいかわからない、という矛盾した心理状況にあった。このような問題は一七世紀が近づくころにはさらに顕著となり、一五九八年に貧民増加による社会不安を防ぐため、最初の総合的な救貧法が発布され、一六〇一年にエリザベス救貧法として改訂され、裕福層と貧困層の関係が安定するまで続いた。

こうしたトマス＝マクファーレン・モデルによる人類学的考察は、革新的で、イングランドの魔女狩りを研究する上で重要であることはいうまでもないが、いくつかの問題があることも覚えておかなければならない。まず人類学は「歴史」とは異なる学問であり、彼らの研究は、アフリカの研究を中心とする、イギリス機能主義学派に由来する人類学的アプローチのひとつに他ならないということ。また、マクファーレンが用いた人類学は、時間的に制限された事象の力学を開くことに非常に優れている一方で、長期的な変化を説明することができないということ。さらに、近世イングランドは、人類学者たちが扱う伝統的な社会よりも発達していたということである。

【女性の領域】

われわれが抱く魔女のステレオタイプと同じように、近世ヨーロッパにおける、魔女狩りの犠牲者の七〇～八〇パーセントは女性であった。とくに、イングランドではこの傾向はさらに顕著で、約九〇パーセントが女性であった。トマスとマクファーレンが示したように、エセックスでは、魔女は歳をとった貧しい女性が多く、それは彼女たちが社会的に弱者の立場であったことや、社会・経済状況の移行によって説明された。しかし、それ以外にも、多くの魔女が女性だった様々な理由が考えられている。ひとつは、男性の女性に対する支配という説明であるが、これは歴史家にはあまり認められていない。なぜなら、魔女は女性が多かったが、告訴する側や証言者もまた女性であることが多かったからである。つまり魔女の告発は、女性の領域で行われることが多かったということになる。

当時、子どもや若者がとくに魔術にかかりやすいと考えられており、子育ては圧倒的に女性の仕事であった。また、当時、子どもの生存率は低く、このことは、とりわけ女性の懸念の対象であった。つまり、これはなぜ中年、あるいは年配の女性が訴えられていたのか、という疑問の答えを導いてくれるだろう。当時、妊娠、子育ての経験をした閉経後の女性が、助産婦として、出産や子育てに携わっていた。子どもたちに不幸が起こった場合、その母親が、閉経後の女性が彼女たちの子どもに魔術をかけたのだ、として告発することが多かった。つまり、魔術は、女性の家事や子育ての不安や恐れを表しており、魔女はその不安や恐れの投影であったと考えることができるだろう。

また、魔術や魔女の幻想は、女性の心理状況とも、深く関係しているといわれている。魔女狩りが盛んに行われている時代背景において、自分が魔女であると信じる幻想が生まれるような女性の心理が注目されている。しかし、魔術は、女性の心理だけでなく、女性の身体、とくに母親や閉経後の女性の身体に対する態度を反映しているとも考えられており、心理学など様々な分野から、非常に興味深い研究がなされている。

【男の魔女】

イングランドではほとんどの魔女が女性だったが、全体の一〇パーセントは男性が魔女として告発されている。多くの場合、男の魔女は女性の魔女の子孫であることが多かったが、魔術を使用した容疑で告訴された男性もいた。彼らは巨額の富を得るために悪魔と契約をしたことで告訴されている。それ以外にも、カニング・フォークは男性がほとんどであったが、ときに魔女として告発されることがあった。彼らは民間魔術で生計を立てており、民衆の間では、女性の魔女が悪い魔女である一方、彼らは良い魔法使いに分類されていた。また、女性の魔女は社会的地位が低い貧困層であることがほとんどだったが、男性の魔女は教育を受けた人びとであり、二極化を見ることができる。しかし、神学者や教会当局はカニング・フォークや彼らのオカルト的活動を、悪魔と結びつけ非難し弾圧した。また、魔女の男／女の二極的な分類中で、地位や富のある男性が「魔女」として告発されるということについては、社会のなかで彼らが「女性化」されたとする見解もある。社会的な規範の境界線を越えたとき、彼らは女性化され、魔女として告発されたというものだ。このように、近世イングランド人のジェンダーに対する態度も今後の研究領域である。

近世ヨーロッパとイングランドの魔女狩りを駆け足で説明してきたが、この課題は、最初にも述べたように、様々な文脈で、非常に多様な側面をもっている。ここでは、エリート層の思想と、民衆の文化に分けて説明したが、両者の思想がまったく別世界のものだったというわけではない。両者は、同じ時代に生き、互いに影響しあっていたのは間違いない。また、エリートも、民衆も関係なく、人びとは魔術や魔女が存在すると「信じており」、密接に共存していたのである。したがって、魔女狩りを引き起こした、魔術の「信仰」について検討するときに、われわれがもっとも注意すべき点は、知らず知らずのうちに、「啓発された」自分たちを、過去の「未発達な」人びとから距離を置いて、歴史的な事柄に目を向けていることである。人類学者たちが論証したように、現在でも、科学や医学が未発達で、魔術を信じる社会に住む人びとが、魔術にかけられたと思うと、実際に病になり、死にいたることさえあるという。「信仰」という言葉自体に、「本当はそうでない物事を信じる」という意味が含まれている。人びとは、魔術が実際に存在し、魔女は害を及ぼす能力があると「信じていた」ということを正しく理解することが、この課題を理解する上で必要不可欠である。

魔術は時と場所を超えて、人びとのなかで生き続けてきた。魔術は、人が説明することができない不幸や災難を説明し、その状況の打開策として魔女狩りが行われてきたのである。このような意味において、現在のアフリカに見られるように、今後も迫害が行われる可能性を否定することはできない。魔術や魔女の課題は、これからも「今」の問題であり続けるだろう。

（長谷川直子）

参考文献

浜林正夫『魔女の社会史』未来社、一九七八年。
ノーマン・コーン著、山本通訳『魔女狩りの社会史』岩波書店、一九八三年。
W・ベーリンガー著、長谷川直子訳『魔女と魔女狩り』刀水書房、二〇一四年。
James Sharpe, *Witchcraft in Early Modern England*, Pearson Education, 2001.

第Ⅲ部

エレガンスの時代――一八世紀

ヴォクソール・ガーデン（T・ローランドソン画）
18世紀に流行した園遊地《プレジャーガーデン》のひとつ。

第5章

帝国と工業化

スコットランド併合

スコットランドとイングランドの国境は、ほぼローマ帝国の支配地域の境界線と同じである。ローマ支配の有無が両国の境界を形成したといってよいだろう。スコットランドのステュアート朝がイングランドの王位を得たのちも、スコットランドは独立した王国であったが、一七世紀の内戦や名誉革命は、両者の関係に大きな変化をもたらしていた。

もともとスコットランドは、中世以来イングランドの圧力に押されていたが、クロムウェルによる征服やステュアート朝「正統」のジェイムズ二世の追放は、スコットランドに動揺を与えた。ジェイムズを支持する人びとは「ジャコバイト」と呼ばれ、ジェイムズ二世とその子孫の復位を目指して蜂起を繰り返し、名誉革命体制を脅かす存在となった。

しかし、一六九〇年代後半、スコットランドは凶作に見舞われ、多くの餓死者がでる事態になった。経済苦境の打開策として、パナマのダリエンに植民地を作るという計画が打ち出された。しかし、アジア貿易の独占を許されていた東インド会社の利益を阻害するとしてイングランドはこの計画に反発し、現地パナマではスペインの攻撃などもあり、計画は失敗に終わった。多くの国民が出資していたため、この失敗は深刻な経済状態をさらに危機的なものにしてしまった。

そんななか、ジェイムズ二世の子孫への王位継承を完全に排除する王位継承法（一七〇一年）が成立すると、それへの反発から、同君連合を解消して、ジェイムズ二世の子孫にスコットランド王位を渡すことを主張する人々もでてきた。離反したスコットランドがフランスと結ぶことを恐れたイングランドは、スコットランドの併合を画策した。経済的に苦しいスコットランドに対して、合併による利点（イングランドとの自由貿易、ダリエン計画の損失補塡など）を提示して両国の合同が提案された。

スコットランド国民の反発は強かったが、スコットランド議会は、経済的なメリットを優先してこの合併を承認した。一七〇七年、両国の合同によって「グレートブリテン王国」が誕生した。しかし、新たなグレートブリテン議会でのスコットランド選出議員の数は、議員総数の一割にも満たなかった。一方で、スコットランドの教会制度や裁判制度、一部の法律はそのまま維持され、一国内二制度の状態となった。

ハノーヴァ朝の成立

亡命したジェイムズ二世の子孫はカトリック信仰を捨てなかったので、その復位を阻止するために、一七〇一年に王位継承法が成立した。この法律では、将来の王位は、ジェイムズ一世の娘の血筋にあたるドイツのハノーヴァ公に渡ることになった。この法律に従い、一七一四年にアン女王が亡くなると、ハノーヴァ公がジョージ一世として即位した。ジョージは英語をよく理解できなかったので、政治実務は閣僚にまかせることが多くなった。ハノーヴァ公の即位を支持したホイッグ党が重用され、ロバート・ウォルポールがのちの首相のような役割を果たし、二〇年以上の長期にわたり政権を維持した。ウォルポールは平和路線をとり対外戦争を回避したが、一方

図5－1　カロデンの戦い
蜂起したスコットランドのハイランド勢と戦うイングランド兵。双方ともに恐怖で引きつった顔をしている。この敗戦で，ハイランドはその独自文化を禁圧されてしまう。

で金権政治、強権政治の批判も強かった。

ハノーヴァ朝の成立に対し、スコットランドではジャコバイトが反乱を起こした。一七一五年と一七四五年の反乱がとくに深刻で、ジェイムズ二世の子孫が上陸し、イングランドの奥深くまで進軍することもあった。結局は、反乱は徹底的に鎮圧され、とくに反乱の巣窟と見なされたハイランド地方では、古くからの氏族（クラン）が解体され、キルトやタータン、バグパイプが禁止されるなど、独自文化の消滅が図られた。一九世紀に「復活」をみるまで、こうしたハイランド文化は野蛮の象徴として否定された。

帝国の形成

一七世紀末のウィリアム三世以来、ウォルポールの平和路線の時期を除いて、イギリスの対外政策の基本は、フランスとの戦争であった。これを第二次英仏百年戦争と呼ぶこともあるように、両国の抗争は、一九世紀のナポレオン戦争終結まで続いた。それは、伝統的なヨーロッパ内での覇権争いというよりは、地球規模での植民地争奪戦といった側面のほうが重要である。

一六世紀以降、両国はスペインにならって、新大陸やアジアに進出を図ろうとしたが、植民地獲得や貿易拠点の確保が本格化したのは一七世紀に入ってからである。イギリスは、北米大陸東岸部に次々と植民地を築く一方で、クロムウェルの時代にはスペインからジャマイカを奪って、念願のカリブ海植民地を得た。カリブ海では、砂糖が生産され、大きな利益をもたらした。東・東南アジアではオランダに敗北するものの、インドに貿易拠点を確保して、のちのインド進出の足がかりを作った。フランスにとっても、北米、インド、カリブ海は植民地として重要な地域であり、両国の利害は衝突することになる。

とりわけ、七年戦争（一七五六〜六三年、植民地ではフレンチ・インディアン戦争と呼ばれた）の講和条約であるパリ条約では、フランスからケベック、ミシシッピ川以東のルイジアナを、スペインからフロリダを獲得し、さらにインドからフランス勢力をほぼ排除することに成功した。戦争以外でも、オーストラリアやニュージーランドを自国領として確保し、イギリスの広大な帝国は地球規模で広がった。

こうした植民地には、当然のことながら、そこに移民・入植する人びとが必要であった。初期の植民者は、過酷な自然条件や先住民との対立で、生き残りすら難しいこともあったが、植民地が安定してくると、新世界に可能性を求めて渡ってくる人びとも増えた。しかしそれでも、必要な労働力には不足したため、犯罪者が流刑となって送られることも多かった。また、度重なる戦争は、休戦のたびに多くの帰還兵を生み出した。帰還兵の多くは失業者として社会不安を引き起こす要因とも恐れられたので、彼らもまた帝国各地へ移民として送られたし、身寄りのない子どもたちにも同じ運命が待っていた。すなわち、植民地は本国の「厄介者」を排除する場所でもあった。

スコットランドのハイランドでは、一八世紀に地主による農地の囲い込みが広まると、職を失った農民の多くが、アメリカ大陸へと渡っていった。これを「ハイランド・クリアランス」という。文字通り、貧しい農民が一掃されたのである。このあとも、イギリスの植民地は、本国で生きてゆくのがむずかしい人びとの受け入れ先として機能する。

アメリカ合衆国の独立

フランスとの戦争には多大の軍事費を必要とした。この資金をいかに確保するかが勝敗を分けたといえる。一六九四年にイングランド銀行が設立されたのも、政府への貸し付けによって戦費調達を助けるためであった。イングランド銀行の設立は、金融を安定させ、産業育成に大きな役割を果たすことになる。また、オランダなどの戦時投資も、不安定な国王の信用に頼るフランスよりは、信用において勝るイギリスに流れることになった。さらに、当時のイギリスの徴税システムは、フランスなどに比べて効率的であったため、より多くの資金を得ることができた。こうして得た資金の多くが戦争につぎ込まれ、当時、国家予算の八割以上が軍事費に充てられたといわれている。そのため、この時期のイギリスを「財政軍事国家」と表現することもある。

しかし、これほどの軍事への偏重は、ひずみを生むことになる。当然、軍事以外のことは国の施策としては放置されることになるので、教育や福祉などは、民間のボランティアやチャリティに依存せざるをえなかった。

また、戦場となった北米大陸などでは、植民にも戦費負担が求められ、様々な税として課せられた。こうした負担が植民地の不満を強め、一七七五年の一三植民地の独立戦争につながっていった。フランスやスペインが植民地側を支援したため、戦線は北米大陸を越えて拡大し、ついに一七八三年のパリ講和条約でアメリカ合衆国の独立が正式に承認された。

こうして、北米一三植民地を失ったイギリスは、大西洋を囲む形で機能していた帝国の一角を失うことになったため、インドにその関心を移してゆくことになる。他方、植民地側を支援したフランスでは、その軍事負担が財政破綻を招き、フランス革命を呼び起こす原因となった。

工業化

イギリスでは、一八世紀中ごろから綿織物を中心に、機械を用いた工場制での生産が進み出した。綿織物は、もともとインドからの輸入品で、旧来の毛織物や麻織物に比べて、柄や色の多様性、洗濯の容易さ、肌触りの良さなどから爆発的な人気を博した。しかし、その人気に脅威を感じた毛織物産業などが働きかけて綿織物の輸入が禁止されたため、国産化の試みが進むことになった。この流れを、様々な機械の発明や改良が加速する形で、綿産業において最初の工業化が進展した。

図５－２　ミュール紡績機
この機械の発明により，綿糸の生産量が飛躍的に増大し，織機のさらなる改良を促した。ミュールとはラバのことで，頑丈でよく働くという含意がある。

一八世紀には、石炭を利用した蒸気機関の改良が飛躍的に進み、それまでの水力や風力といった自然条件に頼らない工場立地が可能になり、その性能の向上とともに、大規模な工場生産を可能にした。また、石炭のコークスを燃料とする製鉄法が確立し、木炭を利用した製鉄では不可能であった、より強度のある鋼鉄が生み出されたことは、頑丈で精度の高い機械を可能にした。さらに、この時期、運河や道路の整備が進み、流通の基盤が用意されたことも産業の発展には有利であった。一九世紀になると、蒸気機関と頑丈な鉄材を用いて、蒸気機関車が実用化され、急速に鉄道網が広がるなど、さらに流通の速度は加速した。

イギリスでこうした産業の発達が世界で最初に進んだ理由は、生産された商品の消費地として、広大な植民地すなわち帝国を保持していたことがあげられる。イギリスとアメリカ大陸、西アフリカを結ぶ三

図５－３　運　河

鉄道以前，運河を使った船が産業革命を支えた輸送手段であった。全国の河川をつなぐ形で運河網が整備された。図のように，高低差は水路橋などで克服した。

角貿易によって、イギリスの製品が輸出産品として利益を生み出したのである。

こうした様々な技術革新と産業の発達を総称して「産業革命」と呼ばれてきたが、近年では、「革命」というような急激なものではなく、長期にわたる変化であるという理由で、「工業化」と表現することが多い。

工業化をめぐっては様々な論争もある。革命といえるほどの変化であったのかどうかというのもそのひとつであるが、古くから議論されているのは、工業化によって労働者の生活は向上したのか、それとも、過酷な工場労働によって、生活は悲惨なものになったのか、という問題である。たとえば、現在の基準から見れば、女性や子どもの労働など、その厳しさは明白のように思えるが、工業化以前の女性や子どもの労働と比べた場合、改善されているともいえ、議論は尽きない。ただ、収入や生活水準といった経済的な面だけで工業化の影響を判断することはできない。時間に拘束される工場労働は、それまでの職人的な労働慣習とは異なるもので、人びとの労働や生活の意識の面で「近代化」をもたらしたといえるだろうし、人口の都市集中が進んだことによる社会の変化など、多角的な検証が必要だろう。

農業革命

工業化が本格化する前、農業においても「農業革命」と呼ばれる大きな変革があった。中世以来の三圃制に代わって、農業先進地域であったオランダで行われていた農法が導入され、農業生産の向上が図られた。この新農法は、初期の導入地の名称をとって「ノーフォーク農法」と呼ばれる。耕地にクローヴァーなどのマメ科の植物を植え、そのまま鋤込んで肥料にして地力の回復を早めることで、農作物の生産量が増大した。また、冬期にカブを栽培して家畜の飼料として与え、家畜の越冬を容易にした。その結果、それまで越冬できずに一年以内で屠殺していた家畜を、より大きく肥育することができ、食肉生産量が飛躍的に増えた。その結果、ロンドン食肉市場で取引された牛や羊一頭の体重は倍以上に増えている。つまり、一八世紀までの家畜の大きさは、現在のわれわれが抱くイメージの半分ほどしかなかったということになる。

　農法の改良に加えて、農業改良家ジェスロ・タルの「種蒔き機」のような新たな農業器機の発明もあった。この器機のおかげで、種を効率的に畝蒔きすることができ、その後の雑草の除去が容易になり、生産性が向上した。こういった新農法の導入を容易にするために、旧来の開放耕地制を廃して、所有する耕地をまとめる「囲い込み」が行われた。囲い込みは、一六世紀にも牧羊地を作るために行われているが、一八世紀のものは農業改良を目的としたもので、地主の要請に従って議会で個別の法律を作ることで進められた。

　囲い込みで大きくまとめられた耕地の多くは、地主が直接経営するよりも、たいていは、農業経営者《ファーマー》に貸し出され、農業経営者に雇われて農業労働者《レイバラー》が耕作にあたった。農業労働者は農作業に対して賃金を受け取る労働者で、自分の耕作地をもち、作物を確保できた日本の小作人とはまったく異なる。こういった「地主―農業経営者―農業労働者」という構造を、農業の「三分制」といい、イングランドの耕地全体の四分の三がこのシステムのもとにあった。

　この農業革命によって食料生産は伸び、一八世紀には一時期、イギリスは食料輸出国とさえなった。かつては、農業革命によって土地を追われた農民が工場労働者となったと考えられたが、実際は、農民の多くはそのまま農村に留まり、農業労働者として働き続けた。農業革命による食料供給の改善が人口増加をもたらし、その余剰人口がのちの工業化を支える労働力となったのである。

国教会と様々な宗派

エリザベス時代に確立したイングランドの国教会は、一七世紀の共和政期に一時廃止されるものの、王政復古とともに復活し、その後も（今日にいたるまで）国家教会として存続した。教義の面でも、エリザベス時代に定められた「三九か条」の信仰条項がそのまま受け継がれた。それは、エリザベス時代にすでに批判されていたように、厳格なプロテスタントの目からすれば、曖昧な部分、カトリック的な要素を残したものであった。この「曖昧さ」がその後の国教会の性格にも影響を及ぼすことになる。

一八世紀の国教会は、体制教会としての安定から、知的な活力を失ったといわれることが多い。国教会聖職者の多くは裕福なジェントルマン階級の出身者で、教区民の精神的指導者として尽力するよりは、社交など安逸な生活に流れる傾向が強かった。教区教会自体も、経済力や社会的地位によって教区民が区別される場となり、下層民衆の教区教会離れを加速させた。教区教会に居づらくなった人びとは、非国教会の礼拝に参加する者もあれば、そのまま宗教に無関心になる者さえいた。

国教会は、教義の曖昧さから、聖職者によって教義の解釈に幅が生じることになった。一般的に、儀式的な面を重視し、カトリック的な要素を残す「高教会」とプロテスタント色の強い「低教会」に大別されるが、低教会派とされるグループには幅があり、呼称も時期によって様々である。一七世紀には「ラティテューディナリアン」と呼ばれたが、広く非国教徒と連携し、国教会内に取り込もうとしたので、のちに「広教会派《ブロードチャーチ》」とも呼ばれた。

エリザベス時代には、国教会への帰属を拒否する者は、カトリックであれ、プロテスタントであれ、死刑を含めて厳重に処罰された。それでも、すべての人びとを包括することはできず、国教忌避者（カトリック）や非国教徒（プロテスタント）が残ることになる。一七世紀の末から一八世紀ころには、その存在はもはや否定できないものになった。いわば、イングランドの宗派（スコットランドは別個の教会を維持した）は、巨大な国教会の左右に少数派が存在するという構造になっていた。ただし、国教徒以外は官職につくことができなかったし、大学への入学も認められなかった。

国教会の「外」にある宗派とはいっても、先の広教会派の試みのように、プロテスタント系の教派に対しては融和的な対応がなされたが、カトリックに対しては、一六世紀以来厳しい対応がとられていた。ただ、国教会にも高教会派のようなカトリック色が強い勢力もあるので、カトリックの信仰内容そのものの否定というよりは、むしろ、イングランドの敵対国にスペインやフランスなどカトリック国が多かったこと、アイルランドのカトリック教徒がしばしば反乱を起こしたことなどから、プロパガンダとして「反カトリック」が叫ばれたという事情がある。また、プロテスタントの非国教徒にしても、長老派、独立派、バプティストをはじめ、様々な教派《セクト》に分裂しており、ひとつにまとまった存在ではなかった。

このように、近世のイギリスは、プロテスタント体制の国家ではあるが、ひとつの宗派での統一が貫徹した国家（信仰告白国家《コンフェッショナル・ステイト》）ではなく、むしろ（建前としての）「反カトリック」もしくは「非カトリック」国家とでもいうべきもので、信仰心の濃淡も含めて、多様な宗教状況にあったといえる。

しかも、一八世紀になると、アイルランドから職を求めてイングランドに渡ってくるカトリック教徒が増大した。さらに、フランスから確保したケベックのカトリック教徒がそのままイギリス国民として受け入れられたため、建前とは裏腹に、多くのカトリック教徒をも内包するようになった。こういった事情を背景に、一八世紀中

図5－4　世界を分割するピット首相とナポレオン（ギルレイ画）

ナポレオンはヨーロッパを，イギリスは大西洋を切り取っている。海軍力に優れるイギリスと優秀な陸軍力でヨーロッパを抑えたナポレオンという対比を表現している。

にはカトリック教徒の権利も徐々に認められ、一八二九年のカトリック教徒解放法の成立にいたる。

もっとも、カトリック解放の流れは、一部に反発も招いた。一七八〇年、ジョージ・ゴードン卿率いる「プロテスタント連合」が、カトリック取り締まりを続けるように議会に請願を行った。しかし、請願が認められないと、不満を抱いた民衆が暴動を起こし、カトリック教徒の家ばかりか、イングランド銀行なども襲撃し、七〇〇人の死者を出す騒乱になった。しかし、反カトリック感情の表立った暴発は、これを最後に収まってゆくことになる。

ナポレオン戦争の影響

フランス革命が起こると、その改革思想への共感はイギリスにも広がった。しかし、フランス革命が急進化し、周辺諸国まで影響が及ぶようになると、警戒感も高まった。革命支持派と批判派は、議会内のホイッグとトーリーの対立と重なり、政治の動向にも影響することになった。世論の革命への恐れとジョージ三世の支持を背景に、首相ピットの率いるトーリー党が長期政権を担い、最後の対フランス戦争の時代を乗り切ることになる。

ナポレオンが登場し、フランス軍がヨーロッパ大陸を席巻すると、イギリスは苦しい立場に置かれるが、トラファルガー海戦の勝利など、海軍の活躍でフランス軍のイギリス本土上陸は阻止された。

フランスとの戦争遂行の過程で、アイルランドの併合が行われた。もともとイギリスの統治に不満を抱く人びとが多かったアイルランドでは、フランス革命の影響で民主化を求める声が高まった。カトリック教徒の多いアイルランドが、フランスと結ぶ危険を恐れたピットは、アイルランドの併合に踏み切り、一八〇一年にアイルランドがグレートブリテン王国と合併し、「連合王国」が成立した。

フランスとの戦争は、一八一五年のウィーン議定書によって戦後処理がなされたが、イギリスはマルタ島やケープ植民地を新たに領土に加えるとともに、スペインが戦争に忙殺されている間に中南米に影響力を広げ、自国の経済圏に組み込んだ。こうした政治的な支配を伴わないで、経済関係で強い影響力を行使する関係を「自由貿易帝国」もしくは「非公式帝国」と呼ぶことがある。

歴史の扉
5

世界史につながる食物

ジャガイモ

一八世紀は、食生活の上でも大きな変化があった。ジャガイモ、トマト、カボチャ、茶といった新大陸やアジアからもたらされた作物が人びとの食卓に定着し始めた。もちろん、これらの新しい食品がヨーロッパに紹介されたのはもっと以前である。しかし、新大陸から作物は、はじめは人びとにはなかなか受け入れられなかった。

一六世紀にもたらされたジャガイモは、長い間、花を観賞することを主目的として栽培されていた。優れた救荒作物として栽培が奨励されるものの、その一見グロテスクな外見や、地中にできる作物への偏見から、なかなか食物として受け入れられなかった。同じように地中にできる作物、ニンジンやカブなども、ヨーロッパで普通に人間が食べるようになったのは近世以降である。

ジャガイモが北部の貧しい庶民を中心に食用にされ始めたのは一八世紀であった。おそらくは、いかに怪しげな作物でも、背に腹は代えられない、という選択だったのだろう。しかし、いったん食用になれば、その味の良さや栄養価の高さで、労働者の食物として広まることになる。その後、上層の人びとの口にも入るようになった。普通、新奇な品の普及は、上流階級の流行を下層が真似をして、徐々に下へ降りてゆくのが普通であったし、まずは中央（ロンドン）で流行ったものが地方へ広がってゆく、というのがおきまりのパターンであった。その点で、ジャガイモの普及は、まったく逆の過程を経たということでも興味深い。

ジャガイモは、もともと食料の乏しかったアイルランドでは、一八世紀の後半には農民の主食となった。しかし、かえって過剰なジャガイモ依存の食生活となったため、一九世紀半ばにジャガイモが病気で壊滅状態になると、深刻な飢饉を引きおこした（ポテト飢饉）。一〇年間で、一〇〇万もの人びとが飢餓や病気で命を落とし、さらに六〇万ものアイルランド人が海外へ移民せざるをえなくなった。その後も人の流出は続き、二〇世紀初頭までの六〇年間で約五〇〇万人がアイルランドを離れた。結局、ポテト飢饉によって人口はほぼ半減に近い状態になってしまった。

茶と砂糖

海外からもたらされた食品で、ジャガイモと並んで歴史的にとりわけ重要な意味をもったのは、中国原産の茶と茶の広まりとともに需要が伸びた砂糖である。しかし、このふたつは、自国で栽培が可能であったジャガイモとは違って、ほぼ一〇〇パーセント輸入に頼らざるをえなかったことで、世界史を大きく動かしてゆくことになった。

　茶は一七世紀にオランダが中国から輸入したのが最初といわれる。ヨーロッパ中で東洋の珍しい飲物として珍重され、最初は薬としてその薬効が宣伝されたが、やがて嗜好品として、とくにイギリスで定着することになった。当初は上流階級の飲物で、やはり中国から輸入した高価な陶磁器で飲まれていた。しかし、関税の引き下げや輸入量の拡大で、しだいに庶民にも飲茶の習慣が広まっていった。上流階級の習慣を真似して、上流気分を味わいたいという意識もそこには働いていただろう。

　当初は、中国での飲茶のやり方をそのまま踏襲していたのだが、どうも苦くて熱いのは苦手であったようで、それらを緩和するために茶に砂糖やミルクを加えて飲む習慣も確立した。茶托を変化させたソーサーに茶をカップから移して飲むという当時の風習も、熱い茶を冷ますための手段であった。

　ヨーロッパ大陸では、イスラーム世界からもたらされたコーヒーが定着したが、イギリスでは、コーヒーよりも茶が人気を博することになる。その理由としては、男性が家庭外で飲むことが多かったコーヒーに対し、茶は女性を中心に家庭内で飲まれる飲料として受け入れられたことや、大陸に比べてイギリスの水が軟水気味で茶に合っていた、そもそもアルコール飲料以外、それ以前にはめぼしい飲料品がなかった、など色々と指摘されているが、要は、イギリス人の嗜好に合った、ということだろう。

　茶も砂糖もイギリスでは生産できないものだったので、当然、その消費の増加は輸入という「国際的」な関係と結びつくことになる。まず、茶はもっぱら中国からの輸入で

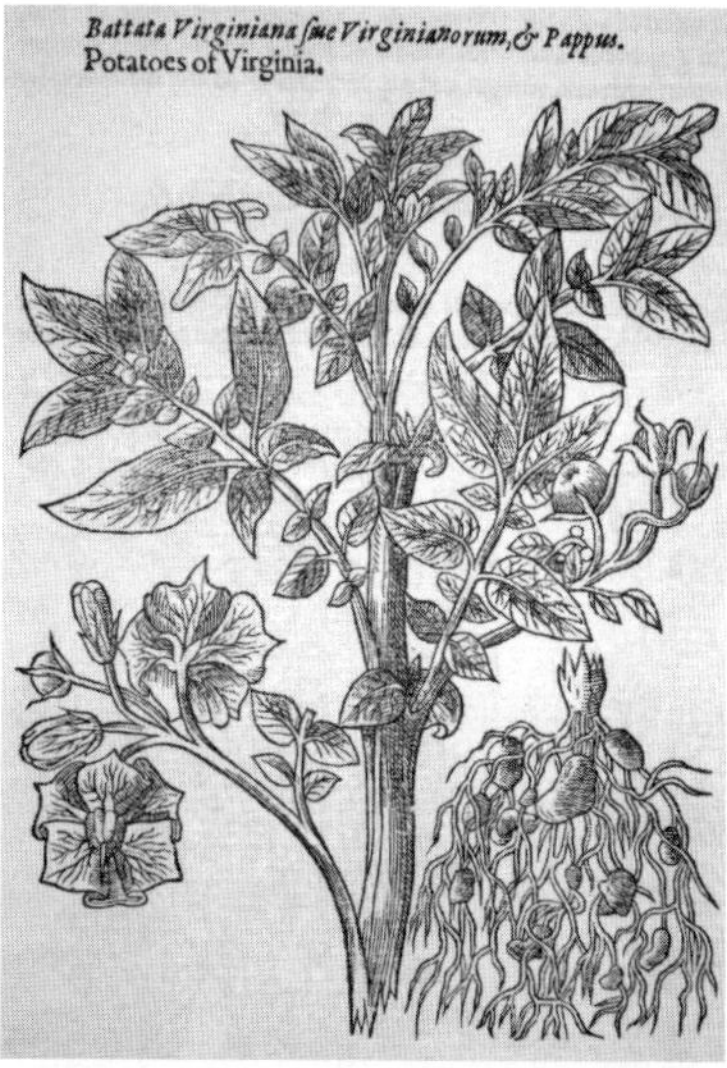

図１　ジョン・ジェラードの植物誌に描かれたジャガイモ

16世紀後半，イギリスに紹介されて間もないころのジャガイモ。食品としての紹介はなされているが，普及にはいたらなかった。

あったが、当時、中国への輸出は厳しく規制されていたので、輸入量の増加はそのまま対中国貿易の赤字の拡大を意味した。イギリスは何度か中国との貿易交渉を試みるがうまくいかず、ついにインドで生産したアヘンを密輸し、その収益で赤字の補填を図ることになる。アヘンの害に苦しんだ中国はアヘンを禁止し、イギリス商人が持ち込んだアヘンを焼却処分にするが、これを口実にイギリスは中国との戦争（アヘン戦争）に踏み切り、その後の中国の半植民地化への道を開くことになった。まさに、茶という中国の特産品があだとなって、中国の運命を暗転させたわけである。

それでも、イギリスでの茶の需要は伸び続けたため、貿易収支の根本的な解決にはならなかった。すでに中国の茶の産地と同じ緯度にあるインドの地方で茶の栽培を試みていたが、失敗続きであった。その後、一九世紀初めに、アッサム地方で自生している茶の木が発見され、それをもとにインドでの茶栽培が本格化することになる。のちにはセイロン島にも移植され、病害で壊滅したコーヒー栽培に代わって、茶の生産が行われるようになった。一九世紀後半以降、これらのインド茶がイギリス本国でも受け入れられるようになるが、中国茶の輸入は継続されているし、明治維新を迎えた日本からも茶は重要なイギリスへの輸出品であった。世界中の茶がイギリスへと集まっていたといえる。

さて、茶の消費が伸びることで、需要の高まった砂糖であるが、もともと砂糖は、熱帯アジア原産で、古くから地中海世界に伝えられ、中世以降は東地中海のイスラーム地域で作られる高価な食品であった。コロンブスがカリブ海の植民地に砂糖栽培を導入してからは、スペインが砂糖貿易で利益を得ていた。またポルトガルも西アフリカ沿岸の島々で砂糖栽培を行っていた。高価な茶に高価な砂糖を加えて中国製陶磁器で飲むというのは、いかにも贅沢な楽しみであったのだ。

当然、砂糖消費の拡大は貿易赤字をもたらすことになる。イギリスが自分の砂糖植民地を獲得したのは、一七世紀のことで、クロムウェルが、スペインとの戦争によって、西インド諸島（カリブ海）のジャマイカを占領したことに始まる。もともとはカトリック国への攻撃という宗教的な性格の強い戦争が、砂糖をもたらしたわけである。その後のフランスとの戦争でも砂糖植民地の獲得は大きな課題であった。

砂糖と奴隷

こうした植民地獲得によって、イギリスには大量の砂糖がもたらされたのだが、その背後で進んだのが、奴隷貿易と奴隷制である。砂糖生産には多くの労働力が必要とされたので、古代から砂糖は奴隷労働によって作られてきた。スペインやポルトガルも、そのやり方を踏襲し、イギリスもまたそれを真似たわけである。スペインは、砂糖栽培に必要な労働力として、初めインディオを使ったが、すぐに疫病や酷使によって絶滅状態になると、西アフリカで購入した黒人奴隷を運んできて働かせるという手段をとった。イギリスがカリブ海植民地経営を始めたころには、黒人奴隷は不可欠の労働力と見なされていた。

図２　上流階級の茶会
18世紀，上流階級を中心に茶が定着する。ここには黒人の使用人が描かれているが，17世紀ころから黒人の使用人を置くことは上流階級の流行であった。

こうして、大西洋を舞台にした「三角貿易」が成立する。イギリスの港町（ブリストルやリヴァプールなど）を、工業化の成果である綿布や銃器などを商品として積み込んで出帆した船は、西アフリカでそれらを売却すると、奴隷を購入する。綿布は奴隷用の衣服として最適でもあった。西アフリカでは、ヨーロッパ人に売るために奴隷狩りが盛んとなり、奴隷売買で富み栄えるような国さえ生まれた。結果的には、労働を支えるべき若年層が奴隷として連れ去られたため、アフリカはその後の発展を阻害されることになった。

西アフリカで奴隷を積んだ船は、今度はカリブ海へ向かう。砂糖植民地で奴隷を売却したのち、砂糖を仕入れてイギリスへ帰国する。つまり、イギリスから見れば、綿布を積んだ船が戻ってくるときに砂糖を持ち帰ってくる、ということになり、奴隷貿易は隠されてしまった。もちろん、一部の黒人奴隷はイギリスにももたらされ、家事使用人とされることもあった。一七、一八世紀には黒人の使用人を置くことが上流階級で流行もしている。いわば、ペット感覚の使用であった。

こうした奴隷貿易は、一八世紀後半になると、福音主義者らを中心に厳しい批判が向けられるようになる。アフリカからカリブ海へ向かう途中、多くの奴隷の命が失われたことが、きわめて非人道的なことと見なされたのである。

図3　「反砂糖キャンペーン」（ギルレイの風刺画）
描かれているのは国王ジョージ3世の家族。節約家で知られた王であるが，ここでは，娘たちに紅茶に高価な砂糖を入れずに飲ませている。不満げな娘たちに対して，王妃が「お前たちが砂糖をガマンすれば，かわいそうな黒人奴隷が助かるのだ」と言っている。当時の奴隷制廃止運動による反砂糖キャンペーンにからめて王のケチぶりを皮肉った作品。

奴隷制そのものについては、奴隷が「私有財産」であったため、その廃止には抵抗も強かったが、「貿易」の廃止は共感を得やすかったという事情もある。砂糖の消費が伸びると奴隷貿易が繁盛する。このことは、奴隷貿易や奴隷制に反対する人びとによる「反砂糖キャンペーン」へと展開していった。

　結局、ねばり強い廃止運動の結果、一八〇七年になって奴隷貿易禁止法が成立し、さらに一八三三年には奴隷禁止法が成立して、イギリス領内での奴隷制は廃止された。もっとも、この改革の背景にあったのは、人道的な側面ばかりではなく、議会内で大きな力をもって、自由貿易に反対していた砂糖プランターの勢力を弱めて、自由貿易を実現しようという動きであった。穀物法の廃止へ向かう動きと、奴隷制廃止の動きは同じ流れに乗っていたのである。

　茶も砂糖も、ジャガイモも、現在ではきわめて日常的なもので、そこに大きな歴史の流れがあったことにはなかなか気がつかないが、日常的で誰もが必要とするからこそ、歴史を動かす大きな力を秘めているのだといえる。現在でも、コーヒーやカカオ豆のように、一見ただの嗜好食品ではあるが、世界の経済や政治の動きと密接に関わる生産物はたくさんある。いや、むしろ、あらゆる食料が世界の動きと無関係ではないのだ。

（指　昭博）

参考文献

角山栄『茶の世界史』中公新書、一九八〇年。
川北稔『砂糖の世界史』岩波書店、一九九六年。
川北稔『世界の食文化・イギリス』農文協、二〇〇六年。
指昭博編『生活文化のイギリス史』同文舘、一九九六年。

歴史の扉
6

スコットランドの文化と社会

スコットランド入門

　スコットランドは、ブリテン島の北部に位置し、その面積や人口はおおよそ北海道と同じである。イギリス・チームではなくスコットランド・チームとして大会に出場するフットボール（サッカー）やラグビー試合の人気により、スコットランドの存在について意識する人が増えてきている一方で、依然としてイギリスとしてひとくくりにされているため、スコットランドゆかりのモノが私たちの身の回りに多いことはあまり認識されていない。スコットランドのモノとして比較的よく知られているゴルフ、ウィスキー、タータン柄のスカートの形をしたキルトの他にも、イギリスのオーディション番組「ブリテンズ・ゴット・タレント」に出場し、華麗な歌声を披露して一躍脚光を浴びたスーザン・ボイル、俳優のユアン・マクレガーやショーン・コネリ、世界初のクローン羊ドリー、ショートブレッド、マーマレード、スコーン、リプトン紅茶、ハリー・ポッター第一作『賢者の石』、アンドルー・カーネギー、ダンロップタイヤ、万華鏡、「蛍の光」など、スコットランドのモノは多い。

図1　「Wha's like us ?」のティータオル

　スコットランドを理解する上で重要なキーワードとなるのが、「イングランドとの関係」である。たとえば、身近な出発点として、スコットランドの土産物屋で販売されているティータオル（皿ふき用の大きな布）「Wha's like us ?」がある。このティータオルには、スコットランドで発明された日常の品物が列挙されている。それだけでなく、それらの品々をイングランド人が毎日使用しているという文がタオル一面に記されており、スコットランドのモノはイングランドの日常生活において非常に重要であるというメッセージが含まれている。したがって、このティータオルの文からも、スコットランドとイングランドとの微妙な関係が読み取れるのである。最初に両国の微妙な歴史的関係について見てみよう。

対イングランド関係

中世において、スコットランドとイングランドは、隣接するボーダー地方の領土をめぐって戦争を繰り返してきた。当初、戦争の主たる目的は領土争いであったが、その戦いは、一三世紀にはスコットランドの独立をめぐる争いへと転化した。この独立戦争については、創作の部分はあるが、メル・ギブソン扮するウィリアム・ウォリスの映画「ブレイブハート」に詳しく描かれている。中級領主層出身のウォリスは、スコットランドに駐屯していたイングランド人の州長官の殺害を契機として、イングランド軍への抵抗を開始し、スターリングブリッジの戦いでイングランド軍を破るが、仲間の裏切りによってイングランド軍に捕まり処刑された。ウォリスの死後、スコットランド独立戦争を継続したスコットランド王ロバート・ブルースは、一三一四年、バノックバーンの戦いでついにイングランド軍に勝利した。この勝利の背景には、テンプル騎士団が、フランスからスコットランドに渡りブルースの援軍となり、勝利に導いたという説もある。そして、一三二〇年に、スコットランドはローマ教皇ヨハネ二二世宛てに、通称「アーブロース宣言」として知られている書簡を記し、国外に対してスコットランドが独立した国であることを示した。しかし、その後もスコットランドとイングランドの間の戦争が止むことはなかった。転機が訪れたのは、一五〇二年にスコットランド王ジェイムズ四世とイングランド王ヘンリ七世の王女マーガレットが結婚し、両国が永久和平条約を結んだときである。しかしながら、その和平も長続きせず、両国は再び戦火を交えていくこととなる。

ジェイムズとマーガレットの婚姻から生じたイングランド王家との血縁関係により、一六〇三年にイングランド女王エリザベスの亡き後、スコットランド王ジェイムズ六世がイングランド王も兼ねることになった（同君連合）。一人の君主のもと、両国は別々の国として統治された。一七世紀後半には、ピューリタン革命、王政復古、名誉革命と一連の変革を経て、両国は統合され、一七〇七年にグレートブリテン王国が成立した。同時に、形式上はスコットランドの議会が消滅し、新たにグレートブリテンの議会が誕生したが、実際にはスコットランドがイングランドの議会に吸収される形となった。一八世紀には、スコットランドとイングランドの間で、戦争というよりは既存の国家体制に抵抗する反乱がスコットランド側の一部から生じたが、結局、そうした反乱は中央政権に抑えられ、ブリテン体制の中に組み込まれていった。

その後、二〇世紀後半になると地方分権の動きが徐々に高まっていき、約三〇〇年を経た一九九九年にスコットランド議会は再び発足し、現在、スコットランド議会では、防衛や外交などの国家事項以外の事柄に関する法律を制定することができるようになった。

二〇一四年にスコットランド独立の是非を問う住民投票が行われた。独立賛成派（四四・七％）に対し、反対派（五五・三％）が勝利し、イギリス残留が決定した。しかし、その後二〇一六年にイギリス内で行われた国民投票によりEU離脱（ブレグジット）が決まった。これを受け、根強いEU残留支持層を持つスコットランドで独立の是非を問う二回目の住民投票を求める動きが活発になってきている。

ハイランド社会

スコットランドを理解するには、対イングランド関係だけではなく、スコットランド内におけるローランドとハイランドの相違についても考慮する必要がある。ローランドは、中央政府が位置する南部から北東を指し、ハイランドは標高一八〇メートル以上の地域で主にスコットランドの中央から北西に位置し、スコットランド全体の三分の二を占める。ブリテン島の征服にやってきたローマ人の記録によると、古代ブリテン島の北部に居住していたケルト系民族は、野蛮なことで知られていた。とくに、その社会の構成員である聖職者ドルイドは、儀式で自らの頭部の一部肉をそぎ落とすとしてローマでは畏怖されていた。こうした野蛮なケルト系民族がブリテン島を南下しないよう、二世紀に時のローマ皇帝ハドリアヌスは、島の中間あたりに防壁（ハドリアヌスの城壁）を築いた。

やがてケルト系民族は、ハイランドの北部や北西側の島嶼地域に居住し、ゲール語を話し、独特の法や慣習を重視した氏族中心の社会のなかで生きていた。そこは宮廷の支配が及ぶローランドと比べ、政治的・文化的特色が異なっていた。一六世紀前半に歴史書を出版したジョン・メイジャは、『大ブリテン史』第一巻のなかで、ローランドに住む「馴染みのあるスコットランド人」と、ハイランドに住む「野蛮なスコットランド人」の違いについて指摘した。さらに、メイジャは、その「野蛮なスコットランド人」を、家畜、羊、馬の富を保有しそれらを守るために法廷や国王に進んで服従する者たちと、追撃や放縦にふけっている者たちの二種類に分けた。メイジャによると、後者の人びとは、島嶼地域に多く見られ、自らの生活の糧を稼ごうとせず、他人に寄生して生活し、紛争や戦争を繰り返し行っていた。こうしたハイランド人への偏見は、ローランド人の間で継承されていった。

図2　スコットランド地図
出典：富田理恵『世界歴史の旅 スコットランド』（山川出版社，2002年）p.10を参考にして作成。

スコットランド王ジェイムズ六世治世下のハイランドでは、氏族間の領土争いが頻繁に生じており、ローランドのような秩序が確立されておらず、スコットランド政府と激しく対立することもしばしばあった。しかも、彼らの一部は、イングランド支配下のアイルランドにおける抵抗を支援しており、彼らのそうした行動は、スコットランドのみならずイングランドにとっても厄介なものと見なされた。一五八〇年代から、ジェイムズはハイランドを政府の支配下に置くよう努め、プランテーションと称してローランドの人びとを島嶼地域に派遣して同地域に移住させ、ハイランドの野蛮さを取り除こうとした。

一六八八年の名誉革命の際に大陸へ亡命したブリテン王ジェイムズ七世（二世）の支持者たちは、王の名のラテン語に由来してジャコバイトと呼ばれるようになった。彼らは、一七一五年、一七四五年（以下、フォーティファイヴと呼ぶ）に、ジェイムズの子孫を正統なスコットランド王として擁立して、グレートブリテン政府と戦った。二度のジャコバイトの反乱では、反乱が生じた背景やそれを支持した者たちの動機は異なっていたが、当時、ハイランドの人びと全体がグレートブリテン政府に抵抗しているように見なされた。フォーティファイヴの後、政府は反乱に加担したハイランドの氏族長たちの財産を没収し、私兵をもつ権利や世襲的な司法権を剥奪した。そして、ハイランド人の衣装とされていたタータン柄のキルトなどを身につけることを禁止し、彼らの文化であるバグパイプやゲール語の使用も禁じた。違反者は保釈なしの六か月の投獄、再犯者は七年間の流刑という処罰となった。

英語辞典の編纂者で有名なイングランド人サミュエル・ジョンソンは、スコットランド出身の友人ボズウェルを連れ、ハイランド人がキルトを着用していないか確かめるため一七七三年にハイランドまで赴いたが、キルトを着用している人に出会うことはなかった。この旅については、『スコットランド西方諸島への旅』に記録されている。

ロマン主義運動の潮流が高まるなか、ハイランドの衣装着用等の禁止から三五年経た一七八二年、民族衣装が解禁される時がきた。民族衣装の解禁後、たちまちキルトが商品登録されていった。ウィルソン・アンド・サン商会は、氏族特有のタータン柄を揃え、一八一九年には「基本柄図表」としてタータンの多様な柄見本を作成した。そしてロンドンにあったハイランド協会が、氏族ごとの柄としてこれらを「認可」した。

このキルトブームにさらに火をつけたのが一九世紀前半の国家行事であった。一八二二年に文豪サー・ウォルター・スコットの演出により、イギリス王ジョージ四世がキルトを着用してハノーヴァ王朝としては初めてスコットランドを公式訪問した。これにより、人びとの間で一気にキルトが流行した。当時、良家の血筋をひいているアレン兄弟は、スコットランド氏族のタータン柄についてまとめて

図3　ハイランドの羊飼い(19世紀初め)
古い形のキルトの様子がわかる。

ある一六世紀の原稿『スコットランドの衣装戸棚』を所有していると主張した。その後、兄はジョン・ソビエスキ・ステュアートとして、弟はチャールズ・エドワード・ステユアートとして改名し、一八四二年に兄弟はその原稿を刊行し、タータンをスコットランドのひとつの伝統としてまとめたのである。同書では本来存在しないはずのローランドのタータンも「伝統」として紹介されていた。

　このような「伝統の捏造」後、キルトはスコットランドの民族衣装であり、各氏族が特有のタータン柄を保有しているというイメージが定着し、今ではスコットランドの大学の卒業式や結婚式などで正装として着用されている。しかしながら、ここで二点に注意する必要がある。第一に、プリーツのひだが多いスカートに似ているキルトの形は、イングランド人が一八世紀に発明したものである。もともとハイランドの人びとが着ていたハイランド・ドレスとは、プラッドと呼ばれる一枚の大きな毛織の布を指し、この大判の布をスカートとして腰から下の部分に巻き、腰の回りでベルトを使って、残りの布の部分を肩にかけてまとったものであった。インヴァネス近くに住んでいたイングランドのランカシァ出身のトマス・ローリンスンは、自分の所有する工場で働いていたハイランド人たちの一枚の布からなる衣服が、作業には不便であるとして上下に切り離し、後に下の部分が現在キルトと呼ばれるようになったのである。

　第二に、各氏族がタータン柄を有するというのは、伝統ではなく近代の産物である。ハイランドの衣装着用禁止の解禁後、タータンの乱用を防止するため、各氏族のタータン柄が公式に登録されるようになったが、一七〇三年にスコットランドのある領主が、狩猟の際、家臣六〇〇名に同じタータンを着るよう命令したという記録はあるものの、一七二六年になっても各氏族のタータン柄が統一されていたわけではなかった。

　キルトブームと同様に、ハイランドに関連したケルトブームも顕著であった。一八世紀後半に、ジェイムズ・マクファースンは、ハイランドと島嶼地域を旅行してかつての吟遊詩人が歌い残したオシアンの詩を収集したとして、『フィンガル』（一七六二年）、『テモラ』（一七六三年）を出版し、二つの合本版として『オシアンの作品』（一七六五年）を出版し、多くの人びとの心を掴んだ。フランスのナポレオン皇帝の有名な肖像画の一枚で右手が上着のなかに隠れている絵があるが、その内ポケットにはオシアンの詩が入っていたという逸話まであるほどである。オシアンとは、三世紀に存在したとされる古代ケルトの詩人オシアン（アイルランドではオシーンと称される）を指す。オシアンは、アイルランド神話に出てくる英雄フィン・マックーマルの息子で、勇敢でかつロマンティックな詩人として知られている。しかしながら、先述したジョンソン博士はこのオシアンの詩の信憑性を疑っていた。発見した詩の原本の提示を求められたマクファースンは、最後までその原本を提出することはなく、おそらくオシアンの詩は彼の創作であろうといわれている。

一八世紀に一時使用禁止となっていたゲール語ではあるが、二〇〇一年時点でのスコットランドでは、約六万人の人びとがゲール語を話すといわれており、同語は「ヨーロッパ地域少数言語憲章」にも含まれている。島嶼地域のスカイ島にはゲール語を学ぶコレッジが設立され、スコットランド本島でもゲール語のラジオ放送やテレビ番組も放映されており、今日、日常的にゲール語に触れる環境が整いつつある。

啓蒙の時代

一八世紀後半のスコットランドでは、エディンバラやグラスゴーを中心に歴史・哲学・科学等の学問が発展し、文化や技術が著しく興隆した。この時代は総称してスコットランド啓蒙と呼ばれている。啓蒙時代のピークは一七四〇年代から九〇年代までとし、終了時期は文豪スコットの死の一八三二年までとするのが一般的である。啓蒙とは、理性を重視し、合理性や根拠の明示を追求した考え方である。スコットランド啓蒙の要因は、プロテスタンティズムの必要性から開花した学問の伝統、セント・アンドルーズ、グラスゴー、アバディーン、エディンバラといった由緒ある四つの大学、教養ある貴族と中流階級の成長にある。古典派経済学の始祖アダム・スミスは、『道徳感情論』、『諸国民の富』を著し、哲学者で歴史家のデイヴィッド・ヒュームは『人間本性論』、『道徳・政治論集』、『イングランド史』など多様な分野にわたって作品を執筆した。

こうした根拠を追求する思考は、医学の発展にも貢献した。当時、エディンバラでは医療の進歩のために実際の死体を用いた解剖実験が行われ、イギリスの医学の中心となっていた。しかし、解剖する死体が十分に供給できなかったため、生きている人を殺害して死体を提供する事件も起きた。また、一八世紀後半には、エディンバラで都市の整備も進み、二二歳のジェイムズ・クレイグがエディンバラのニュータウンを計画し、オールドタウンとは異なり、左右対称で幅広い通りや緑地を生かした四角の広場を特徴とし、近代都市のモデルとなった。

文学では、スコットは、スコットランドの法や社会を背景とした歴史小説『ウェイヴァリー』、『ロブ・ロイ』などを書き、人気を集めた。他方、民衆文化として、農民出身のロバート・バーンズの詩が注目された。バーンズは日本の唱歌「蛍の光」の曲名で歌われる「オールド・ラング・ザイン」の原作者である。毎年バーンズの誕生日である一月二五日には、世界中でその誕生を祝うバーンズナイトが開催され、バーンズの詩の朗読とともにスコットランドの郷土料理である羊の内臓をミンチにしたハギスやウィスキーが食されている。

工業化と日本の近代化への貢献

イングランド同様に、一八世紀後半のスコットランドでも工業化が進展したが、その要因は四つある。第一に安価で豊富な労働力、第二に石炭・炭鉄鋼・水力などの自然資源、第三に蒸気機関などの技術革新、そして第四に工業製品を売る市場の存在である。また、交通網の発達や銀行業の整備、啓蒙の知的動向なども工業化に寄与した。

一七六九年ジェイムズ・ワットが蒸気機関を改良し、大量生産できる工場の動力源として蒸気機関が利用できるようになった。また、紡績などの伝統的な手工業が機械化され、大量に生産された製品が多くの市場に出回った。さらに、植民地貿易によってスコットランドのタバコ商人は世界市場に進出し、巨額の富を得た。一九世紀のグラスゴーは、造船業でも有名になり、市内の真ん中を通るクライド河の河岸に作った造船所では、豪華客船クイーンエリザベス号が建設された。

工業化が進展していくなか、グラスゴーの南四〇キロに位置する村ニューラナークでは、クライド河の水力を利用し、技術革新や生産過程の近代化を導入して紡績工場が栄えていた。一七八五年に資本家ロバート・デイルがこの工業村を開発したが、後にデイルの義理の息子で社会運動家のロバート・オーエンに工業村が売却された。オーエンは、安価な食料品の小売店や医療用クリニック、労働者の子どもたちが教育を受ける学び舎の整備、一〇歳以下の児童労働の禁止などの労働環境や労働条件を改善していった。ニューラナークは、オーエンの進歩的な経営によって模範的な工業村としてイギリス中で有名になり、経営陣などの見学者が絶えることはなく、彼の経営は一八二五年まで続いた。工業化の過程という村の歴史的発展を刻んだニューラナークは、二〇〇一年に世界遺産リストに登録され、現在は、村の建物の一部がホテルやユースホステルとして転用され、観光アトラクションの施設としても活用され、一九世紀前半の様子を知ることができる。

こうしたスコットランドの工業化は、一九世紀日本の近代化にも多くの貢献をした。明治維新前の江戸時代には、鎖国により外国への渡航は禁じられていたが、スコットランド人商人トマス・グラヴァーの支援により、日本の若者がイギリスに渡り、近代社会のなかで多くの知識を得て帰国した。そのときの様子は映画「長州ファイブ」に描かれている。明治維新後には、海外の技術や制度を学ぶ目的で岩倉具視使節団が海外へ出発し、スコットランドにも訪問した。とくにグラスゴーは、日本の造船技術者の留学先として人気が高く、現在のスコットランド紙幣には当時、スコットランドで工学を学んでいた日本人が描かれている。また、大正期に、ニッカウヰスキーの創立者となる竹鶴政孝は、グラスゴーにウィスキー製造の技術を学びに行き、帰国後、北海道余市にウィスキー工場を設立した。他方で、日本の近代化のために殖産興業を掲げた政府は、多くのお雇い外国人を迎え入れ、そのなかには、東京大学工学部の前身となる工部大学校の初代校長となるスコットランド人ヘンリ・ダイアも含まれていた。このように、多くのスコットランド人の知識や技術、そしてスコットランドと日本の人的交流は、日本の近代化に貢献したのである。

（小林麻衣子）

参考文献

奥田実紀『タータンチェックの歴史』白水社、二〇〇七年。
木村正俊・中尾正史編『スコットランド文化事典』原書房、二〇〇六年。
柘植尚則『イギリスのモラリストたち』研究社、二〇〇九年。
富田理恵『世界歴史の旅スコットランド』山川出版社、二〇〇二年。

第6章

近代イギリスの社会構造

イギリスは、現在でも「身分」制度が残っている、ある意味で先進国では珍しい国である。議会制民主主義の発祥の地のイメージからすれば、意外にも思えるが、議会という制度そのものが身分と結びついて成立してきたことを考えると、議会制の「先進国」ならではのパラドックスといえる。二〇世紀末まで、爵位をもつ者は、自動的に貴族院議員の議員資格を得たのも、身分制議会の名残であった（二〇世紀末の改革で、現在は世襲貴族議員の数は制限されている）。

イギリスの身分・階層は、時代によっても変化するが、ここでは近世以降を中心に見てみよう。一六世紀、ばら戦争後の貴族の激減や修道院解散による土地所有者の激変などで、社会構造が大きく変わったため、社会構造について考察する著作が多数登場したので、それらをもとに近世イングランドの社会構造を示してみよう。

ジェントルマン

まず「身分」であるが、近代イギリスの場合、身分は世襲の爵位をもつ貴族と貴族以外に分けられる（中世には聖職者も別個の身分といえたが、宗教改革後はその区分は消えた）。議会で貴族が集うのが貴族院（上院）であり、それ以外の者が参加するのが庶民院（下院）である。イギリスに特徴的なのは、ノルマン征服によって比較的大規模な貴族が形成され、さらに、ばら戦争など中世末の戦乱による廃絶によって、貴族が他のヨーロッパ諸国に比べて、大変少なかったということである。一六～一七世紀では万単位の貴族がいたことと比較するとその少なさがわかる。一九世紀初頭になっても五〇〇家族程度であった。革命以前のフランスでは二〇〇家族以下であり、一九世紀初頭になっても五〇〇家族程度であった。

貴族の数が少ないということは、様々な役職を貴族で独占して、支配階級として他の階層の人びとを掌握、統治することは実際上無理があったということになる。そこで、イギリス独自の存在として「ジェントルマン」と呼ばれる人びとが台頭することになる。ジェントルマンとは曖昧な言葉で、貴族と大地主層である「ジェントリ」を総称して「ジェントルマン」と呼ぶことも多いが、ジェントリと同義でも使われる。

ジェントリは、身分的には庶民で、下層民衆と同じでありながら、その実態としては、広大な土地（ひとりのジェントルマンの所領に、いくつもの町や村が丸ごと包含されることも珍しくない）を所有する地主であり、地域社会において多大の影響力を行使できた。また、自らが議員となるにせよ、投票するにせよ、庶民院議員の選挙を通じて国政に参画し、政治に何らかの影響を与えることができた点でも貴族と変わりなかった。こうした実態から、ジェントリを含めて「貴族」と理解すべきであると考える研究者もいる。テューダー朝が、ジェントリを宮廷官僚や治安判事に任命して、統治に積極的に活用したことで、その支配階級の一翼としての役割が確実になった。身分的には庶民でありながら、貴族とともに支配階級を形成する、といったこのジェントリの存在が近代イギリス社会のあり方を規定したといえるだろう。

では、具体的にどういった人びとがジェントルマンとみなされたのか、ということになると、爵位をもつ貴族や「サー」の称号を許された騎士、紋章使用を認められたジェントリといった「目に見える」印をもつ者以外は、その範囲を確定することはむずかしい。人を食ったような定義だが、「ジェントルマンであると人びとに認められる」ということになる。その要件となる主な指標をあげるなら、①肉体労働に従事しなくとも生活ができる、②ジェントルマンらしい生活を送る、③何らかの形で統治に関わる、といった点が指摘できるだろう。

①は基本的には大地主として、地代収入で豊かな生活ができることであり、②は立派な家屋敷（カントリーハウスやマナーハウスなどと呼ばれる）や自家用の馬車をもち、身なりや作法などもジェントルマンと呼ばれるにふさわしいものであること、ジェントルマンにふさわしい教養を身につけ、人びとの尊敬を受けることであり、③はそういった人望と経済力を基盤に、治安判事や議員として、地方や国の政治・統治に関与するということである。

近代イギリスの社会は、支配階層である「ジェントルマン」とそれ以外の「非ジェントルマン」の二つに大別されるといえる。ジェントルマン階級は、近世では、人口のせいぜい五パーセント程度でしかなかったが、その彼らが土地全体の三分の二を所有していた。一方、人口の圧倒的多数はジェントルマンではなかったが、彼らの大部分は何の権力もない人びとであった。

疑似ジェントルマン

近世には、イングランド社会を考察した著作が多く見られるが、その議論のひとつの焦点は、ジェントルマンと非ジェントルマンの区別をどのようにつけるかということであった。もともと身分の違いではなかったため、その境界は曖昧で、線引きをめぐって議論があった。支配階層であるジェントルマンに仲間入りしたいという思惑が、様々なグレイ・ゾーンを生み出したのである。

とくに地主以外の職業につく人びとで、自らをジェントルマンと位置づけるものがある。たとえば、内科医（近世では外科医や歯科医は含まれない）や法律家、大学教師、政治家・高級官僚、将校クラスの軍人、国教会の聖職者、それに貿易商などもこの範疇に含まれた。こうした職業は「専門職《プロフェッション》」と呼ばれ、肉体労働ではないのはもちろん、比較的豊かな収入が見込まれて、ジェントルマン的な生活を保障する職種と考えられたのである。共通するのは、大学教育や専門的な育成課程を経てつくことができる職業で、ジェントルマンの子弟が多かったという点である。要は、長男ではないために、親の土地財産を継ぐことができなかった次・三男など、階層を一段下がるのを嫌がったジェントルマン階級出身者が、地主ではないが、ジェントルマンとしての体面を保つことが可能なので、自分たちもジェントルマンであるという論理であった。こういった人びとを「疑似ジェントルマン」と呼ぶことがある。

こういった職業のどこまでがジェントルマンと認められるかは常に議論の的になり、その範囲も時代とともに拡大していった。ただ、こうしたグレイ・ゾーンの存在は、下層から上昇してくる人びとにとってもジェントルマンへのステップとなった。身分階級の厳格な社会にあって、身分制の閉塞感を和らげる「緩衝帯」として機能したのである。現実には、有るか無きかの狭き道であったが、それがあるという「期待」や、自分たちの職業もジェントルマン的なものに上昇させようという意識は、当該社会を否定する方向には働きにくいので、良くも悪くも社会の安定につながり、ジェントルマン支配の構造を二〇世紀まで存続させることになった。

非ジェントルマン

近世の「イングランド社会論」では、ジェントルマンの下に「市民（ブルジョア）」とヨーマンを位置づけるものが多い。市民といっても、今日の日本で市の住民を示す「～市民」とは異なる。都市のギルド構成員である親方など「市民権」をもつ者のことで、これにはその家族や徒弟など、市民権をもつ者の支配の下に置かれる人びとは含まれない。いわば都市行政に参加できるエリートである。その都市が庶民院に議員を送り出す権利をもっている場合、選挙権を行使したのが市民権をもった市民であった。

　農村地域において市民に相当したのがヨーマンである。ただ、ヨーマンという言葉は、歴史的には様々な意味をもち、農民についても時代によってイメージされる状態が異なるので、定義はむずかしい。「独立自営農民」と訳されることも多いが、日本の自作農を想像すると、近世イギリスでジェントリに次ぐ社会的地位を認められた人びとの実態とは乖離してしまう。裕福なヨーマンは、ジェントリほどではないが広い土地を所有し、農業労働者を雇って働かせる「農業経営者」と考えたほうがよい。したがって、下層のジェントリと上層のヨーマンの区別は曖昧である。中世以来、土地からの収入が年に四〇シリング以上あるヨーマンには庶民院議員の選挙権が認められていたが、これはその金額よりは「(相当規模の)地主である」という点に資格の本質があると理解したほうがよい。

　市民と富裕なヨーマンを合わせて、総人口の二割程度であったとされるが、上層のジェントルマンと合わせて、ここまでが地主や有産層として、さらに下位の者たちに何らかの支配・影響力を及ぼすことができた階層といえる。

徒弟・農業労働者・奉公人

　そして、社会の大部分を占める賃金労働者《レイバラー》がその下に位置する。人口のほぼ七、八割近くを占める人びとである。他者に対して何らかの支配を行うことのない「一般民衆」といえる。徒弟など市民権をもたない都市住民や奉公人《サーヴァント》、農業労働者(自分の土地をもたず、地主や農業経営者に雇われて農作業に従事する賃金労働者)などがこの階層に含まれる。

　徒弟とは、都市商工業者の親方のもとで修業していた若者である。独立した商人や職人になるためには、親方のもとで一定期間（職種によって異なるが、七年が一般的）、技能などを習得することが義務づけられていた。一〇代半ばで徒弟となると、修業期間は親方と生活をともにし、親方が文字通り親代わりになって、食事や衣服など、徒弟の日常生活の面倒をみる義務を負った。

徒弟になることは「契約」であったので、入門の際に徒弟の親から親方に謝金が支払われた。その金額の相場は、職種によって様々で、将来高収入が期待できる職種ほど高額になった。したがって、どういった職種を選べるかは、親の経済力次第で、誰でも好きな職業の徒弟になれるわけではなかった。ジェントルマン的な職業で、きわめて高額な謝金が必要な「貿易商」などは貴族やジェントリの子どもが徒弟となることも珍しくなかった。

図6－1　ハイアリング・フェア
19世紀後半の雇用市の様子を描いたもの。女性たちが新しい勤め口を求めて交渉している。

徒弟が、将来は親方として「市民」への道を歩むことも可能であったのに対して、一生涯、単純な労働力として終始したのが賃金労働者や奉公人であった。人口に占める割合としては、はるかにこちらのほうが大きかった。

賃金労働者というと、都市で工業などに従事する印象をもつが、工業化が進展する前のイギリスは、圧倒的に農業社会であり、しかも近世以降、小規模な自作農が壊滅し、農地が大土地所有者の手に集中していたため、いわゆる「農民」の大部分は、雇用されて農作業に従事する労働者となっていた。農業労働者は農作業に対して賃金を得るので、原則として収穫した作物については権利をもたない。多少なりとも自分が耕作する借地を確保し、小作料を払えば余剰は自分の取り分とすることができた日本の小作農とは異なる。一七世紀の末、イングランドの人口の三分の一がこうした農業労働者であったとされる。

奉公人とは、ジェントルマンや富裕な商人などの家庭内で働く「家事使用人」である。一口に奉公人といっても、上流階級の家政をあずかる執事から料理人、メイド、下働きの雑役婦にいたるまで、様々な人びとを含んでいる。奉公人の数が多いことは、雇用主のステイタスの高さを示すことになった（一七世紀後半、貴族で四〇名ほど、ジェントリで一〇名ほどという数字もある）が、奉公人にとっても、立派な屋敷に勤めることは、待遇ばかりでなく、世間体も良く、再就職にも有利であった。

未婚の奉公人は屋敷に住み込みで働くのが普通であったが、結婚すると屋敷を離れ、「通い」で職場に出かけることが多かった。年齢的には、一〇代前半から働き始めるのが一般的で、契約は一年単位が普通であった。契約の更新をせずに新しい職場を求める場合は、職を求める労働者と奉公人を求める地主などが、特定の場所に集まる「雇用市《ハイアリング・フェア》」へ出向いて、新しい雇用先を見つけた。地域ごとにこういった雇用市をはじめとする市《フェア》の開かれる日程は決まっていて、各種案内書なども作られていた。

区別される人びと

身分や豊かさの違いで人びとが区分されただけでなく、様々な「しるし」でも人びとは区別された。人に対する呼びかけも、身分によって異なっていた。現在では、「ミスター」はどんな男性に対してでも使える「普通の」敬称であるが、これはもともとは親方や主人を示す「マスター」で、ジェントルマンに対して用いられるものであった。貴族に対しては爵位名に「ロード（卿）」を付して、騎士《ナイト》に対しては名前に「サー」を付して呼びかけるのが習わしで、現在でも使われている。ノーフォーク公であれば「ロード・ノーフォーク」、ナイトとなったポール・マッカートニーの場合、「サー・ポール（・マッカートニー）」となる（姓にはつけないので「サー・マッカートニー」とは呼ばない）。貴族の女性に対する敬称が「レディ」で、騎士に叙せられた女性には「デイム」を冠する。普通の庶民の場合、こうした敬称は用いられないので、ただ姓名だけで呼ばれることになる。

紋章も、誰もが使える日本の家紋とは違って、「紋章院」という機関が管理し、紋章院が認可した者（ジェントルマン階級に相当する）だけが使用を許された。まさに、特権階級であることを示す印として機能したのである。また、西洋の紋章は個人を示すもので、イエを示す「家紋」ではない。同じ家族であっても、家長とその妻では紋章は異なったし、子どももひとりずつ識別できるようになっている。

その他、中世には、奢侈禁止法がたびたび出されて、衣服の形や素材、食事までが身分によって細かく規制されたが、近世以降はほとんど効力をもたなくなった。それでも、その階層にふさわしい服装や生活習慣がある、という観念は根強く残ったため、ジェントルマンを目指す人びとは、それを模倣することになった。また、話す言葉（語彙や発音）も、階層や受けた教育、出身地などによって異なり、人びとを隔てる見えない壁となったことは、ミュージカル「マイ・フェア・レディ」の主題となっている。

歴史の扉 7

ファッションの時代

描かれた道徳

豪華な室内で、ぐったりと疲れた様子で椅子に座り込む夫。優雅で可愛らしいドレスをまとった妻は、横で伸びをしながら夫に視線を送っている。一見すると、若い夫婦の何気ない日常の一コマのようである。しかしよく見れば、飼い犬が主人のポケットから引き出しているのは実は愛人の白いボンネットであり、床には妻が徹夜で興じていたトランプ賭博の痕跡が散乱している。夫は流行の服で着飾り、頭には羽飾りのついた「三角帽」を載せている。上着のレースは透けてみえるほど薄手で上等な品であるが、愛人宅で遊び疲れ、服はだらしなくはだけてしまっている。結婚して間もないというのに二人の心はすでにここにあらず、夫婦関係はすっかり冷めきっているのだ。夫婦は贅沢な暮らしを好んで浪費を繰り返してしている上、妻は今夜も賭博でかなり負けてしまった。溜まった請求書を差し出しても二人とも取り合わないので、侍従が呆れ顔で下がっていく。豪華であるはずの室内も荒れて、後方に控える侍従も気だるそうに立ち、家中に活気がない。暖炉の上に置かれた気味の悪い置物は、この若い夫婦の身の上に起こる不吉な展開を示しているようだ。

これはイギリスの画家ホガース（一六九七～一七六四年）の代表作「当世風結婚」（一七三二年）の第二図である（図1）。ホガースは油絵や銅版画を数多く手がけ「近代イギリス絵画の父」とも呼ばれている。肖像画家としてスタートしたホガースは多作の画家であったが、とくに痛烈な社会批判を盛り込んだ連作の風俗画によって「道徳的風俗画様式」という独自の形式を確立したことでも知られている。なかでも銅版画は大量に印刷されて一般に販売されており、発売直後からたびたび海賊版が出るほどの人気であった。そのためオリジナル作品の保護のために新たな法律「ホガース法」が制定されるほどであり、当時から世間によく知られた売れっ子の画家であった。彼の作品には痛烈な社会風刺が込められており、人びとに熱狂的に支持された。

ホガース作品の魅力は、まるで芝居を見ているような物語形式の面白さと、優れた洞察力による緻密かつ大胆な描

図1　ホガース「当世風結婚」第2図（油絵，1745年）

画表現によって描かれた濃厚な人間模様である。実在の人物が描かれることも多く、とくに登場人物の性格や社会的地位、内面性までも見事に描き出されている。

ホガースの一連の作品をじっくりと眺めていくと、物語場面ごとに登場人物の服装や、インテリアの様子がめまぐるしく変化していくことに気がつく。とくにディテールまでこだわって描かれているが、ホガースは単に服装を正確に描いたのではない。ホガース作品において衣服は、職業や身分などの外面的な側面と、性格などの内面性を表現する舞台衣装のような役割を担っている。ホガースは入念な人間観察に基づいた的確な表現によって、登場人物の衣類を描いた。彼の作品には、一八世紀のイギリスにおける社会的な位置づけと、当時の文化や人びとの思想が色濃く反映されているのだ。

衣服はそのときに突如現れたのではなく、時代や文化、人びとの思想と複雑に絡み合い変化しながら、今日まで脈々と続いている。服飾の歴史に目を向けるということは、衣類の形状の変遷を知ることだけでなく、各時代のもつ雰囲気を理解することにつながるのである。以下、ホガースの作品を手がかりにして、一八世紀イギリスの服装の変遷と、そこに込められた社会的な意味を読み解いていこうと思う。

ここでは、ホガース作品のなかでもよく知られている三作品を取り上げる。「娼婦一代記」（一七三二年）は、ホガースの連作のなかでも最初のヒット作となった六枚組の作品である。都会に出てきた純朴な田舎娘が都会の娼婦へと身を落としていく。これは実在の娼婦をモデルにしたデフォーの小説『モル・フランダース』（一七二二年）を下敷きにしたものである。「放蕩息子一代記」（一七三五年）は、父親の突然の死去によって莫大な財産を譲り受けた若い息子の人生を描いた八枚連作の作品である。金に糸目をつけずに浪費する主人公のトムは、飲酒、賭博、破産、逮捕、金目当ての結婚と放蕩の限りを尽くし、最後には精神病院に送還されてしまう。「当世風結婚」（一七四五年）は、ホガースが描いた油絵を下絵として制作されたものを下絵にし、二年後に銅版画として発売されるとたちまち話題となった作品で、ホガースの最高傑作とされている。若妻は愛人とともにいるところを夫に見つかり、騒動のさなか愛人は夫を刺し殺してしまう。未亡人となった妻は、挙句のはてに幼い子どもを残し自殺をとげる。

これら三作の主人公たちは、いずれも当時のイギリスのどこにでもいそうな「普通」の人物でありながら、小さなきっかけで身を持ち崩していく。精緻に描かれた人びとの表情、服装、また描き込まれた実在の地域や店名によって、物語は現実味を増し結末の悲劇性が高められている。

華麗なる変身——男性の衣装

さて、話を「当世風結婚」に戻そう。

図2　ホガース「当世風結婚」第1図（油絵，1745年）

そもそもこの結婚の失敗は第一図から予言されていた（図2）。新郎側は代々伝わる由緒正しい伯爵家の直系だが、すっかり没落し金銭的な余裕を失っている。対して新婦の父親はロンドン市参議員も経験し、成功して裕福であるが、身分は中流階級にしかすぎない。二人の父親は、金と名誉という利益を互いに求めて子どもを政略結婚させる。当時は結婚に関する決定権はすべて親にあるのが普通で、金銭目的の結婚も珍しくなかった。ホガースはこうした「当世風」結婚のもたらす悲劇を描いた。

貧窮しているとはいえ、伯爵家の当主である父親は威厳があり、横柄な様子を見せている。たっぷりと刺繍された立派なコートは光沢のある絹織物で作られ、大きく折り曲げられた袖のカフスからは豪華なレースが覗いている。当時のヨーロッパではレースは大変高価なものであり、身分のある男性にとって経済力を表す重要なアイテムだった。コートの下に着ている「ウェストコート」と呼ばれる袖付きの長袖にもたっぷりと金糸による飾りが縫い付けられている。足元は絹製の膝丈キュロットに、折り返し靴下と黒い靴を履いている。このような上着のコート、中に着るウエストコート、キュロットが一八世紀の上流階級の男性のおきまりの衣装であった。だが、豪華に見える上着も、肘まで大きく折り返されたカフスや、大きなバックルのついた四角張った靴はすでに流行遅れであり、古びた印象も拭えない。父親は自分の輝かしい家柄を自慢して見せるが、テーブルの上の金貨は、この結婚によって新婦側が借金を肩代わりしてくれたことを示している。

対照的なのが、商人の新婦の父が着ている上着である。金持ちの市民階級が着ている服は、素材こそ上等なものだが、大きく折り返したカフスにはひとつも装飾がつけられていない。衣類の基本的な形状は花婿の父親が着ているものと変わりがないが、ずっと地味な印象を受けるのは、素材が丈夫で安価なイギリス産の毛織物であるためである。父親が上流階級の趣味に興味がない面白みのない実務家であることを表している。

父親二人がつけているのは「フル・レングス」と呼ばれる肩までのかつらである。耳まで覆う長く大きなかつらの色は薄い灰色が一般的で、社会的な身分の高い男性が身につけたものである。だが大きく膨らんだ形は一七世紀のバロック時代を彷彿させ、父親たちが前時代的な考え方の持ち主であることを感じさせる。

息子もコート、ウェストコート、キュロットの一揃いを着ているが、父親たちと比べるとずっと洒落た当時の最新流行である。青い上着の下には、華やかなウェストコートを着用し、繊細なレースをたっぷりと覗かせている。筒型の装飾的な大きなカフスは一八世紀中ごろの人気スタイルである。彼が履いている赤いヒールのついた黒い靴は、一七世紀のフランス宮廷から王侯貴族の男性に用いられたもので、一八世紀のフランス上流階級でも愛用されていた。

息子がかぶっている大きな黒いリボンの髪飾りのついたスマートな白いかつらは、美容師やダンサーなどの華やかな職業の男性がつけていたものである。この黒いリボン付のかつらは、他のホガース作品でもフランス風の象徴のひとつとして用いられていることが多い。

もうすでにお気づきだと思うが、ホガースはフランス風の衣服を「軽薄」かつ「堕落した」人間の姿と重ねて描いている。フランスといえば、一七世紀に太陽王・ルイ一四世が圧倒的な権力を握り、ヨーロッパでもっとも力をもつ国となった。新たに建造されたヴェルサイユ宮殿では権威とマナーを重んじたバロック文化が生まれ、豪華な衣装を身に着けた王侯貴族たちによって厳格なルールに則った重厚な宮廷文化が繰り広げられた。

だがルイ一四世の死去後、厳しい制約から解き放たれるかのように、一八世紀には甘く華やかなロココ文化が生み出され、ヨーロッパ中の宮廷の憧れとなった。ルイ一五世の愛妾ポンパドール侯爵夫人や、最後の王妃マリー・アントワネットの有名なエピソードはご存知の方も多いだろう。フランス宮廷の最新流行は、ファッションドールと呼ばれる人形に着せられヨーロッパ各地の宮廷に送り届けられると、どの国もこぞってフランスへドレスの注文をしたものだった。もちろん隣国でもあるイギリスも、貴族社会を中心にフランス文化の強い影響を受けたのである。

息子の衣装が女性的で幼い印象を受けるのは、ロココが女性のサロンを中心に発展した文化であるためである。ロココ文化では、男女を問わず若々しさと甘く遊び心のある雰囲気が好まれた。フランス本国では、王侯貴族たちが美的生活を追求した結果、文化的水準が高まり、芸術面でも優れた作品が多く制作された。しかしホガースは、ロココ文化を軽薄さと金満主義の象徴として描いた。「当世風結婚」では、落ちぶれた伯爵家の人間にフランス風の衣装を着せることで彼らが虚栄心の固まりであることを示した。さらに一七世紀バロック風の衣装によって形式と伝統を重んじる古い思想に縛られている父親と、一八世紀ロココ風の衣服に身を包んだ息子の軽薄な人間性を対比させ、世代間の思想の違いまでも見事に表現している。

着飾った夫は最初から妻には関心がなく、興味なさそうに横を向いたままである。つまらなさそうに結婚指輪をハンカチに通して遊んでいる妻に、黒っぽい上着を着た弁護士が慰めの声をかける。弁護士が着ている飾り気のない黒い外套と上着、膝丈のややストレートなキュロットは、都会の上流市民の男性が着用した典型的な衣装ではある。だが一方でスマートな形の黒い靴や新郎と同じ白いかつらなど、彼が最新流行にも興味のある世俗的な一面をもっていることを伝えている。やがて、彼は妻の愛人となり、悲惨な最期を遂げるのである。

「当世風結婚」では、新郎、伯爵、裕福な市民、弁護士といった中流以上の男性たちを、その服飾品によってそれぞれの社会的立場および人物像を浮かび上がらせた。一方、「放蕩息子一代記」では、主人公トムの身の上に起きた生活と環境の変化が、よりスピーディかつ劇的に描かれている。場面ごとにめまぐるしく変化する服装と髪型が、トムの状況を的確に示して興味深い。

図３　ホガース「放蕩息子一代記」第１図（1735年）

第一図ではオクスフォード大学の学生であったトムが、父親の死によって実家のロンドンに呼び戻される場面から始まる（図３）。学生のトムはかつらをつけておらず、自然なままのボブカットである。ごくシンプルなシャツに、ストレートなシルエットの上着である「フロック」、その下には飾りのないウェストコートを着ている。フロックは、もともと労働者階級の衣服で、フランス風上着に比べると切り替えもなく、素材にも毛織物などが使われた質素なものであった。一八世紀前半に地方の貴族たちが取り入れると、実用的な街着としての地位を得て、広く着用されるようになる。トムの衣服はいずれもレースなどの装飾はなく清潔な雰囲気で、好青年の印象を与える。

だが、画面の右手は、トムの恋人とその母親が泣いている。母親は娘の膨らんだお腹を指差し妊娠を告げるが、不誠実なトムは本気で取り合わない。それればかりか手に乗せたわずかな金銭で手切れさせようとまでするのである。莫大な遺産とロンドンでの華やかな生活に目がくらんだトムにとっては、身重の恋人よりも新しい衣服を新調するために仕立屋に体の採寸をさせるほうに夢中である。

さて、晴れて家督を継ぎ当主になったトムは、流行のインド風衣装「バンヤン」にナイトキャップ、スリッパを身に着け、朝から取り巻き連中の相手に忙しい（図４）。当

図4　ホガース「放蕩息子一代記」第2図（1735年）

図5　ホガース「放蕩息子一代記」第4図（1735年）

時、インドや中国の品は異国趣味からヨーロッパで大人気であった。トムの隣では細い付け毛のついたかつらを被ったフランス人のダンス教師がポーズをとっている。彼が着ている細身の上着は「アビ・ア・ラ・フランセーズ」（フランス風上着の意味）と呼ばれるものである。「当世風結婚」の新郎が着ていたものとほぼ同じなのだが、細身のシルエットがより華美で女性的な印象を与える。アビはフランス製の豪華な絹でできており、細く絞ったウェストの下から幾筋も広がったプリーツを自慢げに広げてポーズしている。白い絹製のキュロット、細いつけ髪つきの髪型などフランス最新モードに身を包んで、いかにも軽薄なフランス人といった雰囲気である。トムの住む豪華なロココ風の室内や、周囲の人間の様子から、彼の生活環境が大きく変わったことがわかる。

父親からの財産を受け継いだものの、浪費を繰り返したトムは破産寸前に陥る。第四図ではこの危機を打開しようと賭博場へ乗り込もうとする姿が描かれている（図5）。このような状況であっても、豪華なフランス風上着に大きな蝶ネクタイをし、かつらには大きな黒いリボンをつけて盛り場へ急ぐ姿は、彼の思慮の浅さと分別の無さを表しており、滑稽でさえある。当時、破産者は債務者監獄に収監されたため、この場面でトムは破産者として身柄を確保されそうになる。しかし、これを助けようと以前彼に捨てられた元恋人が、自分の稼いだ金を差し出し、トムはどうにか難を逃れる。

トムの乗った駕籠の周囲には、都市部の労働者階級の姿が描かれている。三角帽を被り、飾りのないシンプルなコートを着た男たちの襟元には麻布のスカーフが見える。トムの乗った駕籠を担いでいた男は、動きやすさのためにズボンの留めボタンをはずしており、当時の人びとによる実際の着用方法が見えて面白い。

ホガースのフランス嫌いは見てきた通りだが、自国の庶民階級についても同様に手厳しい。イギリス人の労働者については一貫して「猥雑な」、「騒がしい」、「粗野な」といった役割をあてている。絵のなかに描かれた元恋人の娘に色目を使う棍棒をもった男などはそのよい例であるし、駕籠の右下にいる子どもはどさくさに紛れてトムの洒落たステッキを盗もうとまでしている。

トムは助けてもらったにもかかわらず、元恋人の善意をまたもや無視し、今度は財産目当てに金持ちの醜い老婆と結婚をする。この場面でもトムはフランス風上着を着て結婚式に臨むのだが、全体的にくたびれた印象である。金銭面では安定したはずだったが遊蕩癖が抜けず、またもや金を使い果たしてしまう。八方ふさがりとなったトムは二度目の破産者となり、とうとう収監されてしまう。やがて監獄のなかで発狂して物語は終わる（図６）。

トムは、地方の学生、都会の金持ち、破産者、強欲な再婚者、罪人、狂人という、実に様々な境遇に置かれ、その度に服装や表情は大きく変化する。ホガースは、金に目がくらんだ人間の弱さと不誠実な態度が引き起こした様々な

図６　ホガース「放蕩息子一代記」第８図（1735年）

惨状を、フランス風衣装の華やかなイメージとの対比で、より一層、虚しさと愚かさを際立たせたのである。

純朴と虚栄——女性の衣装

男性の衣装で見たように、ホガース作品では、フランス風の風俗によって軽薄かつ成金のイメージを表現したが、さらに女性の服装には、そこに「純潔」、「貞操観念」といった精神的側面を表す役割が加えられる。絵画が発信するメッセージはより複雑になり、また結末の悲壮感が強調される。

「当世風結婚」では裕福ではあるが無趣味で堅物の父親に育てられた娘が、結婚によって貴族階級の仲間入りを果たすのだが、結婚前と結婚後によって刻々と変化する彼女の精神性も、着衣によって的確に表現されている。

二人の結婚が決まった第一図（図2参照）では、花嫁は白地に金色の装飾の施されたふっくらとしたドレスを着ている。これは「ローブ・ア・ラ・フランセーズ」（フランス風ドレスの意味）と呼ばれるロココ時代を代表する衣装である。一見、ワンピースに見えるが、スカートを履き、上からゆったりとした丈の長いガウン状のドレスを羽織っている。胸には「ストマッカー」と呼ばれる三角形の胸当てをつける三部構成になっている。このように胸元を開けて下のスカートを見せる「オープンドレス」型の衣服は、一八世紀を通じて広く着用された。よく見るとガウンの背中にタックが入っているのが見える。これはフランス人画家から名を取った「ヴァトー襞」と呼ばれるものである。ロココ時代初期に流行した優雅なスタイルで一世を風靡したが、本国フランスでは一七三〇年代には着られなくなっていた。この絵が描かれた一七四〇年代にはすでに流行遅れの衣装であった。父親の時代遅れの地味な服と相まって、花嫁が上級階級の趣味に無関心の新興成金の家庭に育てられ、文化的教養に乏しいことも表している。

新婚生活を描いた第二図では、新妻は一転してフランス風の軽やかな衣服に身を包んでいる（図1参照）。白いレースつきのあご下までのボンネット、下着である「シュミーズ」の上から、体にぴったりと沿った細身の「ボディス」（袖なしのベストのようなもの）を着ている。胸元を飾る青いリボンがまだ新妻の初々しさを感じさせる。金色の短めのボディスとピンク色の柔らかなスカートが醸し出す、全体的に甘く軽やかな印象の組み合わせは、妻が堅物の父親から解き放たれ、ロココ的な自由な精神状態に置かれたことを示している。短めのスカートから覗いている金色の絹製のヒール靴は、妻が家庭内労働をしない貴族的な生活を送っている証拠である。

さらに第四図になると、妻はぐっとくだけた様子を見せる（図7）。当時、毎晩遅くまで夜遊びをしている貴族たちは昼近くに起床し身支度を始めたものだが、着替えの際には自分のお気に入りの友人たちを身近に置くのが、上流階級の女性の習慣のひとつだった。いまや伯爵夫人となった彼女の回りには、富と名声にあやかろうと取り巻き連中が謁見を待っている。妻の身の回りの世話は、これもまたロココ風の衣服でめかしこんだ侍従たちが取り仕切っている。侍従や歌手もみな豪華な衣服を着てはいるが、表情はどこか間が抜けている。同じく豪華な室内の壁面にかけられた絵画のテーマは二人の不倫を暗示するものばかりで、軽薄で騒がしい雰囲気が漂う。妻はフランス人美容師に髪を結わせながら、恋人である弁護士の熱心な誘いに耳を傾けている。

図7　ホガース「当世風結婚」第4図（1745年）

図8　ホガース「娼婦一代記」第1図（1732年）

　妻が履いているたっぷりとしたスカートは二枚重ねになっており、上のスカートを開き、下にはいたペチコートを見せている。明るい色彩の美しい光沢をみると、素材は上物のフランス産シルクだろう。横にいるおどけた表情の女もコルセットでしぼったウェストから大きなスカートを広げ、下から重ねたスカートを見せている。結婚前の堅実な暮らしぶりはすっかり忘れ、フランス風の贅沢で怠惰な生活にどっぷりと浸かり、表情まで変わってしまったこの後、妻は仮面舞踏会の帰りに愛人と安宿にいるところを夫に見つかり、殺傷事件が起こるとい

図9　ホガース「娼婦一代記」第2図（1732年）

う悲劇へと向かっていくのである。

「当世風結婚」が都市部に住む中流階級の娘が貴族へと変化していったのに対して、「娼婦一代記」は地方から出てきた娘が都会に染まり堕落していく姿が描かれており、その服装の変化は他の作品に比べても一層激しい。

主人公のモルは故郷である農村部から長距離馬車に乗って大都会ロンドンへ到着する。第一図に描かれたモルは当時の農村部の典型的な衣服を着ている（図8）。白いシュミーズの上にぴったりとした地味なボディス、ふっくらとした短めのスカートはペチコートとの二枚重ねになっている。娘の服は質素であるが清潔でこざっぱりしている。大きく開かれた胸元には三角形の肩掛けが掛けられ、胸元を飾るバラは彼女の純潔を表している。長いエプロンは労働者階級の伝統的な衣装のひとつであり、一八世紀にかけて広く着用された。白いキャップの上にストローハットを被り、目を伏せたモルはまだうら若い少女であり都会の汚れを知らない。だが到着した早々の彼女に目をつけた怪しげな女が近づく。「良い働き口があるから」との言葉にモルはやすやすと騙されてしまう。

女に斡旋された召し使いの口とは、金持ちの中年ユダヤ人の愛人になることであった。第二図では、すっかり愛人生活に馴染んだモルの姿が描かれている（図9）。モルが住んでいるのは主人にあてがわれた豪華な部屋だが、置かれた調度品はすべて成金趣味である。愛人であるモルは、

図10　ホガース「納屋で衣裳をつける女旅役者」（部分，1738年）

図11　ホガース「上流階級の趣味」（1746年）

やはりフランス風の絹のスカートの上から、ぴったりとしたボディスを着用し、下着のシュミーズを胸元に引き出しているが、ボディスは開き、乳房が露になっている。農村部の純粋な娘だったモルは、早くも主人に隠れて若い恋人をもつほど、したたかなやり手の女になっていた。こっそりと恋人を部屋に招き入れて過ごしていたところに、主人が突然来訪する。そこでモルはとっさに機転を利かせ、ロココ風の貝殻模様のついたテーブルを足で蹴り倒し、主人が驚いている隙に恋人を逃がす。黒人少年の召使と主人のひどくびっくりした表情と、モルの肝のすわった落ち着いた表情は実に対照的である。都会の生活によって、彼女は純潔だけでなく、素直で繊細な心と貞操観念さえも失ったのであった。

　第一図から第二図の娘の服装や住まいの変化は、都会に出てきた田舎娘の劇的な変貌ぶりを描き出し、当時の観衆に強い印象を与えただろう。当時、地方から大都会ロンドンに憧れて出てくる若者が多く、モルのような境遇に置かれた娘も多かったのである。

　その後の物語では、恋人の存在が主人に知られてしまい、モルは妾宅を追い出される。パトロンを失った娘は娼婦へと身を落とし、刑務所にも収監される。最後には幼い子どもを残し梅毒によって息絶えるという転落の一途を辿るのである。改めて第一図に描かれたモルの無垢な様子を見ると、最後の場面との落差がより悲惨に感じられる。

　「当世風結婚」の妻や、都会で暮らし始めたモルが着用している膨らんだスカートは、「フープ」と呼ばれる張り子状の下着によって支えられている。フープは麻布のペチコートを二枚重ねにして間に籐や鯨のひげなどをはさみ、輪のように重ねた下着の一種である。通常七〜八本の輪を重ねて成型されていた。着用法としては、下着のシュミーズを着た上につけ、その上からスカートを履いた。ホガースの「納屋で衣装をつける女旅役者」（一七三八年）のなかでも、女がフープをつけている姿を見ることができる（図10）。フープには様々な種類があったが、描かれているのは「釣り鐘型」と呼ばれているものである。少し時代遅れの品であるのは舞台衣装だからだろうか。ロココ時代には前後は平べったく、左右に大きく張り出した型が人気だった。

フープは素材が硬くまるで提灯のような形状のため、着用すると場所を取り、動くにも歩くにも不自由でしばしば風刺の対象となった。ホガースも強烈な皮肉を込めて「上流階級の趣味」と題してフランス・ロココ趣味に夢中の貴族を描いている（図11）。画面では大きく横に広がりすぎた老婆の姿が描かれている。奇妙な形をしたドレスはスカートと上着が一体化している「クローズドレス」または「サックドレス」と呼ばれる形状である。名前の通り袋のようなドレスで、ウェストは絞らずゆったりとしたものが多い。胸の部分に切れ込みをいれ、デコルテの脇にプリーツをいれてある。この絵では、クローズドレスの下に扇状に広がったフープを入れてスカートを左右に膨らませている。一方で画面左にいる若い女性は、ウェストをコルセットで締めた流行のドレスを着て澄ましている。「ピッグテール」（豚の尻尾）という名の長い三つ編み付かつらを被った洒落男は、フランス宮廷に長くいた実在の人物をモデルにしている。装飾的な大きなマフと洒落たステッキを手にし、三角帽を小脇に抱えた男性の細くなよなよした姿と、まるで建造物のような老婆のドレスとの対比が滑稽で笑いを誘う。さらに、足元には男性を真似た衣装を着込んだ猿が、フランス語のメニューを読みあげるという念入りな皮肉が描きこまれている。

壁にかけられた絵画のなかでは、ヴィーナスまでもがフープをつけて、せっかくの美しい自然な体型が失われてしまっている。フープはフランス語では「パニエ」と呼ばれ、一八世紀後半のフランス革命前後に小さくなり、一時期使用されなくなるが、一八世紀になると復活し、さらに巨大化した「クリノリン」と呼ばれる大型のものや、「バッスル」という臀部に張り出した型などがバリエーション豊かに発展していく。

フープとともにヨーロッパ女性に長い間愛用された下着として、コルセットがある。コルセットも時代とともに形状が変化するが、一八世紀ではとくに胸を上に押し上げるような形状が流行していた。ホガースの絵画では、娼婦の着替えのシーンや、寝室の場面などでしばしばコルセットが描かれている。だがホガースの画中でコルセットは、ドレスアップのための下着としてではなく、むしろ道徳心を

図 12　ホガース「放蕩息子一代記」より「サラ・ヤング」の衣裳を抜粋
どの場面でも基本的な服装に変化がない。

表す小道具として扱われるほうが多い。床に脱ぎ捨てられたコルセットは、女性が貞操と純粋な心を捨て去ったことを暗示するものである。一八世紀に入ると、コルセットは素材と機能が高められ、不自然なほどの細さを作り出す補正下着として着用され、二〇世紀初期まで女性のウェストを締め続けることになる。

状況によって目まぐるしく服装が変化するホガース作品のなかで、衣装がほとんど変化をしない人物がいる。それは「放蕩息子一代記」に登場するトムの恋人、サラ・ヤングである。彼女は身重でありながら、遺産に目がくらんだ恋人トムにわずかな手切れ金で捨てられた。だが裏切られてもなお、事あるごとにトムを助け、最後には精神病院に送られたトムの世話まで買って出る。一貫して献身的に尽くす彼女は、どの場面でも袖付の短い上着、肩掛け、膨らんだスカートに白い長いエプロンを着用している（図12）。場面ごとに注意深く観察すると、都会に出てきてお針子として自立したサラの服装は、シュミーズの上に短いボディスをつけてスカートを履いている。地味だがパリっとした布地の質感や、乱れていない着衣の様子からは清潔感が感じられ、サラが都会生活を送りながらも純真な心を失っていないことがわかる。この後もサラの衣服の形状は、最終場面までほぼ同一である。

実は「娼婦一代記」で田舎から出てきたばかりのモルも、サラと同じ服装をしている。とくに三角形の肩掛けと長いエプロンは、農村部の庶民階級が着ていた伝統的な娘の衣服であった。ホガースは、イギリス農村部の伝統的な服装に正義と良心の意味をもたせ、ロココ風衣装の表す俗悪さと激しく対立させ、都市生活の混沌とした情景を鮮やかに描き出した。

「イギリス趣味」の流行

今まで見てきたように、ホガースの作品には一貫して社会全体への痛烈なまでの皮肉が込められ、飲酒、賭博、浪費、不貞が生み出す悲劇を人びとに警告した。本稿で取り上げた三作品は銅版画として販売され、オリジナルは高価であったが、すぐに安価な海賊版が出回ったので、生活に余裕があれば労働者階級も手に入れることができた。これほどまでにホガース作品が広く受け入れられたのは、芝居のような物語の面白さと、高い描写力に支えられていた。上流階級でのフランス趣味が蔓延し、いかに一般の人びとの目に奇異に映っていたか、ホガースによる皮肉たっぷりの風刺は人びとの強い共感を集めたのである。そしてもうひとつの理由として、急速に変化していく生活に対する不安感が根底にあったためではないだろうか。

一八世紀、本格的な産業革命前夜を迎えたイギリス社会は急激な変化を見せていた。海外からは紅茶、キャラコ（木綿）、砂糖などのいわゆる贅沢品が輸入され、人びとの暮らしを豊かにしていく。ロンドンには諸外国からの輸入品だけでなく、国内から物産品が集められ取引された。また地方からの出稼ぎや外国人が集まり、巨大な国際都市に発展していった。さらに国内の交通網の発達によって、それまで遠く隔てられていた農村と都市の距離はぐっと近づいた。頻繁に人びとが移動するようになると、都会的な生活様式や流行が農村部へ伝播され、とくに大都市ロンドンへの人びとの憧れをあおった。一八世紀には豊かな生活と自由な空気の都会生活を夢みて、多くの若者が上京したが、まともな仕事につけず窃盗や娼婦などに身を落としていくモル・フランダースのような若者があとを絶たなかったのである。

衣服について例を挙げると、産業革命によって新技術が導入され、織物業は国内の一大産業へと発展する。大型の工場で織物が生産され供給量が増えると、生地の値段が下がり、様々な階層の衣服環境が豊かになった。さらに国内中に整備された交通手段によって、都市の風俗が農村部に持ち込まれると、衣服の実用性をもっとも重要視していたはずの農村の労働者階級でさえ「流行」を意識し、ロンドン発のスタイルに求めるよう変化した。

イギリスでは一七世紀初めに身分による服飾規制諸法が撤廃されたことにより、どんな身分であっても自由に服装を選ぶことができた。もちろんそこには経済的な問題や「自分の立場をわきまえる」といった社会通念も作用するのだが、少しでも余裕ができれば背伸びして、上の階級の服装を真似たくなるのは、人間のごく当たり前の心理であろう。とくにロンドンでは、着ているものによって（つまりは見た目によって）、その人の価値が決まる、といっても過言ではなかった。外国からの旅行者がロンドンに来て驚いたのは、女中、下僕、事務員といった労働者階級が雇い主とそう変わらない洒落た服装をしていて、一見して身分の上下がわからないことであった。古い社会通念に縛られることのないロンドンの新しい生活は、地方の人びとの羨望の念を掻き立てた。それまで一部の上流階級に限られてきた流行という現象は、今までにないスピードで都会から地方へ、そして上流階級から庶民階級へと広がっていった。このことは、都市部では社会的な身分制度をよりあやふやなものとし、農村地帯では、長い歴史のなかで継承されてきた伝統的な文化が、これまでにないスピードで壊れ、失われていくことにつながるのであった。

ホガース作品に現れる外国文化の移入への激しい嫌悪感と、田園風景への強い愛着は、当時のイギリス社会に現れ始めた新しい時代の変化に直面した当時の人びとの気持ちを代弁していた。そのため、ホガースの一連の作品群は人びとから支持されたのである。

さて、一八世紀を通じて、世間の失笑を買うほどイギリスの貴族たちを熱狂させたロココ文化だったが、フランス革命に向かって徐々にその栄光に翳りを見せ、やがて終息に向かう。その代わりに新たに注目されたのが、産業革命によって巨大な富を生み出しつつあったイギリスだった。フランスではルソーが唱えた自然主義思想の影響によって、ヨーロッパ全体でイギリス文化と田園生活への憧れが高まった。服装にしても、簡素で実用的なイギリスの服飾がフランスの貴族階級の衣服として取り込まれていった。一七二五年ごろ、イギリスの乗馬服であった「ライディングコート」がフランスに持ち込まれ「ルダンゴト」と呼ばれるスポーティな外套となった。さらに、イギリスで広く見られたフロックが、貴族階級に日常着として取り入れられる。フロックは小さな襟が付けられ、体にフィットしない直線的なシルエットで、毛織物で仕立てられた上着であり、のちに現代のスーツの原型となる衣服である。一八世紀後半になると、このイギリス風上着がフランス宮廷の正装にまでなった。

女性の衣服にも同様の変化が現れる。ロココ時代末期、宮廷服のローブ・ア・ラ・フランセーズは巨大なかつらと、大きく横に広がった硬いパニエ入りのスカートとなっていたが、ロココ文化の衰退とともに徐々に流行遅れとなり、代わりに装飾の少ない簡素な雰囲気のドレスが好まれるようになる。たとえば一七八〇年ごろには王妃マリー・アントワネットが農村部の娘の服装を真似た「王妃風シュミーズ」を着用し、王侯貴族の女性たちに流行した。パニエ（フープ）をなくし、大きく広げた胸元をショールで飾るスタイルは、まるで「放蕩息子一代記」に出てくる純粋な心の持ち主、サラ・ヤングのようである。また、男性用コートであるルダンゴトを真似た女性用の衣服までも生み出された。ドレスの下に履いたパニエは小さくなるか省略され、レースの装飾も無くなり、華やかだった女性服にも素朴なイギリス趣味が反映されていく。

こうして、フランスを発信地として、ヨーロッパ中にイギリス趣味が広まっていった。やがてこの流行は、本家のイギリスに「逆輸入」されることになる。一八世紀を通じて、イギリスは世界を牽引する一大帝国となっていくが、同時に服飾についてもイギリス式の簡素で実用的なファッションが、ヨーロッパ中の規範となるのである。とくに中流階級の男性が着用したシンプルな上下一揃いの衣服は、様々な素材で作られ、階級の境なく広く愛用されることになる。服飾におけるイギリス時代の幕開けであった。

（中川麻子）

参考文献

喜安朗・川北稔『大都会の誕生』有斐閣、一九八六年。

森洋子『ホガースの銅版画』岩崎美術社、一九八一年。

デフォー著、伊澤龍彦訳『モル・フランダース』岩波文庫、一九六八年。

第7章　ジェントルマン文化の開花

文学とジャーナリズム

アン女王の治世から一八世紀前半の時代を「オーガスタン・エイジ」と呼ぶことがある。古代ローマの初代皇帝アウグストゥス（オーガスト）時代の文芸の発展になぞらえて、イギリスにおける文芸発展を表現したものである。この時代の思潮を表現するなら、熱狂を避ける合理的精神といえ、啓蒙主義につながるものである。この時期を代表する文人が、アレクサンダー・ポープ、ジョナサン・スウィフト、ダニエル・デフォーなどである。

The Gentleman's Magazine:

St JOHN's GATE.

For FEBRUARY, 1739.

CONTAINING,

I. TRUTH asserted; or, a Demonstration that the Relations in Mr Gulliver's Voyages are no Fictions; being an Answer to some Objections made by a Student in Oxford.
II. THE Convention between ỹ Crowns of Great Britain and Spain; the two separate Articles.
III. THE previous Declaration of ỹ King of Spain.
IV. CASE of the South-Sea Company.
V. MISCELLANEA: viz. The Narrative of the Death of the Hon. Mr N——e, concluded. Proposal for amending the Ten Commandments, finished. Life of Dr Boerhaave, and Milton's Apotheosis, both continu'd. Of the Test-Act, &c.
VI. Common Sense and the Craftsman, concerning a Standing Army and Barracks, and the Convention with Spain: And Old Common Sense, on the Woollen Trade, and Blackwell-Hall Factors.
VII. CONSIDERATIONS on the Running of Wooll, address'd to the Parliament. Of Muslins, British Linnens, and Cambricks.
VIII. Dedication, Prologue, Epilogue, and Extract of Mustapha, a new Tragedy. Horace, L. i. Ep. 6, imitated. To Fame, an Ode. Poem inscrib'd to the Right Hon. Miss ST——T. Davidis Threnodia. On the Anniversary of her Husband's Death, by Mrs Rowe. The Shepherd's Complaint, set to Music by Mr Stanley; Songs, &c.
HISTORICAL CHRONICLE.
IX. KING's Speech, Addresses of the two Houses. London Petition, Trial relating to the Clergy, &c.
X. LIST of Births, Deaths, Marriages, and Preferments.
XI. FOREIGN AFFAIRS.
XII. REGISTER of Books.
XIII. TABLE of Contents.

By SYLVANUS URBAN, Gent.

LONDON: Printed by E. CAVE, jun. at St JOHN's GATE, and Sold by the Booksellers of Town and Country; of whom may be had any former Month also complete Sets in eight Vols on Royal or common Paper, beginning with 1731.

図7－1　ジェントルマンズ・マガジン表紙

ポープは、古典に範をとり、バロック的な過剰さを避けた古典主義的な作風の詩作で名声を得た。カトリック教徒であったため、その教育や生活において制約を受けたものの、『髪の毛の掠奪』（一七一二年）といった機知に富んだ風刺的な作品は人気を博し、ホメロ

図7－2　「ジン横丁」（ホガース画）
ジンの害悪を強調して告発した銅版画。「健全な酒」ビールを奨める「ビール街」と対になる。

スの英訳も大ベストセラーとなった。

イギリス人の子としてアイルランドで生まれたスウィフトは、後年、ダブリンのセント・パトリック大聖堂の首席司祭となるなど、いわゆるアングロ＝アイリッシュの代表的な文人である。痛烈な社会風刺である『ガリヴァー旅行記』（一七二六年初版）で知られるが、イギリスのアイルランド政策を厳しく批判した作品（『穏健なる提案』一七二九年）なども風刺文学として出色である。

『ロビンソン・クルーソー』（一七一九年）で知られるデフォーは、小説というジャンルの先駆者としてだけでなく、ジャーナリストとして重要な活動を行った。ただし、代表作とされる『疫病流行記』（一七二二年）や『グレート・ブリテン島周覧』（一七二四〜二七年）などは、今日的な意味での純粋なルポルタージュではなく（『疫病流行記』で描かれたペスト流行は、デフォーが五歳のときの出来事である）、過去の記録なども巧みに利用したもので、半ば創作的といえる。デフォーにとっては、小説とルポルタージュの線引きの境界は低かったのかもしれない。

一八世紀はジャーナリズムの発達した時期である。ジョゼフ・アディソンとリチャード・スティールによる『スペクテイター』（一七一一年創刊）やエドワード・ケイヴの『ジェントルマンズ・マガジン』（一七三一年創刊）などの雑誌が登場し、文筆家に舞台を提供した。そうした土壌のなかから、世紀後半には「英語辞典」の編纂で

図7－3　「アンドリュー夫妻の肖像」（ゲインズバラ画，1750年ころ）
若いジェントルマン夫婦の肖像を，その所領の風景のなかに描いている。

有名なサミュエル・ジョンソンが『ランブラー』を刊行するなど、文壇に君臨した。

絵　画

絵画の分野では、これまで外国人の活躍が目立っていたが、一八世紀になると、優れたイギリス人の画家が輩出するようになった。

世紀の前半を代表する画家がウィリアム・ホガースである（歴史の扉7も参照）。銅版画師として出発し、道徳的な教訓を含んだ連作版画（「娼婦一代記」一七三二年や「勤勉と怠惰」一七四七年など）で人気を得た。その後、油彩による優れた肖像画を描くとともに、自らの油彩の風俗画（「当世風結婚」一七四五年、「選挙」一七五五年など）を銅版画（その多くは連作版画）としても刊行し、当時の社会を鋭く風刺した。ジン酒がもたらす社会の荒廃を訴えた「ジン横丁」（一七五一年）は、ジン規制法の制定に寄与したとされる。ホガースの作品は人気が高く、無許可の複製（海賊版）が出回ったため、それらを規制するために著作権保護の法律が作られるにいたった。

図7－4　セント・マーティンズ・イン・ザ・フィールズ教会
ロンドンのトラファルガ広場に面して立つ教会。その後の教会建築のひとつのモデルとなった。現在，ここを本拠にするオーケストラの活動も有名。

世紀後半の画壇に君臨したのがジョシュア・レイノルズである。その肖像画は上流階級の人気を集め、一七六三年にロイヤル・アカデミーが設立されると、その初代会長となった。やはり肖像画でレイノルズと並び称されたのがトマス・ゲインズバラで、素早い筆遣いで光を巧みにとらえる特徴のある表現で傑作を残している。また、ゲインズバラは当時の画壇であまり重視されていなかった風景画に大きな関心を示し（肖像画は生活のためで、風景画こそが自分の描きたいものと考えていた）、その後のターナーやコンスタブルなどにつながるイギリス風景画の先駆となった。

ジョージ王朝様式

建築でも、しだいにバロック的な「過剰さ」が嫌われ、古代のウィトルウィウスに範をとるパラディオやイニゴ・ジョーンズ風の古典様式への回帰（「新古典主義」）が見られた。一九世紀の初めまで続くこの様式を、当時の国王（ジョージ一世から四世）にちなんで、ジョージ王朝様式と呼ぶこともある。

バロックからの移行期に位置するのが、ジェイムズ・ギブスで、ロンドンのトラファルガ広場の横に立つセント・マーティンズ・イン・ザ・フィールズ教会（一七二二～二四年）が代表作である。この教会の様式はアメリカ植民地で多く模倣され、教会建築の典型的なイメージのひとつとなった。

さらにこの方向性を推し進めたのが、コレン・キャンベルで、彼の著した建築図集『ブリテンのウィトルウィウス』（一七一五〜二五年）はその後の建築家に大きな影響を与えた。キャンベルの代表作としては、エセックスのワンステッド・ハウス（一七一四〜二〇年）や、当時の芸術の大パトロンで、建築に造詣の深かった三代バーリントン伯のために作ったバーリントン・ハウス（一七一七年、現在はロイヤル・アカデミーなどが使用）である。バーリントン伯自身も優れた建築家で、チジック・ハウス（一七二九年）やヨークのアセンブリ・ルーム（一七三一〜三二年）などの設計で、イギリスにおける新古典様式の推進者として知られる。

古典様式はイギリス中に広まり、当時流行したバースなどのリゾート都市の建築の多くが、ジョージ王朝様式で作られることになった。バースの主要建築を設計したのがジョン・ウッド父子である。ウッド（子）が設計したロイヤル・クレセント（一七六七〜七四年）はいまもバースを象徴する建物となっている。

この様式の最後を飾り、ロンドンを古典様式で彩ったのが、一九世紀初めの「摂政時代」に活躍したジョン・ナッシュである。彼は、皇太子ジョージ（のちの四世）のためにカールトン・ハウスやブライトンのロイヤル・パビリオンを設計し、バッキンガム宮殿の大改修を行った。また、リージェント・ストリートの景観を作り上げるなど、摂政期ロンドン設計の立役者であった。

図7－5　ヨークのアセンブリ・ルーム
舞踏会などの社交の場として使われた古典様式の建築（写真は近年レストランとして使用されていた際の様子）。

中国趣味

ナッシュのロイヤル・パビリオンの外観はインド風

図7－6　バースのロイヤル・クレセント
ジョージ2世の息子フレデリックが住んだため「ロイヤル」の名が付された。

であるが、内装には中国風の装飾がたくさん見られる。こうした中国趣味は「シノワズリ」と呼ばれ、一八世紀、中国からの文物や情報の輸入・紹介が増えるに従って、ヨーロッパ中の宮廷や上流階級の邸宅で流行したものである。

なかでも珍重されたのが東洋製の陶磁器で、江戸時代の日本からも、多くの有田焼（伊万里）がヨーロッパに向けて輸出され、マイセンなどヨーロッパで模倣されたことはよく知られている。イギリスでも多くの東洋の陶磁器が収集されジェントルマンの屋敷を飾るとともに、中国風の絵付けを模倣した陶器も数多く作られた。

中国風の意匠は、陶磁器以外のデザインの世界に大きな影響を及ぼした。新古典様式の家具デザインのパイオニアであったトマス・チッペンデールも、中国趣味を取り入れた家具をデザインし、好評を博した。

建築物では、室内装飾に中国風の意匠が使われたことはもちろん、独立した建造物としては、キュー・ガーデンに中国風の塔《パゴダ》が建てられ、庭園の景観に異国的な要素を加えている。

風景式庭園

庭園はジェントルマンの屋敷に不可欠なものであったが、一八世紀にその相貌は大きく変化する。それまでの幾何学的なデザインの整形式庭園から自然の景観を模した風景式庭園への転換である。

風景式庭園の成立には、ジェントルマンの子弟の「グランドツアー」が大きく関わった。詳しくは後述するが、大規模なヨーロッパ修学旅行といったものである。イタリアなどで買い求めたクロード・ロランなどの風景画に描かれているような神話的・空想的な古代ローマの田園風景を自分の邸宅に再現したい、という思いが、「絵のような」景観を再現させた。

といっても、日本庭園の借景といった程度ではなく、見渡す限りの土地を、木々や草花はもちろん、土地を盛り上げ丘を築き、池を掘り、ときには古代風の建物も「飾り」として建築するなど、すべてを作り変える大規模な造成であった。遠景に目障りな建物や村などがあっては台無しなので、強制的に立ち退かせることすらあった。風景式庭園とは、自然のままの景観ではなく、ロラン風の時間と空間を無視した「虚構の」風景画を再現するために作られた「人工の極致」といってよい庭であった。

図7－7　ロイヤル・パビリオン（ブライトン）の内部
ジョージ4世の好みが色濃く反映された東洋趣味の建物。

こうした造園に腕をふるったのが、ウィリアム・ケントやランスロット・ブラウンといった造園家である。建築家や家具デザイナー、画家としても活躍したケントは、風景式庭園の理念を「自然は直線を嫌う」と表現したことで知られる。代表的な作庭としては、ストウ・ハウス（バッキンガムシァ）やローシャム・ハウス（オクスフォードシァ）の庭園、それに詩人ポープがロンドン郊外トウィッケナムに建てた邸宅の庭などがある。

生涯に一七〇以上もの作庭に関わったブラウンは、手がけた庭は

「まだまだ改良の余地《ケイパビリティ》がある」というのが口癖であったため「ケイパビリティ・ブラウン」という通称で知られる。彼が作庭に関わった代表的な屋敷は、ブレナム宮殿、チャッツワース（ダービーシァ）、ヘアウッド・ハウス（ヨークシァ）、チャールコット（ウォリックシァ）、バドミントン・ハウス（グロスターシァ）など挙げるときりがないが、その多くで今日でも美しい庭を見ることができる。

グランドツアー

ジェントルマンの子弟が、その勉学の総仕上げとして、大陸の文化先進地域（イタリアやフランス）を長期間にわたって旅行し、見聞を広め、社交のマナーなどを身につけるという習慣は、一六世紀には始まっていたが、一七世紀後半から一八世紀に大流行を見た。これを「グランドツアー」という。たいていは家庭教師が付き添い、数年間にわたるものもあった。

情報伝達の少ない時代、現地でじかに文化遺産に触れることの意味は大きく、古代やルネサンスの芸術作品への鑑識眼を養うことが目指された。旅行者が目にした建築や景観、購入して持ち帰った絵画や彫刻などが、イギリスの文化に与えた影響は、これまでも随所で触れたように、大きかった。もちろん、学問・芸術の分野ばかりではなく、大陸で流行していたファッションなども帰国者を通じてもたらされたし、勉学に努めるよりは、遊興に染まるものもいた。グランドツアーは、いわば、イギリス人の文化的な劣等感の表れという面もあったが、その一方で、奇抜な衣装を身にまとい、やたらと外国事情をひけらかす一部の「外国かぶれ」に対する批判も強まることになり、文化的なナショナリズムの感情を刺激することにもなった。

花開く都市文化

一八世紀のイギリスでは様々な消費文化が花開いた。それまで王や貴族がパトロンとなって文化状況を牽引してきたのが、ジェントルマンが文化活動の担い手として大きな比重を占めるようになってきた。ヨーロッパ大陸では、ヴェルサイユのように、宮廷が社交の中心舞台として機能し、すべてが首都の宮廷に集中したが、イギリスの場合、貴族・ジェントリが地方に本拠を置いていたこともあって、宮廷への一極集中は見られなかった。ジェントルマンは、所領に置いた本宅（カントリーハウス）を生活の拠点としたが、議員として活動しなければならない場合などには、ロンドンに別宅（タウンハウス）を構えることが多かった。こうしたロンドンの屋敷が社交の場として機能したのである。

図7－8　ヘアウッド・ハウス（ヨークシァ）とその庭園
イギリスで生まれた風景式庭園は，ロマン主義思想にも大きな影響を与えた。

こうしてロンドンを舞台にした社交界が形成されることになり、そうした社交をターゲットにした施設も生まれた。その代表が「プレジャーガーデン」と総称される園遊地である。（高額ではあるが）入場料さえ払えば誰でも入ることができたが、それは身分・階層による区別ではなく、経済力で人びとを選別する社会の表れといえる。園内では人びとは散策をし、食事や音楽を楽しむことができた。

都市の華やかさが人びとを引きつけるのは、ロンドンばかりではなかった。地方でも核となる都市が社交都市として発展した。ヨークはその代表的な例で、ロンドンにタウンハウスをもつのがむずかしい北部のジェントルマンが、ヨークにタウンハウスを構えると、劇場や舞踏会場などが整備され、そこを舞台に社交が繰り広げられたのである。

一八世紀には、各地の温泉町もリゾート都市として発展した。一七世紀から保養に良いとして注目されていた温泉地が、社交の場として花開いたのである。バースやハロゲイト、タンブリッジウェルズなどが代表的であるが、これらは一都市丸ごとが「プレジャーガーデン」化したものといえる。

繁栄の影

華やかな都市文化の裏では、深刻な社会問題も進展した。一八世紀当時、イギリス人の酒好きは外国人の驚くところであったが、折からの穀物価格の低下により安価になったジンが労働者を中心に広まると、食事代わりの飲酒が増え、労働者の生活の荒廃を招くとして、その害は社会問題として大きく取り上げられるようになった。先に挙げたホガースの版画が告発したような状況である。その後、ジンは規制されるが、都市労働者と酒の結びつきは、二〇世紀にいたるまで社会改良家の攻撃の的であり続けた。

一八世紀後半、工業化が進展し、帝国の拡大が海外の市場を広げると、貿易港としてのロンドンをさらに発展させ、人口増をもたらした。しかし、それは港湾労働者や日雇いの仕事を求める人びとを全国から集め、スラムが拡大してゆくことをも意味した。生活環境の悪化は、このあと様々な都市問題を引き起こしてゆくことになる。

第Ⅳ部

繁栄の光と影——一九世紀

国会議事堂

19世紀の火災により前議事堂が焼失した後，再建された。ゴシック・リバイバル様式の代表例。手前の橋はウェストミンスター橋。

第8章

ヴィクトリア時代の政治と社会

工業化のひずみと選挙法改正

工業化が進むと、その流れについて行けない人びとに「機械」への不信が高まった。中北部の工業地帯では、一八一〇年代に、対フランス戦争後の不況も重なり、「機械破壊運動（ラダイト運動）」が起こった。同じような新しい機器への反発は、農民にも見られた。一八三〇年前後から、イギリス南部で「キャプテン・スウィング」という架空の指導者の名のもとに、農民の仕事を奪うと考えられた新しい機器や脱穀機などの打ち壊しが生じた。政府は、こうした暴動を武力で押さえ込んだが、工業化によって深刻になった社会のひずみや階級間の対立は、もはや弾圧で抑えることはできず、制度の改革が必要となった。

選挙法改正は、そういった改革のひとつであった。当時、南部の農村地帯には有権者が数十人しかいない選挙区（こうした選挙区を「腐敗選挙区」という）がある一方で、工業化で急成長した北部の都市には選挙区すらなかった。また、選挙権をもつのも昔ながらの大地主が中心で、新たに台頭してきた工業の担い手である中産階級や労働者には選挙権がなかった。選挙法改正の要求が強まるなか、反対を繰り返していた貴族院も折れ、一八三二年、法案が可決された。それにより、選挙区の割り振りが改善され、中産階級に選挙権が与えられた。しかし、新制度でも地主を中心とした旧勢力の優位は変わらなかったし、都市労働者への選挙権は見送られ、その後の課題として残った。

工業化の進展に伴う、労働環境の変化に対しては、一八三三年に工場法が成立し、少年労働に制限が加えられた。また、増大する貧困者に対応するために救貧法の改正が行われたが、これは格差を是正するというよりは、むしろ救貧水準を下げ、安い賃金で働く労働者を供給する意図をもったものであった。

チャーチスト運動と穀物法廃止

選挙法改正で取り残された労働者階級は、その後も権利獲得を目指し、新救貧法への反対運動も取り込んで、男子普通選挙や議員への給与支給、選挙区の平等などを求めた「人民憲章」を掲げて運動を展開した。この要求を支持し、運動に参加した人びとをチャーチストという。要求実現を求める議会への請願署名には、三三〇万以上の署名を集めたが、議会が却下したため、労働者による蜂起やストライキもみられた。その後は、チャーチスト内部の分裂もあり、運動は失敗に終わった。

一方、同じように反対運動が盛り上がっていたのが、穀物法の廃止要求である。穀物法は、ナポレオン戦争終結時に、海外の安い穀物の流入を防いで、地主の利益を守ろうとしたものであった。この規制を撤廃して、穀物価格を下げることが、労働者の賃金抑制に役立つと考えた綿業資本家などが、コブデンとブライトを指導者に、「反穀物法同盟」を組織して、自由貿易と自由放任《レッセ・フェール》を求める運動を進めていた。

保守党のピールは、首相になると、自由貿易を支持し、党内の反対を押し切って、一八四六年に穀物法を廃止した。この結果、保守党（トーリー）はピール派と廃止反対派に分裂してしまう。ピールの退陣後、ピール派はホイッグ政権を支持して航海法の廃止を実現し、両者はのちに合同して自由党を結成する。

ロンドン万博

一八五一年、工業化によるイギリスの技術や産業の優秀性をアピールするために、ロンドンで世界最初の万国博覧会が開かれた。工業化によって可能となった新素材である鋼鉄とガラスで作られた巨大なパビリオン「水晶宮《クリスタル・パレス》」を会場に、国内はもちろん、帝国各地の産物が並べられ、全国各地から集まった見物客の目を奪った。

当時のイギリスの繁栄は、古代ローマ帝国の「ローマの平和《パックス・ロマーナ》」をもじって、「パックス・ブリタニカ」と呼ばれていた。万博のころには、産業の主体は繊維産業から重工業に移っており、その成長は著しく、「世界の工場」という異名そのままに、鉱工業生産量は他国を圧倒していた。その成果の誇示こそがロンドン万博の目的であった。

しかし、繁栄のかげりの兆候も万博に現れていた。アメリカ合衆国やドイツから出品された製品に注目が集まり、将来の成長がイギリスの

図８－１　水晶宮

ロンドン万国博覧会のメイン・パビリオンとして建てられた水晶宮は，産業革命が可能にした鉄とガラスでできた新時代の建造物であった。

図８－２　万博開会式に出席するヴィクトリア女王一家

（「絵入りロンドン・ニュース」1851年）

脅威になる可能性も見えたのである。

ヴィクトリア女王

一九世紀のイギリスはヴィクトリア時代として知られる。一八三七年の即位以来、ヴィクトリア女王の六〇年以上の治世は「大英帝国の黄金時代」として、またヴィクトリア自身も国民の敬愛を受けた偉大な君主といったイメージで語られることが多いが、それは長い女王の治世全体を見た場合、必ずしも実態とはいえない。

図８－３　ヴィクトリア女王の家族

ヴィクトリア女王は，夫アルバートとの間に多くの子どもをもうけ，こうした理想化された肖像画などで，伯父ジョージ４世とは異なる「健全な家庭《スイート・ホーム》」の理念を中産階級に広めた。

一八世紀末から王族をめぐるスキャンダルが続いたため、当時、王室に対する人びとの視線は冷たく、その権威は著しく低下していた。新たに即位した女王も、当初からカリスマ性を発揮したわけではなく、立憲君主制のもとで国王が果たすべき役割についても理解が乏しかった。ドイツ贔屓であった彼女はドイツ側の立場で外交にも口を出したし、大臣や官僚ともドイツ語で話したというエピソードもある。

しかし、ドイツから迎えた夫アルバートとの結婚生活が、雑誌などでロマンチックに理想化されて伝えられたことで、折からの中産階級を中心とした「家庭」尊重の風潮と合致し、女王の家庭生活は中産階級のお手本とされ、その人気が高まった。ところが、アルバート公の死後、女王が議会などの公の場に姿を見せなくなると、再び、その存在意義について厳しい批判が寄せられ、王室廃止論すら登場することになる。

　こうした事態の転換をねらったのが、即位五〇年記念のゴールデン・ジュビリの行事（一八八七年）で、女王を表舞台に引き出し、国民の母としての女王のイメージを強調した式典の成功により、その人気は盛り返した。即位六〇年記念のダイヤモンド・ジュビリ（一八九七年）では、帝国各地から集められた軍隊などの行進が、人びとに帝国の「偉大さ」と、その上に君臨するヴィクトリアの姿を印象づけ、後世に伝えられる女王の栄光のイメージを作り上げた。

中国とインド

イギリスは、一七世紀以来、中国から茶を輸入していたが、飲茶の習慣の定着とともに増え続ける輸入量に対し、イギリスから中国への輸出はほとんどなく、貿易赤字は拡大する一方であった。何度か清朝政府に対して自由貿易を求めて交渉するが成果は上がらなかった。そこで、イギリスはインドで生産したアヘンを中国に密輸し、貿易赤字の埋め合わせを行った。禁制品であるアヘンの害の拡大に、清朝はアヘンを没収し焼却処分とするが、これに対しイギリスは、一八四〇年、処分への抗議を口実に清朝に宣戦を布告し、「アヘン戦争」が始まった。イギリス海軍が沿岸諸都市を攻撃して、清朝を圧倒し、一八四二年の南京条約で香港を獲得し、五つの貿易港を開かせた。さらに、一八五二年にはアロー戦争（第二次アヘン戦争）を起こして、巨額の賠償金と九龍《クーロン》を獲得し、その後の中国の半植民地化に拍車をかけた。

　ムガール帝国の支配が弱体化していたインドでは、東インド会社が、民間企業でありながら、独自の軍隊をもち、地租徴収権を得るなど、インド統治に深く関わるようになっていた。インド貿易の独占権こそ一八三三年に失うが、インド支配機構としての役割は、一八五七年にインドがイギリスの直接統治に置かれるまで継続した。

その一八五七年に起こったのが、インド大反乱（シパーヒーの反乱）である。シパーヒー（セポイ）とは東インド会社の傭兵で、彼らの暴動をきっかけに、農民も巻き込んだ大規模な反乱がインド各地に広がった。イギリス政府は、東インド会社を解散して、直接統治に切り替えて、反乱を鎮圧した。反乱の責任をとってムガール皇帝は退位させられ、ムガール帝国が滅亡し、イギリスによる支配が確立した。一八七七年には、ヴィクトリア女王が「インド皇帝」となり、英領インド帝国が誕生した。また、インド西隣のアフガニスタンでは、ロシアの南下政策に対抗するために、イギリスは二度のアフガン戦争で同国を保護国化した。

植民地の拡大

フランスとの植民地獲得競争で優位に立ったイギリスは、一九世紀の半ばまでに、ニュージーランドやオーストラリアにも次々と新たな植民地を作っていった。当初は、流刑地であったオーストラリアも、自由移民による植民地建設に方針が変換された。

イギリスの植民地政策の基本は、イギリスの製品市場としての重要性を増していたインドと本国を結ぶルートの安全を維持することであった。とくに地中海と紅海にまたがるオスマン・トルコが他国の支配に置かれることを阻止する必要があった。その脅威になったのがロシアであった。南下政策をとるロシアがオスマン・トルコに触手を伸ばすと、イギリスはトルコを支援して、一八五三年、ロシアとの間に黒海を戦場にした「クリミア戦争」が始まった。一八五六年に勝利を収めたが、その被害も大きかった。

また、フランス人技師レセップスが建設を進めたスエズ運河の株式を取得し、エジプト支配の足がかりも築いた。一八八二年にはエジプトでの蜂起を鎮圧して、その支配を固め、一八八三年のマフディーの乱を制圧してスーダン支配も実現した。このあと、アフリカはヨーロッパ列強の植民地獲得争いの餌食となっていった。

このころのイギリスは、工業化が進んだドイツや合衆国などの追い上げで、かつてのヨーロッパや北米の市場を脅かされていた。そこで、自国製品の売り先として、中近東からアジアに広がる支配地域、すなわち自らの帝国に頼らざるをえず（「帝国主義」）、植民地の確保が死活問題と理解されたのである。

このように、人びとがヴィクトリア女王を祝う式典に酔いしれたころには、帝国の絶頂期は過ぎ、生き残り策を模索していた。一八七〇年代と九〇年代には恐慌にみまわれ、農業も安価な輸入品に押されて苦境に陥った。その結果、イギリスの産業構造は、北部の工業地帯で作られた工業製品の輸出を主軸にする経済から、ロンドンのシティを中心に、海外に資本投資して、そこから利益を得る金融を中心にしたものへと変化していった。

保守党と自由党

一九世紀後半のイギリス政治は、穀物法をめぐる対立から再編された保守党と自由党の二大政党が交代で政権を取ることで展開した。一八五〇〜六〇年代は、自由党が長期政権を担い、「世界の工場」としての力を背景に、自由貿易の維持を押し立て、パーマストンを中心に強硬な外交路線を展開した。

ピール派分裂後の保守党は、長く野党に甘んじたが、ディズレーリのもとで、労働者階級の支持を取り込んで党勢を拡大した。自由貿易政策にかげりがみえ、保護主義的な帝国主義の時代になると、政権党としての力をつけていった。ヴィクトリア女王のお気に入りであったディズレーリは、スエズ運河の買収やインド帝国の成立に尽力した。また、ディズレーリ内閣のもとで選挙法が改正され、選挙権が拡大された結果、政党は、よりいっそう多くの有権者を引きつける政策を打ち出す必要に迫られることになる。

この時期、自由党の指導者であったのがグラッドストンである。グラッドストンも選挙法改正に努め、農業労働者や鉱山労働者の一部（地方税を納入していることが条件）にまで選挙権を拡大し、人口比による選挙区割り振りの原則を実現した。外交面では、帝国拡張路線をとったディズレーリに対し、グラッドストンは国際協調・平和外交を基本とした政策をとった。

グラッドストンが取り組んだもっとも大きな課題が、アイルランド問題であった。少数の国教徒が大部分の土地を支配し、大多数のカトリック教徒が抑圧されるという状況のもと、独立運動や自治獲得運動が激しくなっていた。グラッドストンは、二度アイルランド自治法案を提出するが、議会の反対は強く、その解決への道は、グラッドストンの死後、二〇世紀にようやく動き出した。

世紀末の影

一九世紀も終わりに近づくと、イギリスの社会や経済が曲がり角にあることは明らかになっていた。かつての自由貿易体制は、もはや「世界の工場」としての優位を失ったイギリスの実情に合わなくなり、帝国内の市場を囲い込もうという保護主義への志向が強くなっていた。その結果、さらなる市場の確保、すなわち領土の拡張が主張されるようになった。

そうした露骨な侵略政策の表れが、ケープ植民地首相セシル・ローズが策謀した南アフリカ戦争（第二次ボーア戦争）であった（一八九九〜一九〇二年）。南アフリカのオランダ系白人の国トランスヴァール共和国にあったダイヤモンドや金の鉱山をねらって起こされた戦争で、帝国主義的な傾向を強めていた国内世論の支持はあったものの、国際的な非難を浴びることになった。戦争が長期化したため、戦費がかさんで、財政も逼迫させてしまう。

工業化がもたらした社会のひずみとたびたび起こる不況は、社会主義運動の台頭をもたらした。一九世紀初めには、ロバート・オーエンがニューラナーク（スコットランド）で実験的な協同組合運動に基づく工場経営を行っている。そうした社会改良運動の影響のもと、それらを批判的に発展させてマルクスの「科学的社会主義」が登場し、イギリスでも様々な社会主義運動のグループが生まれた。マルクス主義にたつグループもあれば、デザイナーのウィリアム・モリスらが参加した社会主義者連盟、マルクス主義とは一線を画して福祉社会を目標としたフェビアン協会などが生まれた。また、労働者による労働組合運動も活発になった。こうした流れを受けて、鉱山労働者から議員に当選したケア・ハーディが中心となり、独立労働党が設立され、のちの労働党（一九〇六年）へと発展していった。二〇世紀には、この労働党が自由党に取って代わって、政治の舞台で保守党としのぎを削ることになる。

歴史の扉 8

学校と教育

複線的な教育制度

一九世紀前半まで、イギリスにおいて「学校」で教育を受けられる子どもの数はほんの一握りであった。パブリック・スクールを経由し大学に進学できるのは、ほぼエリート層出身の男子に限定された。エリート層向けの教育施設以外では、各宗派の教会により設置された学校が運営されており、そこでは宗教教育に加え、読み・書き・算数が教えられた。その一方で、民衆の教育機会も皆無だったわけではなく、とくに一八世紀以降は、聖書を題材として読み方や宗教的な知識を教えるために日曜に無料で開設された日曜学校や、わずかな授業料で読み書きや裁縫、編み物を伝授するために地元の女性によって運営されたデイム・スクール（「おばさん学校」）が、人びとに基礎的な知識を提供する場となっていた。地域によっては、工場主や炭鉱主の資金援助で開設された工場学校や鉱山学校もあった。アイルランドでは、有償の民衆学校（ヘッジ・スクールやペイ・スクール）が読み・書き・算数を中心に、貧しい農民層の教育を長らく担当した。

なかでも日曜学校は、一七八〇年代から主に製造業地域で普及した学校である。キリスト教福音主義者たちによって主催された日曜学校には、イングランドとウェールズだけでも、一八三〇年代で約一五〇万人の子どもたちが在籍した。またデイム・スクールのほうは、近所の子どもたちに対して開かれた町や村の寺子屋的存在であった。しかし特定の教室をもったわけではなく、「おばさん」たちが台所や納屋、屋根裏部屋といった身近な空間を使い、彼女らの仕事の合間を縫って、子どもたちに読み聞かせや文字の書き方などを教授した。きちんとした教育カリキュラムをもっていたわけでもなく、なかには子どもをただ遊ばせておくだけだったり、自分の仕事の手伝いをさせるような「おばさん」もいた。

それに対して一九世紀中盤以降、すべての人びとに対する基本的人権の保障が重視されていくなかで、その中核として教育を受ける権利が要望され、国民的な学校制度の整備を求める運動が起こった。当初、イギリス政府は教育を個人の自由に属するものと判断し、それに直接介入するこ

図1　庶民の学校のようす

とを拒否した。また宗教的、政治的な派閥が主導権をめぐって対立したことも、制度の整備を進める上で障害となった。さらには大衆に教育を授けると、伝統的な文化が低俗化してしまったり、生まれながらの社会的地位に不満を覚えて急進的な活動をするようになるのではないか、と不安を覚える人びともいた。しかし産業革命以降の資本主義の進展に伴い、より質の高い労働力の創出が必要になると、政府も教育制度の整備に向けて動き出した。これによりイギリスでは、エリート向けと大衆向けの、二つの教育制度（複線型学校体系）が確立することとなった。

しかし二〇世紀に入ると、第一次世界大戦の経験から国民としての一体性が強調され、教育の経路が複数存在することが問題視されるようになった。そのため、学校制度の改革や修正が議論されるようになった。その結果、就学前教育を受ける子どももいるものの、公立の学校では五～一一歳が日本の小学校にあたるプライマリー・スクールに通い、一一歳で受けた試験の成績に基づき、学術的知識を学ぶグラマー・スクール、技術知識を習得するテクニカル・スクール、日常的な知識を身につける（セカンダリー）モダン・スクールの三つに分かれ、一一歳から一六～一八歳までの間、教育を受ける学制が完成した。なお、この三本立ての中等教育制度は様々な批判を受け、現在ではほとんどが総合制学校を意味するコンプリヘンシヴ・スクール（普通科学校）に再編成されている。私立に通う子どもた

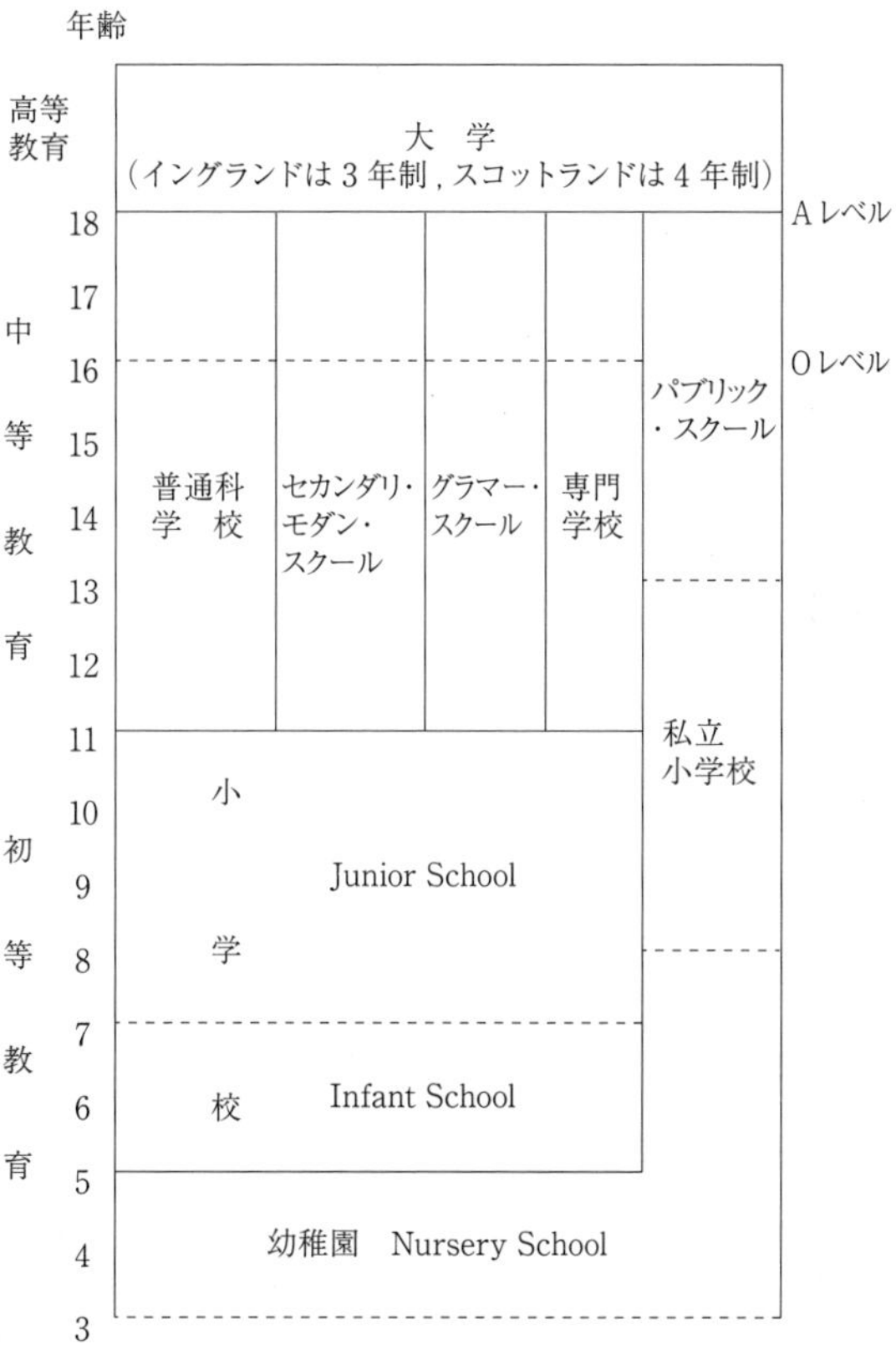

図2　イギリスの学校制度

- 就学年齢も個人によって異なるし，小学校でも留年は可能なので，同一学年同一年齢とは限らない。
- 小学校の学区制がない地域もあり，日本のような校区は存在しない。
- 学校の設置主体は多様なので，公立・私立といった単純な区分はできない。
- 教師は，基本的に各学校によって雇用される。
- どのような学校が設置されるかは，地方によって異なるため，上記の学校がすべての地域に存在するわけではない。
- 小学校でも，各学校が設置する学年は一様ではなく，すべての学校がすべての学年を備えているわけではない。
- 義務教育は必ずしも，学校教育である必要はなく，家庭教師による教育も認められる。

ちは、五～七歳でプレップ・プレパラトリー・スクール、七～一三歳にプレパラトリー・スクール（私立小学校）、一三～一八歳までがパブリック・スクールで学んだ。さらなる教育を希望するものは、両者の経路とも一八歳以上で大学や高等専門学校、または一六歳からの職業専門学校に進学した。

またスコットランドでは独自の教育制度が存続しているが、現在ではその他の地域、イングランド、ウェールズ、北アイルランドの制度との両立や互換が可能になっている。つまりイギリスの教育制度は連合王国として、それぞれの社会や文化の独自性が十分に反映される仕組みになっているのである。

大衆の教育

大衆への教育はイギリスの場合、一八七〇年に教育法が成立することで本格的に始まった。このとき始まった初等教育は一八七六年には義務教育となった。教育法が施行されるに際し、各地に学務委員会が設立され、校舎や教育施設の整備が進められた。学務委員会は、学校で指導されるカリキュラム内容の吟味や授業料の減免など、行政的な諸手続きを担当した。就学の強制も行われ、三〇〇〇人の子どもに一人の割合で就学督促官が配置された。彼らは就学義務のある子どもの名簿作成や授業料免除申請者の調査に従事し、学務委員会に就学条例違反者の報告を行った。その一方で、学務委員会は用地の強制収用権をもち、安価な土地ということで貧民の居住家屋をその犠牲にすることもあったため、貧民からは反発を受けた。また公立の学校設置に関して地方税の徴収が認められ、さらに初期には授業料も徴収されたため、それが家庭の収入減少につながるとみなされた。これは初等教育が一八九〇年に無償化されるまで家計に重くのしかかり、就学拒否の理由のひとつとなった。

その反面、一九世紀末には子どもに対する福祉への関心が高まった。これは一八九九年に始まる南アフリカ戦争での兵役志願者の三分の二が栄養不良の状態にあったことが、政府や社会に重く受け止められたためであった。子どもや若者の病気や栄養不良は、国家が弱体化する兆しとみなされ、それを回避するための社会政策の実施が急がれた。それが学校給食法（一九〇六年）の制定や就学前児童の健康診断の強制化（一九〇七年）に結実し、公立学校に通う子どもへの給食提供や医療設備の充実、保健監督官の設置などの福祉政策が、初等教育と連動する形で実施された。

義務教育の開始期は当初から五歳だったが、終了期は順次延長された。一八八〇年には一〇歳、一八九三年に一一歳、一八九九年に一二歳、一九二三年に一四歳、一九四七年に一五歳、一九七二年に現在と同じ一六歳にまで延長され、中等教育も含めて義務教育化された。これに加え、教育の継続や進学用のカリキュラムでの学習を希望する子どもたちには、一八歳まで中等教育を受けることが可能であった。一般的に子どもたちは、一六歳で中等教育資格試験(General Certificate of Secondary Education, 通称、GCSE)、または進学などを視野に入れて教育の継続を必要とするなら、一八歳で一般教育資格上級段階試験(General Certificate of Education - Advanced Level, GCE Aレベル)を受験することになっている。これらの全国統一試験に合格すれば、日本でいうところの卒業や修了の資格が手に入るのと同時に、高等教育機関への進学がかなう仕組みとなっている。

パブリック・スクール

他方でエリートの教育は、一九世紀を通じて近代国家の中枢を担うエリート、つまり上級官僚や知的専門職、実業家らの養成を目的に整備された。このエリート教育の要となったのがパブリック・スクールである。パブリック・スクールとは、国家からの助成ではなく、親が負担する高額の授業料で経営されている、いわば「公認の名門私立中等学校」である。その起源は中世の文法学校とされ、そのなかからパブリック・スクールと称される教育機関が現れた。文法学校とはラテン語やギリシア語の文法を教えた学校のことである。とくにラテン語はこの時代、ヨーロッパに共通する学術的な言語であり、高い教養の証明とされたため、聖職者や医師、法務官、外交官などに必須の知識であった。

文法学校のなかには、王侯貴族といった上流階級や金持ちの基金で設立されたものもあった。それらの文法学校では慈善の面から、上流階級の子弟のみならず、貧しい家庭の子どもたち数人を無料ないしは安い授業料で入学させることを規則に定めていた。この「貧民の子どもでも通える可能性がある」ことが、「公共(public)に開かれている」

図3　イートン校　カレッジ・ホールでの食事
パブリック・スクールでの食事風景は，映画などでもお馴染みのものである。

図4　ハーロー校　朝の点呼

ことだと考えられ、パブリック・スクールと呼称されるようになったといわれる。イギリスでは同じ理由で、つまりは「誰でもござれ」という意味で、居酒屋が「パブ（リック・ハウス）」と呼ばれている。パブリック・スクールに入学できるのは、古くから男子だけであった。しかし一九六〇年代末から徐々に、パブリック・スクールは女子学生にも開放されるようになった。一九九〇年代には約七〇パーセントのパブリック・スクールが完全もしくは部分的に共学となり、パブリック・スクールにおいて女子学生の全体に占める割合も徐々に増加しつつある。

パブリック・スクールは、一九世紀初頭にはすでに概念として成立してはいたが、名称として公に使われるようになったのは一八六一年以降のことである。最古のパブリック・スクールは、一三八二年に創設されたウィンチェスター・カレッジといわれる。これに続いて、一四四〇年にパブリック・スクールの代名詞、イートン校が国王の出資で設立され、それ以降、一六世紀を中心に代表的なパブリック・スクールとして名門九校（「ザ・ナイン」）が成立した。元来、富裕な家庭では教師を雇い、家庭で息子の教育をするのがよいとされていた。そのため、そういった家庭では中等教育はまだしも、初等教育は住み込みの家庭教師に任せるのが一般的であった。しかし一六～一七世紀ころになると、パブリック・スクールが上流階級の子弟の教育を専門とするようになった。そして一九世紀までに、パブリック・スクールの名門校ではエリートを育成する寄宿制の教育機関という集合的アイデンティティが完成した。パブリック・スクールの教育における特徴のひとつは、個人指導教師（チューター）制度である。生徒たちはこの制度を通じ、教養や道徳、宗教的克己心を高め、ジェントルマンにふさわしい行動規範を習得することが求められた。また資本主義の発展により富を獲得し、子弟を私立学校へ進学させようとする家庭が多くなったことで、一八三〇年代以降、パブリック・スクールの数も急増した。この意味でパブリック・スクールは、伝統的なエリート層である上流階級の子弟と、一九世紀以降に成り上がった中産階級上層部の子弟とがともに学び、それにより二つの階級の融合が促進され、新しいジェントルマン像が生み出される契機となった。

女性教育

女子に対する教育も一九世紀中盤以降に転機を迎えた。当時のイギリスでは女性教育、とくに女性に対する中等以上の教育は、基本的に中産階級以上の子女を対象とするものであった。一八四〇年代に女性教育に対する改革の必要性が社会的に認識されるようになると、一八四八年にロンドンにクィーンズ・カレッジ、一八四九年にはベドフォード・カレッジが創設され、職業的な技術の習得ではなく人格形成を目的とした中等教育が彼女たちに提供された。この二つのカレッジは、自由の精神と学術的な探究の場を女性に対して提供した。そのため、同校からは多数のフェミニストや進歩的な女性教師が輩出されることになった。一八六〇年代の女性高等教育運動の高まりは、そういった人びとによって支えられた。さらに一八七〇年代には女性教育全国連合や通学制女子学校会社が結成され、女性向けの中等教育学校が主要都市に設立された。このように一九～二〇世紀を通じて、女性に対する教育機会は拡大していったのである。

その一方で、教室やその入り口の男女区別、図書館利用の制限など、女性に対する不利益な扱いも残存した。しかし全体的な傾向としては、女性への教育普及率は上昇し、一九三〇年代には学生人口全体に占める女性の割合が四分の一にまでなった。この傾向は女性の高学歴化を促し、性別による職種選択に偏りは残るものの、教員や医師、公務員などへの道も徐々に女性に対して開かれていった。その後は、一九七九年に国連で女子差別撤廃条約が採択され、男女平等教育の推進が目指されている。

高等教育

中等教育を経由した子どもたちのなかには、高等教育機関である大学に進学するものもいる。大学（ユニヴァーシティ）の語源は、「組合」を意味するラテン語のウニヴェルシタスだといわれている。これは大学の起源が、教師たちの同業組合、または学生の相互扶助団体だったことによる。世界最古の大学はイタリアのボローニャ大学で、その起源は一〇八八年までさかのぼることができる。イギリスではその八〇年ほどのちの一一六七年に、パリから移住してきた学生たちによってオクスフォード大学がつくられた。これがイギリスにおける最初の大学である。続いて一二二六年にケンブリッジ大学が成立する。これは一二〇九年にオクスフォードで起こった殺人事件をめぐり、三人の学生が処刑されたことに抗議して、大量の教師や学生がケンブリッジに移住したことが発端だといわれている。

その後、この歴史あるオクスフォード、ケンブリッジ両大学を頂点として、ロンドン大学などの新興の市民大学を中層に、技術教育機関や教員養成機関を底辺に置く、ピラミッド型の構造をもった高等教育システムが一八六〇～一九三〇年代にかけて形成された。それぞれの大学や高等教育機関は、その時代ごとの新しい社会的な需要や要請に応じて設立された。一九九二年にサッチャー政権が一定の基準を満たした非大学高等教育機関にも大学の名称を与えたことにより、大学は急速にその規模を拡大、数を倍増することとなった。現在では一一五校の大学がイギリス国内に存在し、また一九六〇年代には約四パーセント程度だった当該年齢人口の大学への進学率は、一九九〇年代には約三〇パーセントにまで上昇した。このようにイギリスでは、一九九〇年代から大学の大衆化が進展した。一九九二年以降に創設された大学は「ポスト一九九二」や「新大学」と称され、サッチャー政権下において、伝統的なエリート教育を志向してきたイギリスの高等教育に新たな刺激をもたらすものと期待された。しかし一九九八年に大学を有償化するなど国家財政の逼迫からの影響は大きく、二〇一一年には政府による広範な教育改革や、学費値上げに反対する大規模な学生運動が起こった。このように現在もイギリスでは、学校や教育のあり方が重要な課題として議論され続けているのである。

（水田大紀）

参考文献

井野瀬久美惠編『イギリス文化史』昭和堂、二〇一〇年。
小泉博一・飯田操・桂山康司編『イギリス文化を学ぶ人のために』世界思想社、二〇〇四年。
小池滋『英国流立身出世と教育』岩波新書、一九九二年。

第9章

市民社会の文化

風刺画

一八世紀後半から一九世紀にかけて、ちょうどジョージ三世の治世に、政治や社会を鋭く風刺した版画が人気を博した。ホガースのような匿名的な社会風刺に留まらず、特定の政治家や国王、王族までが風刺の対象となった。そうした政治風刺の代表的な画家がジェイムズ・ギルレイである。国王ジョージ三世や皇太子ジョージ、首相ピット、野党ホイッグの党首フォックス、それにナポレオンなどが格好の風刺の主題であった。その誇張された人物表現や、容赦のない風刺がギルレイの持ち味であるが、当時の事情に通じていないわれわれは、その主題がわかりにくいことが多い。時事問題を風刺した作品の宿命といえるだろう。

それとは対照的に、ホガースのように、社会や風俗を匿名的に風刺した作品を多く残したのが、トマス・ローランドソンである。上流階級から庶民にいたるまで、人びとの生活のなかに「笑い」の対象を見つけ、叙情的に描き出すのがローランドソン作品の特徴といえる。一枚物の版画だけではなく、書籍の挿絵や絵物語などでも優れた作品を数多く残している。

図９－１　トマス・ローランドソン『イギリスの死の舞踏』挿絵
中世末の「死の舞踏」のテーマを，19世紀初めのイギリス社会を背景に描いたローランドソンの代表作のひとつ。

図９－２　皇太子ジョージ（ギルレイ画）
ジョージ４世は，皇太子時代に放蕩を尽くし，父王ジョージ３世はその心労もあって精神に異常をきたした。このギルレイの風刺画は，的確にその自堕落ぶりを伝えている。

印刷技術とマスメディアの発達

風刺画もマスメディアのひとつといえるが、一九世紀になると印刷技術の改良によって、情報伝達の手段が飛躍的に発展した。一八世紀まで、木製のグーテンベルク型の印刷機が使い続けられていたが、チャールズ・スタナップ（三代スタナップ伯）は、産業革命の技術革新で可能になった良質の鋳鉄を使って、より少ない力で、より大きな版面を印刷することが可能な印刷機を作った。これによって同時間で印刷可能な枚数が倍になった。スタナップは、貴族院議員であったが、フランス革命の理念に共感し、その思想を広めるために印刷機の改良が必要であると考えたのである。

その後、ドイツ人のケーニヒが、蒸気機関を動力とする印刷機を発明し、一八一四年に新聞の「タイムズ」が採用した。これによって飛躍的に印刷効率が向上し（スタナップ式印刷機の四倍）、高まっていた新聞の需要に応えることが可能になった。さらに、一度に両面印刷が可能な印刷機が開発されると、さらに印刷速度は速くなった。一八四三年には輪転機が発明され、印刷速度は驚異的に高まり、マスメディアの発展に寄与することになる。

しかし、この時期、印刷効率の向上に見合うだけの紙の生産がむずかしかったため、それまでのボロ布の繊維を原料にして作る紙に代わって、木材パルプから紙を作る技術が実用化され、一九世紀半ばから書籍や新聞などに使われるようになった。また、手漉きの紙に代わって、機械で紙を漉く抄紙機が発明され、増え続ける紙の需要に応えることができた。

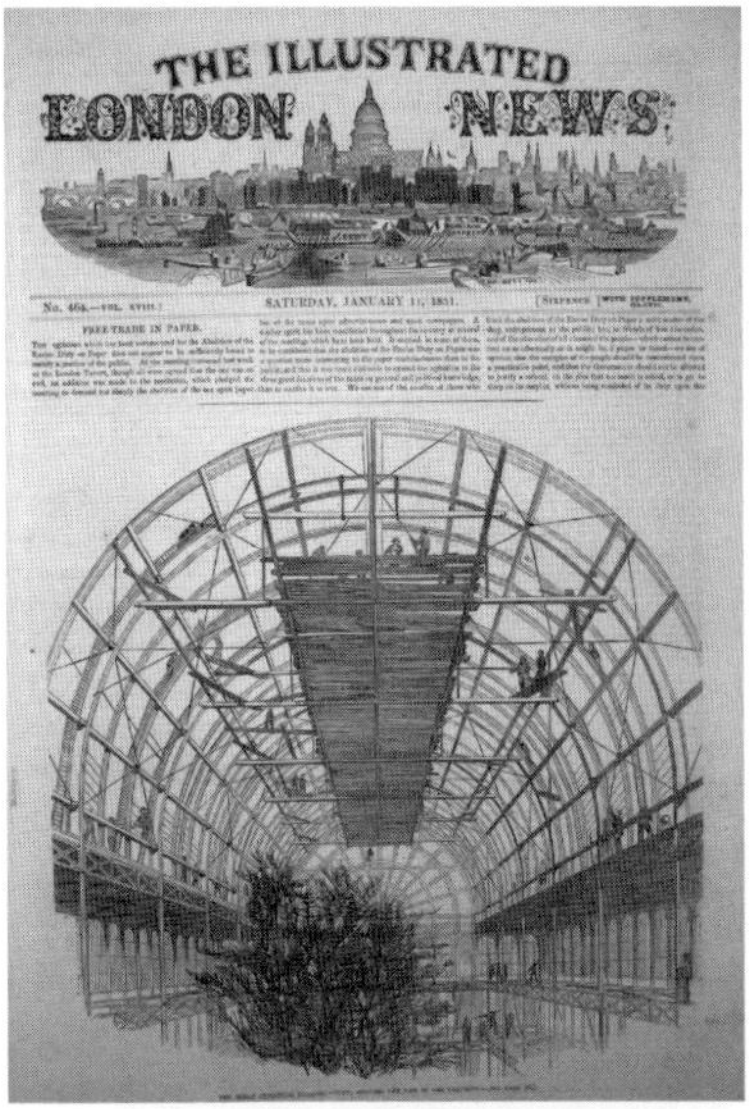

図9－3　万国博会場建設を伝える「絵入りロンドン・ニュース」（1851年）

大型木口木版による挿絵をふんだんに用いたヴィジュアルな週刊新聞として人気を博した。

一八世紀末、木の木口側に版を彫る「木口木版」による挿絵の技法が確立し、それまでの銅版画に代わって、書籍や雑誌の挿絵などに使われるようになった。木口木版は活字と同じ凸版であるため、文字と同時に刷ることが可能（銅版画は凹版であるため、別種の印刷機が必要で、文字と絵を別々に刷る必要がある）で、しかも銅版に比べて版面が丈夫で、大量印刷が可能であった。低コストで挿絵を掲載することができたため、この技法は大衆向け

図９－４　ウィリアム・ブレイク『ロスの書』
ブレイク自身の詩に自ら挿絵を描き，自身の創案になる銅版画技法で作られた詩画集。文字と絵が渾然となり，独自の世界を生み出している。

図９－５　J・M・W・ターナー「戦艦テメレールの帰還」
廃船となる戦艦の最後の帰港を描いた作品。夕空の表現に大気を描くことに情熱を傾けたターナーの特徴を見ることができる。

の新聞にも採用され、一九世紀半ばには、多くのニュース画像を掲載した「絵入りロンドン・ニュース」が創刊されるにいたった。

また、児童文学の世界でも、木口木版によって挿絵を豊富に使用することが可能になり、ルイス・キャロルの『不思議の国のアリス』（一八六五年）のように、挿絵とテキストが不可分な関係にあるような作品が生み出された。さらに、木口木版を利用した多色刷り印刷も実用化され、それまで高価であった絵本を安価に提供することが可能になった。

ロマン主義

一九世紀のヨーロッパでは、理性や合理性、客観性、普遍性を重んじる啓蒙主義に対して、感情や主観、不合理なるもの、民族の歴史などを強調するロマン主義の運動が広まった。一八世紀に支配的であった秩序ある美を尊ぶ古典主義への反発とみることもできる。

ロマン主義は、文学や美術、音楽と様々な領域に広がった。詩作では、ワーズワース、コールリッジ、バイロン、シェリー、キーツなど名前を挙げるだけでもきりがないが、詩作と絵画の両分野で重要な作品を残したのが、ウィリアム・ブレイクである。版画彫版を職業としたブレイクは、自らの詩と彩色をほどこした版画とを一体化させた「彩飾版画」で、科学的合理性に背を向けた、神話的ともいえる特異な芸術世界を作り上げた。

図９－６　ジョン・コンスタブル「干し草車」
コンスタブルが描いた生地デダムの風景は，その後，人びとの心をとらえ，イギリス人にとっての理想の田園風景となった。

図９－７　ジョン・マーティン「聖書」挿絵
世界が崩壊するかのような終末的イメージを劇的に描き出している。

小説の分野でロマン主義を代表するのが、スコットランドのウォルター・スコットである。『アイヴァンホー』や『ケニルワースの城』『ミドロジアンの心臓』といった、イングランドやスコットランドの歴史や伝説に題材をとった、文字通りロマンチックな筋立ての歴史小説は、イギリスだけでなく広くヨーロッパで読まれ、ロマン主義運動の広がりに貢献した。

絵画の世界では、風景画のJ・M・W・ターナーやジョン・コンスタブルが代表的存在である。抽象画をも意識させる斬新な大気の表現に特徴のあるターナー、空と雲に光の変化を観察し続けたコンスタブル、ともにフランスの印象派に大きな影響を与えることになった。また、コンスタブルの描いた「理想的な田園風景」は、のちに、イギリス景観の理想化された「典型」として、イギリス人の心に刻まれることになる。また、この時期、水彩画による風景画も盛んになり、トマス・ガーティンやジョン・コットマンといった画家が秀作を残している。

ターナーやコンスタブルとは違う方向で、ロマン主義絵画を代表するのがジョン・マーティンである。聖書に題材をとった巨大な油彩画やミルトンの『失楽園』につけた銅版（メゾチント）挿絵が代表作であるが、その奇想といってよいエキセントリックな表現によってロマン派の芸術家に大きな影響を与えた。

一九世紀の文学

スコットのあと、ヴィクトリア時代に国民的作家となったのが、チャールズ・ディケンズである。ディケンズの小説の題材は、ロマンチックな夢物語ではなく、当時のイギリス社会の現実を反映したもので、社会正義を訴える内容のものも多い。わかりやすい人物造形と巧みなストーリー展開でベストセラー作家となった。書籍がまだまだ高価であった時代、自作を分冊形式の雑誌として発表するなど、多くの読者を確保するための出版戦略も巧みであった。

一九世紀は優れた女性作家が輩出した時代でもある。ジェーン・オースティンは、『分別と多感』（一八一一年）や『高慢と偏見』（一八一三年）、『エマ』（一八一五年）などで、ジェントルマン階級の女性の結婚問題をユーモアを交えて描いた。夏目漱石が高く評価したことでも知られる。

シャーロット、エミリー、アンのブロンテ姉妹は、その生前、『ジェーン・エア』（一八四七年）で人気を得たシャーロット以外、ほとんど認められることなく、いずれも夭逝している。しかし、故郷ヨークシァの荒涼とした自然を背景に強烈な愛を描いたエミリーの『嵐が丘』（一八四七年）の評価は二〇世紀に高まり、世界文学史上の傑作との評価を得た。シャーロット・ブロンテの伝記を書いたエリザベス・ギャスケルも『クランフォード』（一八五二年）や『南と北』（一八五五年）といった重要な作品を残している。

『サイラス・マーナー』（一八六一年）や『ミドルマーチ』（一八七二年）で知られるジョージ・エリオットは、ジョージという男性名のペンネームを用いたが、それは女性作家への偏見から免れるためであった。オースティンも本名ではなく匿名で作品を発表したし、ブロンテ姉妹も当初は男性名で作品を発表しているのも、同様の理由である。

図9－8　ブロンテ姉妹の生地ハワースの教会にある記念プレート

一九世紀末から二〇世紀にかけて人気を得たのが、トマス・ハーディとラドヤード・キプリングである。ハーディは、『帰郷』（一八七八年）や『ダーバヴィル家のテス』（一八九一年）といったイングランド南西部を舞台にした小説で、運命に翻弄される人間の悲劇を複雑なプロットで描き出した。キプリングは、インドでの生活経験をもとに『ジャングルブック』（一八九四年）や『キム』（一九〇一年）を著し、帝国主義的な愛国心が高

図9－9　D・G・ロセッティ「モンナ・ヴァンナ」（1866年）

まった時代に人気を博した。

中世趣味

一八世紀後半、「ゴシック小説」と呼ばれるジャンルが登場した。怪奇や恐怖、幻想の物語であるが、作家ホレス・ウォルポールの『オトラント城奇譚』（一七六五年）を嚆矢として、メアリ・シェリーの『フランケンシュタイン』（一八一八年）やアメリカのE・A・ポーなどを経て、現在のホラー小説にまでつながっている。

こうした小説が生まれた背景としては、ウォルポール自身の屋敷ストロベリー・ヒルズがゴシック様式で建てられていたように、中世文化への強い関心があった。それは風景式庭園の「装飾」として、中世風建築（ときにはわざと廃墟として再現することもあった）が好まれたことにも表れているが、スコットの中世を舞台にした小説やロマン主義の嗜好と呼応して、一九世紀に大きな潮流となった。

建築では、それまでの古典主義とは正反対の方向性をもつ「ゴシック・リバイバル」として大きな流れとなった。その代表的な作品が、一八三四年の火災後に再建された国会議事堂である（設計チャールズ・バリー、装飾意匠A・W・N・ピュージン、一八四〇年起工）。こうしたヴィクトリアン・ゴシック様式は、公共建築や教会建築にも多用され、数多くの歴史的価値をもつ古い教会が、本来の様式ではなく、ヴィクトリアン・ゴシック様式で改修されてしまった。この弊害を指摘し、古建築保護の運動を始めたのがウィリアム・モリスらである。

ゴシック・リバイバルの思想は、ジョン・ラスキンの美学思想に強い影響を受けているが、中世カトリック文化への憧憬という側面をもち、当時の教会を揺り動かした宗教界のカトリック回帰ともいうべき「オクスフォード運動」と相通じる面をもつ。

ラファエル前派

こうした中世回帰の風潮は、絵画の世界でも、中世や初期ルネサンス、すなわちラファエロ以前の絵画伝統へ戻ることを目指した「ラファエル前派」が登場した。ラファエロ以後の絵画が当時の画壇の主流であったアカデミーの絵画につながると考え、それらを拒否しようという反権威的な意識をもった集団であった。代表的な画家は、ダンテ・ゲイブリエル・ロセッティやジョン・エヴァリット・ミレイ、ウィリアム・H・ハントなどで、ロセッティが詩人でもあったように、彼らの作品には、中世の伝説に画題を求めるなど、文学的な要素が濃厚に見られる。

図９－10　ウィリアム・モリスがデザインした壁紙

モリスは「モリス商会」を通じて，自らのデザインによる壁紙や布などを販売し，中産階級の人気を得た。

当初、作品は厳しい批判にさらされるが、ラスキンは彼らの作品を支持した。その後、作品制作の方向性の違いからグループとしてのまとまりは弱まるが、バーン＝ジョーンズやアーサー・ヒューズなど次の世代の画家や象徴主義絵画に大きな影響を与えた。早くから日本にも紹介され、青木繁（「わだつみのいろこの宮」）や藤島武二などに大きな影響を与えた。

アーツ・アンド・クラフト運動

ラスキンの思想やゴシック・リバイバル、ラファエル前派の活動に影響を受けたウィリアム・モリスやバーン=ジョーンズなどが中心となって、工業化によって衰退した中世的な手作りの伝統を復活させようという運動が起こった。これを「アーツ・アンド・クラフト運動」という。家具や食器、壁紙、宝飾品といった日常的な品物の美を高めることで、生活の質を向上させようという目的のもと、商品として作品を販売した。この運動に呼応して、様々な工芸グループが生まれ、大きな運動となってゆく。画家のウォルター・クレインや陶芸家のウィリアム・ド・モーガン、宝飾デザインや書籍制作のC・R・アシュビーなどがこの運動に関わり、その伝統は、今日にまで引き継がれている。この運動の影響は広く、フランスでアール・ヌーヴォを生み出す契機ともなり、日本では柳宗悦らの民芸運動を生み出すことになった。

歴史の扉 9

社会思想の展開

近代社会思想の幕開け

「社会思想」という言葉は多義的であり、研究者の間でも、その意味内容について明確な共通理解が成立しているわけではない。その歴史を扱う「社会思想史」研究も、対象や方法はきわめて多様である。ただ、広い意味での政治思想や経済思想を、歴史的文脈を重視して検討するのが社会思想史研究のひとつの潮流だといってよいであろう。

そこで本稿では、イギリスにおける自由主義、社会主義、そして保守主義の歴史的展開を確認することとしたい。いずれも、広い意味での政治思想や経済思想としての顔をもち、また、イギリス社会のなかで大きな影響を今日までもち続けてきたからである。もっとも、これらの思想が本格的に展開されたのは、それほど古いことではない。その代表的な理論家の多くは一九世紀以降に活躍しており、「自由主義」、「社会主義」、「保守主義」という英語の語彙が生まれたのも、一九世紀前半のことである。したがってここでも基本的には一九世紀と二〇世紀におけるこれらの思想の展開を述べることとする。

ただこれらの思想の淵源はそれ以前に遡ることも可能であり、とくに自由主義思想は一八世紀末までに重要な理論が登場する。まず、この自由主義思想の勃興を確認しておこう。

「自由主義」は多様な思想的潮流から成立しており、その定義は決して容易ではない。しかしあえていえば、人間を個人としてとらえ、その個人の自由を確立することに中核的な価値を置く思想と述べることも許されよう。この自由主義思想の大きな柱をなすのが、立憲主義や民主制などによって国家権力の濫用を抑制しようとする政治的自由主義であるが、その礎石を築いたのが、社会契約説を用いたジョン・ロックの政治論であった。

社会契約説とは、人びとが相互の契約によって政治社会を成立させた、とする考え方のことである。その代表的な提唱者の一人であるトマス・ホッブズは、自然状態（国家成立以前の状態）においては「万人の万人に対する戦い」

があると想定し、その克服のために社会契約によって国家が成立したと論じた（『リヴァイアサン』一六五一年）。

しかしロックは、逆に、自然状態においては、生命、自由、財産への自然権をもつ人びとがすでに一定の秩序を形成していると想定した。社会契約の結果生まれる国家に託されるのは、この秩序の維持である。したがって国家は人びとの自然権を侵害してはならず、侵害があった場合には、人びとは国家に抵抗する権利をもつとロックは論じた（『統治二論』一六八九年）。ロックの議論は、自然権をもつ個人は国家よりもいわば上位にある、ということを尖鋭に示すものであり、その後の政治的自由主義の発展に大きな影響を与えたのである。

自由主義のもうひとつの大きな柱が、市場経済の自己調整機能を信頼し、国家による経済への介入を最小限にすることが望ましい、とする経済的自由主義である。その理論的出発点ともいえるのが、スコットランドのアダム・スミスによる『国富論』（一七七六年）であった。同書でスミスは、各個人が自己愛に基づいて生産物を交換することが、分業と商業社会の経済的発展を促し、市場は需給関係の自動調整により商品の価格を「自然価格」に近づける、と論じた。つまり個人による私的利益の自由な追求が「見えざる手」によって結果的に公益を生み出すのである。スミスの著作は、当時の主流的な経済思想の重商主義の批判を念頭に置いたものであったが、同時に、その後の経済的自由主義一般の出発点ともなったのである。

自由主義・社会主義・保守主義

次に資本主義社会が急速に発展した一九世紀の社会思想を概観しよう（ただし一九世紀末は次項で扱う）。この時期の大きな特色は、自由主義、社会主義、保守主義の思想がそれぞれ本格的に成立したことにあった。

まず自由主義の展開に目を向けよう。ロックが先駆けた、恣意的な国家権力を抑制すべきとの議論は、法学者のジェレミ・ベンサムとその信奉者ら（「功利主義者」とも呼ばれた）により補われた。ベンサムらは「最大多数の最大幸福」の実現こそが統治の目的だと主張し、その観点から、急進的な民主的改革を提唱したのである。

また経済的自由主義にかんしては、スミスが礎を築いた経済学（「政治経済学」と呼ばれた）がイングランドにも移植され、デイヴィッド・リカードの自由貿易理論などにより体系化が進んだ。そして功利主義者のジョン・ステュアート・ミルによる『経済学原理』（一八四八年）は、様々な例外を認めつつも、「自由放任」こそが「原則」であると宣言した。一九世紀には、国家の個人への干渉、とくに経済活動への干渉は最小限に留めるべきだという自由主義思想――今日では「古典的自由主義」とも呼ばれる――が台頭したのである。

なお「個人の自由」を重視する議論は、ミルによって急進的に押し進められた。ミルによれば、各人がその個性を多方面に発展させることは、個人の幸福と社会進歩の源泉であった。したがってミルは、他者に危害を与えない限り、人は思想だけではなく生活様式など行動の自由も認められるべきだと主張したのである（『自由論』一八五九年）。

さて、自由主義への対抗思想という意味ももちつつ発展したのが社会主義である。まず一九世紀の前半には、ロバート・オーエンとその信奉者たちが、共同体の設立や生産協同組合事業によって資本主義社会を乗り越えようとした。また一八六〇年代には、イギリスに亡命中のカール・マルクスが、労働者階級による政治権力の獲得と、国家的な協同労働の推進、そして労働者の国際的な連帯によってこそ、「労働者の解放」は実現すると論じた（「国際労働者協会創立宣言」一八六四年）。一九世紀末にはマルクス主義者に加え、フェビアン社会主義（次項で記述）など非マルクス主義系の社会主義思想も広まることになる。

多様な潮流からなる社会主義の定義も容易ではないが、人間を社会的存在と把握し、協働により生産された富の社会的管理を目指す思想と概括することも許されよう。それは「人間らしさ」の本質を他者との連帯や協働への志向性に見る思想だともいえる。たとえばオーエンは、人間は他者の幸福に貢献するときがもっとも幸福である、と指摘している（『新社会観』一八一三年）。また「他者」との「人間的な」つながりを重視する見方からは、同性愛解放の主張（エドワード・カーペンター）や「動物の権利」の——またそれに付随して菜食主義の——提唱（ヘンリ・ソルト）も生まれた。

ところで一九世紀の自由主義と社会主義とは単純に対立していたわけではない。人間性の改善や社会の急進的な変革は可能かつ望ましい、とする議論は、社会主義者は無論のこと、自由主義者にも見られた。たとえばミルは、利己心の現時点での影響力を認めつつも、教育により人間の公共精神などを発展させることも可能と論じていた。また、現在の社会経済秩序は永続的ではなく、将来は社会主義体制が選択される可能性もあり、また、経済成長を停止して自然美を守るとともに人間の多面的な能力を発展させる「停止状態」（ないし「静止状態」）を早期に到来させるべきだとも論じたのである（『経済学原理』）。

このような自由主義や社会主義とは対照的にしばしば「現状維持」も訴えるのが、保守主義である。近現代社会に特有の保守主義とは、啓蒙的合理主義に根差す急進的な政治的、社会的変革に抵抗し、伝統的価値観や制度による社会秩序の維持や回復を目指す思想と概括できよう。イギリスではフランス革命を批判したエドマンド・バークが保守主義の基礎を築き、一九世紀後半にはベンジャミン・ディズレーリがより大衆的な保守主義を確立することになる。

すなわちバークは、人間は不完全性を免れず、その不完全な人間が過ちを犯さないためには、先人の知恵の結晶としての伝統や、イギリス国制など、歴史の試練を経た統治機構を尊重することが必要だと論じた（『フランス革命の省察』一七九〇年）。さらにディズレーリは、一八七二年に行った一連の演説のなかで、国教会、貴族制、王制、そしてイギリス帝国を、保守党が守るべき諸制度と位置づけたのである。

ただし保守主義は単純な現状墨守の思想とはいえない。たとえばディズレーリはイギリス人が貧者と富者という「二つの国民」に分裂して社会が不安定化することを怖れ、公衆衛生の拡充などの措置を労働者階級に対して取る姿勢も示した。このように支配階層が温情的な社会改良政策を進めつつ国民統合を図る保守主義は、のちに「ワン・ネイション保守主義」と呼ばれ、保守党の有力な思想的伝統のひとつとなる。

付言すれば、これらの社会思想はしばしば、国境を越えて生成発展していった。たとえば社会経済体制は歴史的に変化しうるというミルの主張は、フランスのサン＝シモン主義者との知的交流のなかで生まれたものであった（『自伝』）。別の例を挙げると、ソルトの菜食主義の主張は、ロンドン留学時代の若いガンディーが知ることになり、ガンディーが菜食主義を自らの意志で選ぶ大きな理論的契機となったのである（『ガンディー自叙伝』）。

「帝国の時代」の社会思想

一九世紀の末から二〇世紀初頭の世紀転換期は、社会思想に大きな変貌が生じ、国家による社会改良政策を積極的に進める議論が台頭した。

まず社会主義思想であるが、この時期に着実に発展したのは、シドニー・ウエッブら中流階級の知識人を中心に一八八四年に結成され、漸進的で立憲的な社会主義への移行を目指すフェビアン協会であった。ウエッブは、国や自治体による産業の運営や管理が進展していることなどから社会主義の進歩は歴史的趨勢であると論じた（『フェビアン社会主義論集』一八八九年）。そして教育、衛生と安全、余暇、賃金などの「ナショナル・ミニマム」（最低限の国民的水準）を、様々な国家干渉を用いて達成すべきだと、妻のビアトリス・ウエッブとともに提言したのである（『産業民主主義』一八九七年）。

同時に、自由主義者の間にも、国家機能の様々な拡大を積極的に評価する議論が広がった。この議論の思想的背景は一様ではないが、そのなかでよく知られているのは、オクスフォード大学のトマス・ヒル・グリーンや、社会学者のL・T・ホブハウス、ジャーナリストのJ・A・ホブスンらが展開した「新自由主義」（ニュー・リベラリズム）思想である。まずグリーンは、真の自由とは、共同体の「共通善」のために個人の力を「解放」することだと論じ、他者からの干渉の欠如を「自由」とする見方を斥けた。その上でグリーンは、劣悪な労働条件や無知が自由の実現を妨げており、国家はかかる障害を工場法や教育法などで取り除くべきだと論じたのである（「自由主義的立法と契約の自由」一八八一年）。同様の主張はホブハウスにも見られ、国家による「労働権」や「生活賃金への権利」の保障、老齢年金や国民保険制度の整備は、自由の実現に不可欠なものとされた（『自由主義』一九一一年）。すなわち個人の自由を実現するためには国家機能の拡大も必要だとする、自由主義の新しい潮流――「古典的自由主義」と対比して「現代的自由主義」と今日呼ばれることもある――が生まれていったのである。

ところで、これらの社会思想には、イギリスが「衰退」し、植民地をめぐる帝国間の争いが激化した「帝国の時代」の国際情勢が大きく、また複雑な影を落としていた。

保守主義者が帝国支持の姿勢をいち早く示したことはディズレーリに即して述べた通りだが、ボーア戦争前後には、自由主義者や社会主義者の間にも、積極的な帝国支持論が広がった。たとえばフェビアン協会は、南アフリカ戦争時には、『フェビアン主義と帝国』（一九〇〇年）によって帝国拡張政策への支持を鮮明に打ち出し、ウエッブ夫妻は、自由党の帝国支持派（「自由帝国主義者」と呼ばれた）などとの党派横断的な連携を一時、模索したのである。逆にホブスンやホブハウスは、帝国批判を自らの議論に織り込んでいった。たとえばホブスンは、『帝国主義』（一九〇二年）において、富者による「過剰貯蓄」が促す海外投資こそが帝国主義的膨張政策の基盤にあると論じ、社会改良政策による「過剰貯蓄」の解消に、帝国主義を抑制するという意義を加えたのである。

なお、帝国に関する当時の議論を理解する上で無視できないのが、生物学的な進化論を用いて人間社会の事象を説明する「社会進化論」（ないし「社会ダーウィン主義」）であった。社会進化論においては当初、個人間の生存競争を重視するハーバート・スペンサーの議論が有力であった。しかし一九世紀末までには、むしろ生存競争は集団間（すなわち国家間や人種間など）で行われている点を強調する、ベンジャミン・キッドやカール・ピアスンの著作が反響を呼ぶことになる。この社会進化論の潮流からは、白人による熱帯の管理の提唱（キッド）や、優生学による人種改良への期待（ピアスン）も生まれたのである。

現代の社会思想

第一次世界大戦から二〇世紀末までの社会思想を概観しよう。まず第二次世界大戦までの社会思想史上の大きな出来事は、フェビアン社会主義の労働党への浸透であった。フェビアン協会は第一次世界大戦を契機に労働党に接近し、シドニー・ウエッブは、「生産手段の共同所有」を謳う同党の新綱領（一九一八年採択）の作成を主導した。さらにウエッブは政府によるナショナル・ミニマムの達成を訴える党の政策宣言も作成した。労働党の政策理念は、フェビアン社会主義が少なからず支えるようになったのである。

他方、一九三〇年代には、自由党員のJ・M・ケインズによって「現代的自由主義」も大きく進展した。ケインズは『雇用、利子および貨幣の一般理論』（一九三六年）のなかで、失業は市場の自己調整機能で解決するとした従来の経済学を批判し、失業の急増は、投資不足による有効需要の低下が原因だと論じた。この議論は、政府が金融政策や公共投資により有効需要を創出することへと大きく道を切り開くものであった。「現代的自由主義」に、政府による一定の経済運営という新しい次元が加えられたのである。

ケインズの経済運営の思想は、左右の対立軸を越えて受容されていった。たとえば保守党のハロルド・マクミランは、中道的な「ワン・ネイション保守主義」のなかにケインズ的な経済運営の手法を取り入れた。また労働党の若手にも、ケインズ主義は急速に浸透していったのである。

以上のフェビアン社会主義とケインズ主義を大きな背景として、第二次世界大戦後の労働党右派を中心に広がったのが「社会民主主義」の思想である。「社会民主主義」の意味は歴史的にも大きく変化するが、ここでは、福祉政策やケインズ主義的な経済運営などによって何らかの社会主義的目標を達成しようとする統治制度を指している。

これらの政策は、戦後しばらくの間は、一定の効果を有しているように見えた。しかし一九七〇年代のイギリスは深刻な景気後退を経験し、経済成長を前提とした社会民主主義は危機的な状況に陥った。それに代わりマーガレット・サッチャーなど保守党右派を中心に台頭したのが、「新右翼」思想である。

「新右翼」思想は一枚岩ではなく、そこには主たる二つの潮流を認めることができる。一つは「ネオ・リベラリズム」である。「ネオ・リベラリズム」は、市場の自己調整機能に信頼を寄せ、国家による経済への干渉を最小限に留めるべきだとする思想である。それは、単純化していえば、古典的自由主義における経済的自由主義を復活させるものであった。代表的な理論家は、ケインズの古くからの論敵、F・A・ハイエクである。他方「新右翼」には、保守思想の面もうかがえる（これを「新保守主義」と呼ぶこともある）。その論者たちは、近年、犯罪や離婚などが急増して社会秩序が脅かされていると主張し、「伝統的な」価値観や家族形態への復帰を謳った。また国内秩序の維持や外交・軍事政策のためには「強い国家」が必要だとされたのである。

「新右翼」思想は一九八〇年代を中心にイギリス社会に広く浸透した。ただし二〇世紀の末には、ポスト新右翼とでもいうべき、新しい思想状況が生まれていった。

そのなかで注目すべき著作は、アンソニー・ギデンズの『第三の道』（一九九八年）であろう。著者は「新しい労働党」政権に近い社会学者であり、『第三の道』は、アトリー政権の「旧型の」社会民主主義と、ネオ・リベラリズム（本稿でいう「新右翼」）の双方を克服することによって「社会民主主義」を「刷新」することを謳っている。グローバルな資本主義の存在を前提にしつつも、国家と市民社会が連携して社会的公正と効率の双方を確保しようとするのが同書のねらいであると思われる。ただその社会思想史上の評価はまだ定まっているとはいえない。同書の評価、さらにいえば、一九世紀に起源をもつ社会思想の現代的な意義は、なお検討されるべきであろう（本稿は参考文献の拙稿「社会思想のあゆみ」を改稿し記述を補完したものである。より詳しい内容と文献案内は、拙稿を参照されたい）。

（光永雅明）

参考文献

B・センメル著、野口武彦・野口明子訳『社会帝国主義史——イギリスの経験、一八九五—一九一四』みすず書房、一九八二年。

H・S・ソルト著、G・ヘンドリック、W・ヘンドリック、F・エールシュレーガ編、山口晃訳『ヘンリー・ソローの暮らし』風行社、二〇〇一年。

都築忠七『エドワード・カーペンター伝——人類連帯の予言者』晶文社、一九八五年。

日本イギリス哲学会編『イギリス哲学・思想事典』研究社、二〇〇七年。

水田洋『新稿　社会思想史』ミネルヴァ書房、二〇〇六年。

光永雅明「社会思想のあゆみ」木畑洋一・秋田茂編著『近代イギリスの歴史——一六世紀から現代まで』ミネルヴァ書房、二〇一一年。

J・S・ミル著、山下重一訳註『評註ミル自伝』御茶の水書房、二〇〇三年。

歴史の扉 10

イギリスのスポーツ

近代スポーツの母国

イギリスは近代スポーツの母国といわれる。サッカー、ラグビー、ボートレース、テニス、アーチェリー、バドミントン、ホッケー……。これらはどれもイギリスで原型が整えられ、世界各地に広まった。スポート（sport）という言葉自体も、英語に由来し、そこから世界に伝播した。今では世界的な共通語として用いられているが、そこに元来「人間が行う運動（athletics）」という意味は含まれていなかったというと不思議に思う人もいるかもしれない。

英語におけるスポートの語源はラテン語のデポルターレ（deportare）とされる。これは de（away）と portare（carry）の合成語で、元来は「ある物を持ち去る」ことを意味した。それがのちにフランス語の deporter へと変化し、「気晴らし」や「なぐさみ」の意味で用いられるようになった。そのため、この言葉がイギリスに伝わった一六～一七世紀には、依然として、冗談や歌、芝居や踊り、チエスやトランプなどといった一切の楽しみごとがこの言葉の意味に含まれていた。それが支配者たるジェントルマン階級の文化を反映し、主として野外における身体活動や狩猟を意味するようになるのが一八世紀のことで、そこに「競争的な運動遊戯」の意味が加わるのは一九世紀以降のことである。

たとえば、サミュエル・ジョンソンの『英語辞典』（一七五五年）には、次のような記述が見られる。

「気晴らし（diversion）――スポート（sport）。憂いから引き離すことで心をなごませるもの（something that unbends the mind by turning it off from care)」。

したがって、スポートという言葉は「からだ」ではなく、「こころ」に関わる事象を示すものだったということになる。

それでは、スポーツはいかにして「人間が行う運動競技」を意味するようになったのだろうか。そのことを理解するには、イギリスで生じたスポーツの「ゲーム化」と「アスレティック化」という二つの歴史過程を振り返ってみる必要がある。

スポーツの「ゲーム化」

王政復古後の一八世紀から一九世紀にかけてのイギリスには二つの国民が存在したといわれる。支配階級としてのジェントルマンと被支配階級としての民衆である。この時期、両者がともに「気晴らし」としてもっとも熱中したのが賭博《ギャンブル》であった。

ヨーロッパ大陸の貴族がいわば生まれながらの血統に基づく身分の人びとであったのに対し、ジェントルマンとは元来、貴族やそれに準ずる准爵・騎士の称号をもたない地主層を意味し、一六世紀以降、イギリス社会の支配層に躍り出た新興勢力である。貴族と異なるのは、彼らが必ずしも古くからの名門の出自とは限らなかった点だ。いったんジェントルマンの地位に達した家系は「生まれながらの支配者」として自分たちの血統を誇ることができたけれども、ジェントルマンであることの要件とされた所領、家紋、官職などは金銭で購入することができたため、十分な資産をもつ者はそれらを購入し、ジェントルマンの地位に参入することも可能であった。したがって、彼らは絶対王政的なくびきからは自由だったが、他方で治安判事として地域の司法と行政を担わなければならなかったことから、民衆とスポーツを共有したり、職業選手を庇護したりすることは、平穏な社会関係と地代収入を確保するための重要な手段でもあった。

たとえば、競馬や狩猟などの大掛かりな催しはジェントルマンの協力なしにはとうてい開催できなかっただろう。クリケット、拳闘、闘鶏などではジェントルマンたちが試合の開催に積極的に関わってもいた。彼らは自分たちが気に入った騎手やボクサーのパトロンとなり、試合の賞金や諸費用を負担したりした（図1）。また、最高の競走馬や軍鶏はたいていジェントルマンが所有しており、クリケットでは自ら試合に出場することもあった。

そこから生じたのが「パトロン・スポーツ」という独特のスポーツ形態であり、そのなかでスポーツが賭博と強く結びつき、広く「ゲーム化」する現象が見られた。たとえば、競馬、ゴルフ、クリケットはいち早く組織化されたスポーツ種目だったが、一八世紀にはいずれも賭博を不可欠とする「ギャンブル・スポーツ」だったから、この時期におけるスポーツの「ゲーム化」を象徴する出来事だったといえる（表1を参照）。

一八世紀の間に進んだスポーツの「ゲーム化」により、いくつかのスポーツが「組織化」されると同時に、「ルールの成文化」も進んだ。そこには、いずれも賭博を公正に楽しもうとする意図が働いており、後の「アスレティック化」にも少なからず影響を与えることになる。

ところが、一八世紀後半から次第に勢力を増すことになる中流階級の人びとは、福音主義、労働規律、治安維持などの観点から、かつてのジェントルマンと民衆が共有していた賭博や飲酒などを伴う古いスポーツ形態には批判的で、

図1　「放蕩息子一代記」より第2図「取り巻き連中」の一部（ホガース作）

18世紀に活躍したウィリアム・ホガースが描いた作品で，高利貸しだった父親の遺産を相続した主人公がジェントルマンの生活に入った時の様子を描いたもの。主人公を取り巻くのは，右からホルンを吹く狩猟家，トロフィーを見せる騎手，剣をもつ傭兵，庭の図面をもつ庭師，豆バイオリンをもつ舞踊教師。誰もが彼にパトロンとなってもらいたがっているように見える。

出典：Stephen Deuchar, *Sporting Art in 18th-century England: A Social and Political History*, New Haven and London: Yale University Press, 1988, p. 101.

より理性に適った合理的なスポーツ形態を求めるようになった。この過程でもたらされたのがスポーツの「アスレティック化」である。

スポーツの「アスレティック化」

歴史上、未曾有の都市化と工業化が進展した一八世紀後半から一九世紀前半のイギリス。この時期に台頭してくる中流階級は、一八三〇年に誕生したホイッグ政権を後押しし、奴隷貿易の廃止や選挙権の拡大を含む多くの社会改良主義的な改革を断行させた。そこで成立した新たな制定法はいくつかの古い形態の民衆スポーツを違法とした。たとえば、一八三五年に成立した動物虐待防止法は、闘鶏、闘犬、生きた熊や雄牛に犬をけしかける熊掛けや牛掛けといった家畜を痛めつける動物スポーツを、また同じ年の公道法は、街路で行うフットボールや牛追いを違法とし、この時期に創設された「新警察」もそれらの取り締まりに一役買うことになる。

その一方で、中流階級は自らの地位の向上を目指し、自分たちの子弟をジェントルマンに仕立て上げるべく、こぞってパブリック・スクールやオクスフォード大学、ケンブリッ

表1　競技スポーツの全国的組織と設立年

種　目	最初の全国的な統轄団体名	設立年
競　馬	ジョッキー・クラブ	1750
ゴルフ	ロイヤル・アンド・エンシェント・クラブ	1754
クリケット	メリルボーン・クリケット・クラブ	1788
登　山	アルパイン・クラブ	1857
サッカー	フットボール協会	1863
陸上競技	アマチュア・アスレティック・クラブ	1866
	アマチュア・アスレティック協会	1880
水　泳	アマチュア・メトポリタン水泳クラブ	1869
ラグビー	ラグビー・フットボール・ユニオン	1871
ヨット	ヨット競走協会	1875
自転車	バイシクリスト・ユニオン（Bicyclist's Union）	1878
スケート	ナショナル・スケーティング協会	1879
漕　艇	メトロポリタン漕艇協会	1879
ボクシング	アマチュア・ボクシング協会	1880
ホッケー	ホッケー協会	1886
ローン・テニス	ローン・テニス協会	1888
バドミントン	バドミントン協会	1895
フェンシング	アマチュア・フェンシング協会	1898

出典：P. C. McIntosh, *Sport in Society*, London: C. A. Watts & Co. 1963, p. 63.

ジ大学などのエリート養成機関に送り込んだ。当時のジェントルマン教育でとくに重視されていたのは、実用性の乏しいギリシア語やラテン語を中心とする人文主義の教養（リベラル・アーツ）とキリスト教、そして課外活動で盛んに行われるようになる運動競技（athletics）であった。

「アスレティシズム（athleticism）」と呼ばれるこの時代に特有の教育イデオロギーは、そもそも課外活動として行われていたスポーツを道徳教育の手段として承認しようとする動きに端を発しているが、一八七〇年以降には、帝国主義の風潮が高まりを見せるなか、より積極的な身体壮健論やゲーム崇拝論と結びつくことで、筋骨たくましいスポーツマンが理想的なジェントルマン像と重なっていくことになる。スポーツの「アスレティック化」は、こうしてまずはエリート教育のなかで急速に展開したのち、主として卒業生によってイギリス国内、そして世界各地へ伝えられていく。

ちなみに、一八九六年に近代オリンピックの創設を呼びかけたフランスのクーベルタン男爵は、一九世紀イギリスの学校で生じていたアスレティシズムから強い影響を受けた人物の一人である。彼は一八八〇年代にイギリスを訪問し、そこでパブリック・スクールを中心とするスポーツ教育に強烈な印象を受けて帰国していたのである。

二〇世紀に入り、地球規模で「世界化」していく競技スポーツの基本的な形態はもっぱらイギリスで形成されたものであり、主たる担い手はパブリック・スクールやオクスフォード、ケンブリッジ両大学の卒業生、すなわちジェントルマンたちであった。彼らはジェントルマンであるがゆえに、スポーツを労働としてではなく、趣味の一環として行うことができた。そもそもイギリス社会における「アマチュア」とは、あくせく働く必要のないジェントルマンその人を意味したのである。二〇世紀に入ってもなお、プロを排除するアマチュアリズムが近代オリンピックなどに代表される競技スポーツの世界で重要かつ基本的な理念とみられてきたことの背景には、このようなイギリス特有のスポーツのあり方や社会構造が反映されていたのである。

一九〇四年に始まるサッカーのワールド・カップを含め、二〇世紀における競技スポーツの世界的な普及は、とくに国家主義や商業主義に絡めとられて進行した。そのもっとも典型的な事例のひとつがナチス政権下で行われた一九三六年のベルリン・オリンピックであり、様々なプロ・スポーツの誕生である。

国際的なレヴェルで「スポーツ」概念の統一が試みられたのは第二次世界大戦後のことだった。一九五八年にフランスのパリで設立された国際スポーツ・体育評議会(International Council of Sport and Physical Education)は、一九六八年に行った「スポーツ宣言」のなかで、スポーツを「プレイの性格をもち、自己または他人との競争、あるいは自然の障害との対決を含む運動」と定義した。ここにも、「気晴らし」から「ゲーム」、「アスレティックス」へと意味を拡大してきたスポートそのものの歴史過程の影響が見てとれる。

また、この背景には、工業化や都市化の地球規模での進展に伴う自然環境の破壊、大気汚染などの公害や運動不足等による人びとの健康に対する危機感の増大、さらには生活水準の向上や自由時間の増加による運動欲求の高まりなどがあり、いずれもイギリスがすでに経験していたことであった。さらに、東西の冷戦構造を背景としたナショナリズムの高揚や国威発揚といったねらいもあり、多くの国家がこの種の狭い意味での「スポーツ」活動を奨励する政策をとるようになった。

ただし、このときのスポーツ観は上述の目的に適った「競争的な身体運動」としてのスポーツの機能や役割についてのみ注目するものだったといえる。たとえば、一九六一年に制定された日本の「スポーツ振興法」も、スポーツは「運動競技及び身体運動(キャンプ活動その他の野外活動を含む)であって、心身の健全な発達を図るためになされるものをいう」と規定している。この定義に従えば、「心身の健全な発達を図る」という目的に合致しないものは「スポーツ」ではないことになってしまう。だが歴史的に見た場合、地球上のより多くの地域で古くから行われてきたスポーツ的な活動は、大半が「心身の健全な発達を図る」ことを唯一の目的として行われてきたものではなく、その事情はイギリスでも同様であった。

スポーツ史のなかのイギリス

歴史的に見た場合、二〇世紀に一応の完成をみる地球規模でのスポーツの「世界化」は、ポルトガルとスペインというイベリア半島に位置する二つの国家によって先鞭をつけられた、ヨーロッパ人による世界進出に端を発する現象であった。

インド航路、西方航路、世界周航、新大陸の発見といったいわゆる「地理上の発見」は、ヨーロッパによる「地球世界」の一体化をもたらす端緒となったが、なかでも一五二二年に成し遂げられたポルトガル人マゼランによる世界周航は、地球が球体であることを実証し、その後の人類の歩みに大きな影響を与えた。ヨーロッパ人によって「発見」された他の「地域世界」の住民は、文化的にもヨーロッパ世界の影響を被り、その結果、各地の伝統的なスポーツ文化もまた何がしかの文化変容（破壊・消滅を含む）を余儀なくされたからである。

他の地域圏への進出で得られた金銀の流入によってヨーロッパ人は経済的な活力を得たが、同時に自分たちも狭いキリスト教生活圏での地域的かつ伝統的な見識を打破されることになる。この時代の始まりが「大航海時代」と呼ばれることからもわかるように、ヨーロッパ人の世界進出は、それまでのユーラシア内陸部における陸上交通路の重要性を奪い、中央アジアに展開していた国家群の力を弱めることになった。それに伴い、ヨーロッパで重要性を増したのが航海術をはじめとする植民地獲

図２　1872年にウーリッジ・コモンで行われた槍騎兵連隊のポロの試合

紅茶プランターたちがインド北部のマニプールで「発見」したポロは，その起源が古代ペルシアまでさかのぼるとされる。イギリスでは1869年にロンドン郊外のハウンズロー・ヒースで行われたのが最初であり，1870年代に入って急速に普及した。1886年にはイギリスとアメリカの対抗戦も始まり，その後，世界各地に伝播していった。

出典：J. N. P. Watson, *The World of Polo : Past & Present,* London : The Sportsman's Press, 1986, p. 29.

得に関する技術や知識であった。

これはのちのスポーツ文化にも少なからず影響を及ぼしている。たとえば、航海中や行軍中の栄養管理および健康管理のための知識、キャプテン（船長・指揮官）を中心とした組織機構のあり方などである。また、大航海時代におけるヨーロッパ人の世界進出は、ヨーロッパにも「未知」のスポーツ文化を知らしめる契機となった。キャプテン・クックはポリネシア地域で盛んに行われていた「波乗り（サーフィン）」について報告しているし、東南アジアや中国で盛んだった「凧あげ」も、この時代にヨーロッパへ伝えられたものである。

時代は下るが、馬上のホッケーたる「ポロ」は、一九世紀半ばにイギリスの紅茶プランターたちがインド北部の山村で「発見」した伝統的な競技が原型である。つまり、この時代には「世界のヨーロッパ化」と「ヨーロッパの世界化」が同時に進行したのであり、これがサッカーに代表されるような国際的に標準化されたスポーツ形態を生む契機となったのだ。

そう考えると、イギリスは二〇世紀以後に「地球世界化」した近代的な競技スポーツの母国であり、その完成を担った点で、スポーツ史上、たいへん重要な国であることがわかる。そして、元来「気晴らし」を意味したスポーツが、「ゲーム」や、「アスレティック」といった新たな意味を獲得し、「地球世界化」した歴史過程を問い直す場合に避けては通れない国なのである。

（松井良明）

参考文献

村岡健次「『アスレティシズム』とジェントルマン――一九世紀のパブリック・スクールにおける集団スポーツについて」村岡健次・鈴木利章・川北稔編『ジェントルマン・その周辺とイギリス近代』ミネルヴァ書房、一九八七年。
ロバート・W・マーカムソン著、川島昭夫・沢辺浩一・中房敏朗・松井良明訳『英国社会の民衆娯楽』平凡社、一九九三年。
松井良明『近代スポーツの誕生』講談社現代新書、二〇〇〇年。

第V部

落日の残照——二〇世紀

ロンドンの繁華街ピカデリーサーカス

広告ネオンで有名な場所だが，広告主はすべて海外企業である。

第10章

二度の大戦

光栄ある孤立の終わり

時代が変わりつつあることを象徴するかのように、ヴィクトリア女王が一九〇一年の年初に死去したが、保護貿易か自由貿易か、というイギリスの向かうべき方向を決めるという課題はそのまま残っていた。自由貿易維持を唱えた自由党が、第一次世界大戦まで政権を維持したが、その国力のかげりから、国際舞台においてイギリスの独立独歩（「光栄ある孤立」）が許される状況ではもはやなかった。南アフリカ戦争で国際的に孤立したイギリスは、方針を転換し、一九〇二年に日英同盟を締結して、東アジアでのロシア対応を日本に任せ、日露戦争への道を開いた。

台頭するドイツに対抗するために、これまで植民地競争で争ってきたフランスと英仏協商を結んで、アフリカ分割を推し進め、さらなる植民地の確保に努めた。さらに、ロシアと英露協商を結んで、インドにいたる、ペルシア、アフガニスタンの勢力圏を確定した。こうして、すでに広い植民地を確保していた「もてる国」英仏露の三国協商が成立したが、一九世紀後半に新たに国家形成を成し遂げたばかりで、植民地をほとんどもたないドイツ・イタリア、国力の衰えを帝国の再編・改革で乗り切ろうとしていたオーストリアの三国同盟と対立を深めることになり、第一次世界大戦へとつながってゆく。

福祉国家の萌芽

二〇世紀になると、労働者階級が社会主義に向かうのを防ぐために、その不満を和らげることを目指した、のちの福祉国家へとつながってゆく政策が打ち出された。一九〇六年には労働争議法で労働者のストライキ権が認められ、一九〇八年には老齢年金法が制定された。一九一一年には国民保険法ができ、健康保険と失業保険の制度が整えられた。これらの福祉を支えた財源は、帝国に依存していたので、これらの社会政策を「社会帝国主義」と呼ぶ。つまり、労働者の福祉も植民地の犠牲・負担のもとに成立したのである。

こうして、福祉財源を得るためには、帝国を維持・防衛するための軍事費をも必要としたので、その負担に対応できるような新たな財政基盤が必要となった。蔵相ロイド＝ジョージは、所得税や相続性の税率を引き上げ、新たな土地課税を行おうとした。貴族院に集う地主層の反対を受けたが、世論の支持を背景に、一九一〇年に法案は成立した。また、翌年「議会法」を制定して、それまで改革の足枷になっていた貴族院の権限を弱める一方、庶民院議員に歳費を支給することで労働者階級が議員になるのを容易にした。

アイルランド自治法

二〇世紀に入ると、植民地を自治領として、帝国を再編する動きが見られた。すでに一八六七年に帝国内初の自治領としてカナダ連邦が成立していたが、一九〇一年にオーストラリア連邦が、一九一〇年には南アフリカ連邦が成立した。

しかし、一九世紀から課題であったアイルランド自治問題の解決には大きな困難があった。政府の自治法案に対して、アルスタ（アイルランド北東部）のプロテスタント組織が武装して、反対運動を展開し、シン・フェイン党など南部のカトリックとの間で内乱の危険性が高まった。一九一四年、ようやく議会でアイルランド自治法が成立するが、プロテスタントが多数派を占めるアルスタは自治法の適応外とすることが議論された。しかし、第一次世界大戦が始まると、この問題の処理はいったん停止されることになった。

自治の棚上げに対して、アイルランドでは不満が高まり、戦争中の一九一六年に、即時独立を主張して、共和主義者が「イースター蜂起」を起こした。本国政府は徹底的に弾圧し、蜂起は失敗するが、厳しい処罰に対して国際的な非難が高まり、アイルランドの独立機運はかえって高まった。

戦後、一九二〇年に「アイルランド統治法」が成立し、南部二六州は「アイルランド自由国」として自治を実現する（一九二二年）。一方、アルスタは分離され、イギリスに留まることになったが、その後も、プロテスタントとカトリックの紛争は絶えず、テロの激化のため、一九七二年には自治が停止され、直接統治とされたが、紛争は収まらず、多くの犠牲者を出し続けた。現在も事態は流動的で、北アイルランド議会が復活した一九九八年以降は、機能停止に追い込まれることもあったが、かろうじて自治を維持している。

他方、アイルランド自由国は、その後、国名を「アイルランド」（アイルランド語では「エール」）とし、全島の統一を目指す方針を打ち出したため、北アイルランドをめぐりイギリスとの関係は冷たいものになった。第二次世界大戦では、イギリスに味方せずに中立を守ったことも、イギリス政府の批判を招くことになる。一九四九年には共和国となり、英連邦から離脱した。

第一次世界大戦

三国協商と三国同盟の対立は、バルカン半島でのオーストリアとロシアの衝突が契機となって、第一次世界大戦へと展開していった。三国同盟のうちイタリアは、戦争が始まると、英仏と通じて、協商側にたって参戦した。当初は長期戦になるとは考えられていなかったが、戦線は膠着し、戦車や飛行機、毒ガスといった最新兵器が導入されたことで、戦死者は増え続けた。最終的にこの戦争でのイギリスの戦死者は七五万人に上った（第二次世界大戦でのイギリスの戦死者は一四万四〇〇〇人）。この戦争の悲惨な体験は、戦後の社会に大きな傷跡を残すことになる。

戦争遂行の過程で、イギリスでは初めて徴兵制がしかれ、食料統制や軍需生産のための労働管理などが行われた。こういった戦時体制を指揮したのが、大戦中に首相の座につき、自由・保守・労働党の連立内閣を率いた自由党のロイド＝ジョージであった。男性が兵士として戦場へ送られたため、女性の労働力が必要とされ、女性の社会進出が進んだ。その結果、一九一八年の選挙法改正で女性の参政権が初めて認められた。

戦争は、中立を守っていたアメリカ合衆国が、自国艦船へのドイツ軍の攻撃を機に参戦したことや、ドイツ国内での革命によってドイツ帝国が崩壊したことで、一九一八年、同盟国側の敗戦に終わった。戦勝国のみが集まったパリ平和会議では、戦費を賠償金で償還しようという戦勝国の思惑が強く、ヴェルサイユ条約ではドイツへの巨額の賠償金が求められ、報復を防ぐためにドイツの再軍備も厳しく制限された。結局、この過酷な賠償がドイツの復興を妨げ、かえって戦後の世界経済に悪影響を及ぼし、第二次世界大戦への道を開くことになった。

未曾有の大戦争の経験から、国際的な平和機構の設立が合衆国大統領ウィルソンによって提唱され、国際連盟が生まれた。しかし、合衆国自身が孤立主義をとる議会の反対で加盟せず、実質的な制裁機能をもたないなど、その働きには限界があり、その後の第二次世界大戦を阻止することはできなかった。

また、大戦中にイギリスは、ドイツ側にたって参戦したオスマン・トルコに対応するために、アラブ人の支援を求めて、独立国家建設を支援する取り決めを行うが、同様の支援をユダヤ人にも約束していた。この中東を舞台にした相矛盾した協定は、今日までつながる国際紛争の火種となった。

戦間期

戦争を乗り切ったロイド＝ジョージ内閣であったが、トルコとギリシアの紛争への介入をめぐって連立が崩れ、保守党内閣へと政権が変わった。しかし、自由貿易体制の見直しを打ち出した保守党は選挙に敗れ、一九二四年に、労働党のマクドナルドを首相とする労働党と自由党の連立内閣が成立した。初めての労働党の首相の誕生であったが、この内閣は短命に終わった。それでも、自由党に代わって、労働党が二大政党の一翼を担うことになったことをはっきりと示すことになった。以後、イギリスの政治は、保守党と労働党の政権争いとして展開することになる。

一九二五年、戦時中に停止していた金本位制に復帰すると、ポンド高から輸出産業や石炭産業に打撃を与えた。賃金カットなどに労働者はかつて無い規模のゼネストで抗議したが、成果を上げることはできず、かえって、ストを規制する法律などによって、労働運動への締め付けが厳しくなった。

一九二九年の総選挙では労働党が第一党となり、マクドナルドを首相とする単独政権が実現するものの、同年秋のニューヨークでの株式暴落に端を発した世界恐慌によってイギリスの産業は大打撃を受けた。財政難からの失業保険などの削減は労働組合の反発を招き、一九三一年に労働党内閣は崩壊する。その後、マクドナルドは保守・自由両党の協力を得て「挙国一致内閣」を組織し、金本位制を停止して、輸入関税法を制定し、自由貿易体制から保護貿易体制への移行がなされた。イギリス帝国による排他的な「ブロック経済圏」の構築が図られ、再び世界は「もてる国」と「もたざる国」の対立へと向かうことになる。この間、一九三一年に、帝国は「コモンウェルス（英連邦）」という形で再編されていた。それまでの、本国と植民地という従属関係ではなく、相互に対等な結びつきを目指したものである。

第二次世界大戦

世界恐慌は敗戦国ドイツの復興に深刻な影響を与え、経済破綻の混乱のなかから、ヴェルサイユ体制打破を訴えるナチスが台頭した。ラインラントへの進駐、オーストリアの併合を進めたドイツは、さらにドイツ系住民の多いチェコのズデーテン地方の割譲を求め、国際的な緊張が高まった。ドイツとの宥和を探ったイギリス首相チェンバレンは、一九三八年のミュンヘン会談でドイツの要求を認めるが、翌年にドイツはチェコスロヴァキア全土を占領し、さらにポーランドへの侵攻を開始した。ここでイギリスはドイツへの宣戦を布告し、第二次世界大戦が始まった。指導力の欠如を批判されたチェンバレンが退陣すると、チャーチルが代わって首相となり、挙国一致内閣を率いて、戦争を遂行することになる。

当初、ドイツの電撃戦の前に、イギリス・フランスなどの連合国は劣勢で、イギリス軍はヨーロッパ大陸から閉め出されてしまい、フランスも間もなく降伏した。イギリスは単独でドイツ・イタリアなどの同盟国側と戦うことを余儀なくされるが、ドイツのイギリス侵攻計画を、空軍力でかろうじて阻止した。転機が訪れたのは、一九四一年一二月の日本の真珠湾攻撃によってアメリカ合衆国が参戦した

図 10－1　空襲を受けるセント・ポール大聖堂
1940年，ドイツ軍のロンドン空襲の際，黒煙に包まれながらも奇跡的に破壊を免れた大聖堂の姿は，多くの国民の士気を高めた。
出典：Derek Keene, Arthur Burns and Andrew Saint (eds.), *St Paul's: The Cathedral Church of London 604-2004* (Yale University Press, New haven, 2004) p. 461.

図10－2　「英国祭」会場案内パンフレット
1951年にロンドン万博100周年を記念して開催された「英国祭」は，全国各地で関連の催しが行われた。

ことであった。ヨーロッパ戦線、太平洋戦線ともに合衆国の物量作戦が力を発揮し、ソ連にまで戦線を拡大していたドイツは守勢に回ることになる。一九四五年五月ドイツが降伏し、八月には日本が降伏、連合国の勝利で戦争は終結した。

すでに、合衆国の参戦以前にチャーチルと合衆国大統領ルーズベルトは「大西洋憲章」を発表し、戦後の国際秩序についての構想を示していた。それに基づいて作られたのが国際連合である。

戦後のイギリス

戦争を勝利に導いたチャーチルではあったが、ドイツ降伏後に行われた総選挙では敗北し、アトリーを首相とする労働党内閣が成立した。鉄道や石炭産業など基幹産業の国有化を公約に掲げていたアトリーは、終戦後、その政策を実行に移し、さらに「ゆりかごから墓場まで」という標語で知られる福祉政策を進めていった。

戦争の負担から、もはや帝国の維持はむずかしくなったため、戦後、インドやパキスタン、ビルマ、セイロンなどが、次々に独立していった。第一次世界大戦時からの課題であった中東問題も、委任統治権を国連に返還し、イギリス軍はパレスチナから撤退した。その直後、第一次中東戦争が勃発し、紛争は今日まで続くことになる。

戦争での消耗が激しかったイギリスは、戦勝国でありながら、物資の不足が続き、食料などの配給制も続いた。ようやく落ち着きを取り戻し始めた一九五一年には、ロンドン万博一〇〇周年を祝う「英国祭」がロンドンをはじめとして各地で開催されたが、それは一〇〇年前のようなイギリスの繁栄を誇示するような催しではなく、過ぎ去った帝国の残照のようなものとなった。

一九五六年、エジプトのナセル大統領がスエズ運河の国有化に踏み切ると、イギリスはフランスとともに出兵し、エジプトと戦争になったが、国際的な非難を受けて撤退を余儀なくされたことも、イギリスの国際舞台での力の衰えを示すことになった。一九五八年にはヨーロッパ経済共同体（EEC、のちにヨーロッパ共同体＝EC）が発足するが、旧帝国（コモンウェルス）とのつながりを重視するイギリスは、その動きに取り残された。しかし、一九六〇年代半ばまでに、アフリカやアジアの植民地が次々と独立していき、もはや頼るべき帝国は存在しなくなっていた。その後、ECへの加盟を申請しても、イギリスの影響力を危惧したフランスの反対によって認められず、イギリスがECへの加盟を認められるのは一九七二年のことである。

しかし、そのころのイギリスは、貿易不振、インフレ、ポンドの下落、失業、頻発するストライキなど、問題が山積していた。その凋落ぶりは「英国病」として知られるが、近年、この時期のイギリスが実際に「衰退」していたのかについては議論もある。

サッチャーとブレア

一九七八年冬には、大規模なストライキによって社会生活が混乱を極め、翌年の総選挙では、それまでの福祉政策や政府による公共投資での景気刺激といった経済政策を真っ向から否定したサッチャー率いる保守党が勝利した。国営企業の民営化が進められ、労働組合への容赦ない締め付けなど、いわば、二〇世紀の福祉国家を否定し、一九世紀的な自由放任政策への回帰を目指すものであったが、貧富の格差拡大や企業倒産が相次いだ。人気を失ったサッチャーを救ったのが、アルゼンチンとの戦争（一九八二年）である。南大西洋のフォークラ

図10－3　ブレア首相への抗議
2003年3月に，ブレア政権は，政権内外の反対を押し切る形で，合衆国のブッシュ大統領とともに，イラクへの攻撃を始めた。すぐに抗議行動が広がった。この写真は，議事堂前での抗議のデモンストレーション。

ンド諸島の領有を主張するアルゼンチンが侵攻すると、サッチャーは軍隊を派遣し、勝利を収めた。この勝利で国民の支持を取り戻したサッチャーは、その後も政権を維持するが、医療への市場原理の導入や水道・電力の民営化といった行き過ぎた市場主義に批判も高まった。所得にかかわらず、世帯人数に応じて地方税を課す「人頭税」の導入は全国に反対運動を巻き起こし、欧州連合（ＥＵ）や欧州共通通貨（ユーロ）などの検討が進むなかで、参加への消極的な姿勢は与党内からも批判され、サッチャーは退陣を余儀なくされた。

後継のメジャー首相のもとで、政策の修正が図られるが、保守党の支持率は低下を続けた。一九九七年の総選挙では、硬直した産業国営化路線を捨てた「新しい労働党」を唱えるブレアの率いる労働党が歴史的な大勝利を収めた。ブレア政権のもとで、スコットランドとウェールズに大きな権限をもった独自の議会を設けることが住民投票で実現し、一九九九年から開設された。スコットランドにとっては、一七〇七年の合同以来の独自議会の復活であった。九九年には貴族院の改革が行われ、世襲貴族の議席が大幅に削減された。その後、貴族院がもっていた裁判の最終審裁判所としての機能が分離され、最高裁判所が新設された（二〇〇九年）。

ブレア政権は、二〇〇一年のアメリカ同時多発テロでは、合衆国やフランスなどとともにアフガニスタン攻撃を行い、二〇〇三年に始まるイラク戦争でも、合衆国と行動をともにした。このイギリスの積極的な支援は、政府内にも批判が広まり、閣僚の辞任が相次いだ。のちには、イラク戦争の正統性が疑問視され、首相退任後のブレアの証人喚問も行われた。こうして、イギリスはイスラーム過激派との戦いの当事者となったが、その結果、二〇〇五年にはロンドンでアルカイダによる同時爆破テロが起こった。この事件ののち、イギリス国内におけるイスラーム教徒への警戒感が強まり、それまでの多文化主義的な流れが後退し、社会不安を高める結果となった。

イラク戦争への批判などから人気の衰えたブレアは二〇〇七年に退陣し、ゴードン・ブラウンが首相となるが、労働党への支持は低迷した。二〇一〇年の総選挙で労働党は大敗するものの、単独過半数を得た政党はなく、保守党と自由民主党の連立政権（キャメロン首相）が誕生した。

スコットランド独立とEU離脱

スコットランドの独立を訴えるスコットランド国民党（民族党）が躍進していたスコットランドでは、独立を求める動きが活発になっていた。独立反対派が優勢であるとみたキャメロン首相は、二〇一四年に独立の是非を問う住民投票の実施に踏み切り、独立賛成四五％対反対五五％で独立支持派が敗れた。

スコットランドの独立は抑えることができたが、EUからの離脱も大きな政治問題となり、EU残留を問う国民投票が二〇一六年に実施された。経済的な損失を訴える残留派に対し、離脱派は移民問題と国の「主権回復」を訴えた。結果は、事前の大方の予想に反して離脱支持が多数となった。キャメロン首相は退陣し、EUとの交渉は後続のメイ首相が担うことになった。しかし、国内の合意形成は混迷をきわめ、結局、離脱案をまとめることができなかったメイ首相は二〇一九年に退陣し、離脱強硬派のジョンソン首相が就任した。

離脱支持と離脱延期で分裂する議会、多数派を納得させる離脱案を提示できない首相、といった政治の迷走は、スコットランド独立問題も合わせて、イギリスという国のあり方が、今、重大な岐路にあることを示している。

歴史の扉
11

戦争の英雄と戦没者の顕彰

国民形成と戦争の記憶

イギリスの歴史家リンダ・コリーは、ロング・セラーとなった『イギリス国民の誕生』において、イギリスの国民意識（ブリティッシュネス）の形成を考察するにあたり、宗教（広義のプロテスタンティズム）や帝国と並んで、長い一八世紀の対仏戦争という要因を重視した。彼女によれば、イギリス国民という「想像の共同体」とは、「何よりも戦争がつくり出したものであった」。またコリーは、同書のなかでこうも述べている。「イギリス文化とは、戦争になじんだ文化であり、おおかた戦争によって自己を規定してきた文化なのである」。それでは、戦争における功績から英雄と称賛された陸海軍の士官たち、あるいは祖国のために生命を捧げた兵士たちの存在とは、イギリスの国民意識やナショナリズムの問題を考える上で、どのような意味があったのだろうか。

近年の歴史学では、記念日やモニュメント、それらに付随する儀礼や行事といった記念・顕彰行為が重要なテーマとして議論されている。記念行為を通して、歴史的な人物や事象が意味づけられるだけでなく、その記憶をめぐる表象や言説が継承され再生産され、ときには歪曲・忘却されるプロセスが、おもに国民形成の問題との関係から、批判的に考察されるようになったのだ。こうした歴史学は、一般に「記憶の歴史学」や「コメモレイションの歴史学」と呼ばれる。以下では、近代イギリスにおける戦争の英雄や戦死者への記念・追悼がもつ意味を考えるために、様々な集団や共同体の記憶が根づく場として、著名な軍人や戦没者のモニュメントを取り上げることにしたい。

一八世紀の状況

長い一八世紀においてイギリスは、アメリカ独立戦争を例外として、すべての戦争でフランスに勝利を収めた。この時代の戦争の英雄として著名なのは、陸軍ではウィンストン・チャーチルの祖先であるモールバラ公やジェイムズ・ウルフ将軍、海軍ではエドワード・ホークやジョージ・ロドニのような提督たちであろう。しかし、こうした英雄たちのモニュメントは、ロンドンをはじめ、イギリスの各都市にはほとんど建立されていない。国王もそうだが、この当時、屋外の公共空間に著名人を記念するモニュメントが建立されるのは、ごくまれなことであった。

一八世紀において、著名人の記念の場として機能していたのは、ロンドンのウェストミンスター寺院である。歴代国王の戴冠式が挙行されるなど、イギリス王室と関係が深いこの教会には、たしかに数多くの陸海軍士官のモニュメントが建立されている。しかし生前に優れた功績をあげたという理由で、軍人たちがここで顕彰されたというわけではなかった。むしろその多くが、故人の死後、遺族が建立したもので、モニュメントを通じて、家門や愛国心の誇示をねらいとしたものであった。こうした状況にあって、数少ない例外は、ジョウゼフ・ウィルトンが制作したウルフ将軍のモニュメントである。これは、ケベックにおける勝利とひきかえに戦死した将軍を記念するために、大ピットの提案により議会が建立を決議したものである。ベンジャミン・ウェストの絵画「ウルフ将軍の死」と同様に、このモニュメントにおいても、ウルフがイギリス国民や帝国の殉教者として表象されているのを見ることができる。

イギリスの軍人のパンテオンの創出

近代イギリスにおける戦争の英雄の顕彰という問題を考える上で、一八世紀末から一九世紀初頭のフランス革命・ナポレオン戦争時代は、大きな画期をなしている。その理由のひとつには、政府や議会の主導により、ロンドンのセント・ポール大聖堂に陸海軍の英雄を記念するためのナショナル・モニュメントが数多く建立されたことがある。ここでは、軍人が集合的に顕彰されるという意味で、大聖堂の一連のモニュメントをさして、軍人のパンテオンという用語を使いたい。

一七九三年から一八二三年までの三〇年間に、議会が国費による建立を認めたモニュメントの数は、計三七体に達した。一七九二年以前は計四体、一八二四年以後は計八体しか議会で建立が認められていないことから、フランス革命・ナポレオン戦争時代の議会による顕彰行為は、きわめてユニークなものだった。また、モニュメントの置かれた空間という点でも同じことが当てはまる。先述したウェストミンスター寺院には四体のモニュメントが設置されたのに対して、その当時ようやく著名人のモニュメントを受け入れるようになったセント・ポール大聖堂には、軍人のモニュメントばかりが三三体も設置されたのである。

セント・ポール大聖堂に建立された軍人のモニュメントとは、海軍であれば大佐以上、陸軍であれば少将以上の位階をもつ高級軍人を記念するためのものだった。彼らの多くは、議会の感謝決議の対象となった戦闘で司令官として戦い、戦死したことでモニュメント建立の対象となったほか、ハウ提督やロドニ提督のように、生前の傑出した功績から、没後に記念されることもあった。

こうしたモニュメントの建立にあたっては、一八〇二年に大蔵省内に設置された国民記念碑設立委員会、通称「審査委員会」が、彫刻家の選定や制作の過程、その配置場所などを監督することになった。その議長を務めたのは、首相ウィリアム・ピットの友人の政治家・官僚で、美術蒐集家として知られたチャールズ・ロングであった。また、軍人のモニュメントのほとんどが、ジョン・フラクスマンやリチャード・ウェストマコットに代表される王立美術院の彫刻家によって制作された。

ネルソンとウェリントンのモニュメント

セント・ポール大聖堂の軍人のパンテオンにおいて、その中心をなしたのが、日本でも著名なナポレオン戦争の二人の英雄、ホレイシオ・ネルソン提督とウェリントン公の墓である。ネルソンは一八〇六年に、ウェリントンは一八五二年にセント・ポール大聖堂で国葬をもって弔われ、前者は大聖堂地下祭室の中央に、後者はその東隣に埋葬された。また彼らは、墓だけでなく、モニュメントも建立され記念されている。その後は、歴史家エリック・ホブズボウムのいう「創られた伝統」のひとつとして、著名な軍人の葬儀がセント・ポール大聖堂で行われるだけでなく、とりわけネルソンの墓の周囲に遺体が埋葬されるようになった。

イギリスを代表する国民的英雄であるネルソンとウェリントンの場、セント・ポール大聖堂だけでなく、連合王国各地でモニュメントが数多く建立された。このことが、戦争の英雄の顕彰について考える上で、フランス革命・ナポレオン戦争時代が大きな画期をなしたもうひとつの理由としてあげられよう。一九世紀前半の当時から、ロンドンだけでなく、リヴァプールやバーミンガム、エディンバラ、グラスゴー、ダブリンといったイギリス諸島の主要都市で、彼ら二人を記念するモニュメント建立の動きがこぞって見られたのである。これも、先の時代には例を見ない現象であった。

このようなモニュメントの建立事業は、多くの場合、各都市を中心にした公開募金により進められたため、国民というよりはむしろ、その都市や地域のアイデンティティの表れと見なされることが多い。もっともそれが、一都市や地域を越えた公開募金により建立されることもあった。その例のひとつが、ロンドンのハイド・パークに建立されたアキレス像である。これは、ウェリントンを記念するために、スペンサ伯夫人の発案のもと、「イングランドの女性」の募金によって、ウェストマコットが建立したものである。だが、女性の募金で建立されたにもかかわらず、裸像というそのデザインが物議をかもしたことでも知られている。

もうひとつの例が、数あるネルソンのモニュメントのなかでももっとも有名な、ロンドンのトラファルガー・スクエアに建立されたネルソン記念柱である。首都の景観・公共空間の整備事業と関係しつつ、モニュメント建立のため、一八三〇年代後半から全国規模の公開募金が開始された。しかし、モニュメントの規模やデザインへの批判などから、募金が十分に集まらず、財政難に陥り、建立がたびたび停滞することもあった。エドワード・ベイリによるネルソン像が石柱に設けられたのは一八四三年のことだが、四体のレリーフと獅子像が追加され、最終的に完成するのは、一八六七年を待たねばならなかった。

その後、トラファルガー・スクエアは、ヘンリ・ハヴロック将軍やチャールズ・ジェイムズ・ネイピア将軍、チャールズ・ゴードン将軍といった英雄たちのモニュメントも建立されたことで、首都の中心にあって、ネルソンをはじめイギリス帝国の戦争で活躍した英雄を記念するという特徴を備えるにいたった。現在でも、毎年一〇月二一日のトラファルガー記念日には、ネルソンの功績とトラファルガー海戦の勝利を称えて、記念式典が催されている。

追悼の「民主化」

ここまで見てきたのは、ネルソンやウェリントンのような著名な戦争の英雄が記念された例であった。これに対して、イギリスでは、彼らのような司令官ではなく、一般の兵士の功績や死はいつから、またどのように記念されたのだろうか。

イギリスでも、士官だけでなく一般の兵士も記念の対象に含めようとする動きがなかったわけではない。たとえばナポレオン戦争の直後、トラファルガーとワーテルローの戦いに参加した全将兵を記念するために、議会において戦争記念碑の建立がそれぞれ決議されたものの、戦後の深刻な不況や政治・社会不安のため、結局建立が実現することはなかった。また、一八二四年の国王ジョージ四世のエディンバラ巡幸の際に、建立式典が行われたカールトン・ヒルのナショナル・モニュメントも、ナポレオン戦争の勝利と戦死者全体に向けられた戦争記念碑と見なすことができるだろうが、こちらも完成することはなかったのである。

陸海軍の将官や将校だけでなく、下士官や一般兵士もモニュメントで記念されるようになったのは、一八五四年から五六年にかけてのクリミア戦争を契機としていた。シテ

図1　近衛旅団記念碑（ロンドン）
出典：筆者撮影。

ィズンシップの拡大や男らしさの規範の変化に伴い、一八世紀では否定的だった一般兵士のイメージが、「キリスト教戦士」といった肯定的なものに変化したことがその背景にある。

そうしたモニュメントの代表例のひとつが、ロンドンのウォータールー・プレイスに設置され一八六一年に除幕された近衛旅団記念碑である。これは、クリミア戦争でロシア軍より捕獲した大砲から鋳造された三体の近衛旅団兵士の像と、「名誉」を意味する女性像から構成されたもので、台座背面の碑文には、クリミアで没した近衛旅団の士官や下士官、一般兵士二一六二名を追悼するために、彼らの戦友がこのモニュメントを捧げたことが記されている。のちに一九一五年には、このモニュメントの左右前方にクリミア戦争ゆかりの人物、フローレンス・ナイティンゲールとシドニ・ハーバートの銅像が設置され、クリミア戦争を記念する場という性格をより強めたのである。

クリミア戦争期の戦死者の追悼をめぐる変化は、イギリスの軍人のパンテオンであるセント・ポール大聖堂でも確認される。クリミア戦争で戦死したジョージ・キャスカート将軍とアーサー・ウェルズリ・トレンス将軍のモニュメントだけでなく、騎兵師団、コールドストリーム近衛歩兵連隊、第七七（東ミドルセクス）連隊の将兵を記念するモニュメントがそれぞれ建立されたのである。さらに第七七連隊に関していうと、一八七〇年代には連隊の礼拝堂が大聖堂に献堂されている。

図2　セノタフ（ロンドン）
出典：筆者撮影。

このように、連隊規模で将兵を記念・追悼する傾向は、一九世紀後半以降、大聖堂や教区教会の内部に捧げられたモニュメントから、都市の公共空間に設置された比較的規模の大きなものまで、イギリス各地で見られた。一般兵士への認識や評価の変化に加えて、この時代に行われた一連の軍政改革、とりわけ一八七二年のカドウェル改革によって、兵士の動員などの点で、連隊が特定の都市や州に基盤を置き、結びつきを強めたことが、追悼の「民主化」をいっそう促したのである。

世界大戦の追悼記念碑

未曾有の戦死者をもたらし、政治・経済・社会などあらゆる面で大きな衝撃を与えた第一次世界大戦は、英雄や戦没者追悼のあり方を考える上でも、ナポレオン戦争やクリミア戦争以上に、重要な意味をもっている。現在、ロンドンをはじめ、イギリス各地のいたるところで、大戦の戦没者追悼記念碑が建立されていることが、そのことを何よりも示している。同時にそれは、一九世紀後半以降の戦争の英雄と戦没者追悼における「民主化」の帰結ともいえた。

第一時世界大戦の戦没者に対する国民規模のモニュメントとしてあげられるのは、セノタフと無名戦士の墓である。まずセノタフとは、ギリシア語で「空の墓」を意味する言葉で、一九一九年七月の平和祝典の際の軍事パレードにおいて、敬礼の対象としてホワイトホールに設けられた仮設構造物に本来はすぎなかった。しかし、恒久的な記念碑として建て直され、翌一九二〇年一一月一一日の休戦記念日に国王ジョージ五世によって除幕されたのである。キリスト教的あるいは愛国主義的な表象が排された簡素なデザインで、わずかに「栄誉の死者（The Glorious Dead）」という碑文が刻まれている。

セノタフの除幕後、ウェストミンスター寺院において、国王や閣僚、陸海空軍の代表者や遺族らの列席のもと、無名戦士の埋葬式が行われた。ナショナリズム論の古典的名著『想像の共同体』の著者であるベネディクト・アンダーソンが指摘するように、一体の匿名の遺体を戦場から首都ロンドンに移送し、それをもってイギリスの全戦死者を表象することで、無名戦士の墓は、国民をめぐる人びとの想像力をかきたて、強い求心性を得たことだろう。もっとも、すでに数多くの著名人のモニュメントや墓が乱立していたウェストミンスター寺院では、戦没者を追悼する儀礼のために十分なスペースを確保できなかったので、セノタフのほうが、休戦記念日の式典の中心となったのである。

むろん、第一次世界大戦後においても、これまでと同様に、戦争の英雄として著名な軍人を記念しようとする動きがなかったわけではない。ホワイトホールやトラファルガー・スクエア、近衛連隊本部周辺に、第一次世界大戦時の著名な陸海軍司令官の騎馬像や銅像、胸像が数多く建立された。なかでも、国民規模のモニュメントとしてあげられるのが、大戦中の陸軍大臣で一九一六年に戦死したホレイシオ・キッチナー元帥を記念するために、セント・ポール大聖堂に設置されたキッチナー記念礼拝堂である。彼の横臥像を中心に、聖ジョージや聖ミカエルなどの像から構成されたこの礼拝堂は、セノタフとは対照的に、キリスト教的な表象を特徴としている。また大聖堂には、ユトラント海戦の司令官、ジョン・ジェリコーとデイヴィッド・ビーティの両提督も葬られている。追悼の「民主化」が進んだとはいえ、セント・ポール大聖堂で戦争の英雄を記念するという「伝統」が廃れたわけではなかったのである。

イギリスの市町村や教区のような地域共同体規模でも、戦没者追悼記念碑は建立されたほか、スコットランドとウェールズでは、第一次世界大戦の戦没者を追悼するナショナルな戦争記念碑がそれぞれ建立されている。前者はエディンバラ城内に設けられたスコットランド国民戦争記念碑、後者はカーディフのキャセイズ・パークのウェールズ国民戦争記念碑で、いずれも王太子（のちのエドワード八世）によって除幕された。

ところで、第二次世界大戦の場合は、第一次世界大戦のように、イギリス各地で戦没者を追悼するモニュメント建立の動きは見られなかった。すでにある第一次世界大戦の追悼記念碑に、第二次世界大戦の戦死者などの記録が追加されているのが一般的である。また戦後、第二次世界大戦の間中止されていた休戦記念日の行事が復活するとともに、一九四六年には、第一次世界大戦の休戦記念日の直前の日曜日が戦没者追悼記念日と定められ、両大戦の戦没者が追悼されることになった。現在でも多くのイギリス人たちが、毎年の戦没者追悼記念日において、プラスティック製の赤いポピー（芥子の花）を胸につけているだけでなく、それをモニュメントに捧げることで、大戦の戦没者に哀悼の意を表しているのを目にすることができる。

近代イギリスにおける戦争の英雄と戦没者の追悼について、簡単ながら、モニュメントを中心に概観してきた。一方では、一般兵士を記念・追悼の対象に含めようとする「民主化」が全体の基調をなしているものの、他方では、ネルソンのような著名な軍人を英雄として記念する「伝統」が続いているのも確かである。こうした記念・顕彰行為における連続と変化の側面に留意しつつ、戦争と国民形成の問題をあらためて考えることで、イギリスの歴史と文化をより深く理解することができるだろう。

（中村武司）

参考文献

ジョージ・L・モッセ著、宮武実知子訳『英霊——創られた世界大戦の記憶』柏書房、二〇〇二年。
小島崇「近代イギリスにおける戦争の記念・顕彰行為——対仏戦争～第一次世界大戦の記念碑」若尾祐司・羽賀祥二編『記録と記憶の比較文化史——史誌・記念碑・郷土』名古屋大学出版会、二〇〇五年。
中村武司「ネルソンの国葬——セント・ポール大聖堂における軍人のコメモレイション」『史林』九一巻一号、二〇〇八年。

歴史の扉
12

ナショナル・トラストにみる「イギリスらしさ」

ナショナル・トラストとは

歴史的建造物や景勝地を国民が利用し、楽しむための資産として保持することを目的に始まったナショナル・トラストの活動は、日本でも広く知られるようになってきた。トラストとは、ロンドンのスラムにおける住宅改良運動などを成功させ、当時の女性としては異例の社会的影響力をもったオクタヴィア・ヒル、都市住民のレクリエーション用地としてオープン・スペースを守る活動に取り組んだ弁護士ロバート・ハンター、湖水地方における鉄道建設反対運動を指導した牧師ハードウィック・ローンズリィの三名によって一八九五年に設立されたボランタリー団体である。彼らの人脈を基盤に、トラストを運営する評議会には、議員、大学教授やジャーナリストなど知的専門職層、地主貴族層が集まった。

創設時は一〇〇名であったトラストの会員数は、二〇一〇年までに三七〇万人以上に増加し、今やイギリス最大の環境保護団体となっている。トラストは、会費や会員以外からの寄付により購入したり、所有者から譲渡されるなどして獲得した資産を一般に公開してきた。こうした資産には、年間五〇〇〇万人以上が訪れているという。そのなかには、『ピーター・ラビットのおはなし』の舞台として日本人観光客の間でも人気の高い湖水地方や、「イギリスでもっとも美しい村」が点在するコッツウォルズなども含まれている。

トラストが評価されている点は大きく分けて二つある。ひとつは、トラストの活動目的である。祖先から伝わるイギリスの歴史や文化、すなわち「イギリスらしさ」を守り、次世代に引き継いでいこうとするトラストの精神は、イギリスから学ぶべきものとして賞賛されている。もうひとつは、活動のあり方である。トラストは、一九世紀末のイギリス社会に普及していた自発的結社のひとつとして設立され、今日まで政府や地方自治体から独立した民間団体として多くの成果を上げてきた。公的機関の援助に依存しない、多くの一般市民が参加する環境保護活動の成功例として関心が寄せられている。

ここで、いくつかの問いが浮かび上がってくる。イギリ

図1　B・ポッター『ピーター・ラビットのおはなし』表紙

ス人は、なぜ「イギリスらしさ」を守ることに熱心なのだろうか。そもそも、「イギリスらしさ」とは何だろうか。また、自発的結社とはどのようなものか。ナショナル・トラストの名称にある「ナショナル」は、「国家の」ではなく「国民の」という意味で使われているが、この「国民」とは何を指すのだろうか。これらの問いに答えることによって、二〇世紀イギリスの社会・文化の特質を読み解き、その変容のひとつの局面を明らかにしてみたい。

「イギリスらしさ」とナショナル・アイデンティティ

　まず、イギリスの歴史や文化を守ろうという動きがなぜ前世紀転換期に誕生し、どのように展開していったのかを考えてみよう。トラストは、歴史的建造物や景勝地に「わが国をつくりあげてきた祖先や偉大な過去の出来事を思い起こさせる場所」という意味づけをし、「国民の遺産」として保存する活動を始めた。トラストの中枢を担ったエリート層は、こうした歴史を思い起こさせる空間に愛国心を喚起し、国民の一体感を促進する装置としての効果を期待したのである。『創られた伝統』のなかでエリック・ホブズボウムが指摘するように、前世紀転換期に国民という集団的アイデンティティを創造、強化するために共通の過去を創り出そうとする動きが活発になったが、トラストの活動もその一環と考えられる。

　この時期にナショナル・アイデンティティの強化が求められるようになった背景には何があるのだろうか。まず挙げられるのは、社会構造の変化である。一八七〇年代から続く農業不況の影響で、伝統的な地主階級中心の支配体制が動揺し始めた。一方で、一八六七年と八四年の選挙法改正によって労働者階級の上層部にも選挙権が与えられ、彼らを取り込む形でイギリス社会を統合しようとする動きが強まったのである。さらに、アイルランド自治問題などイギリスからの自立を志向する非イングランド系民族の動向や、欧米諸国におけるナショナリズムの高揚もあった。

　こうした状況のもとで、イギリスの国民統合が遅れているのではないかという危機感がエリート層の間で広がっていたのである。トラストのメンバーも、記念式典や歴史的建造物によって愛国心を育てているドイツやフランスに比べて、イギリスは歴史を反映する場所への興味や愛国心を喚起する行為を怠っていると指摘するなど、たびたび危惧を表していた。

ナショナル・アイデンティティに対する危機感と社会がもつ「衰退」感との結びつきが指摘されるが、トラストが創設された前世紀転換期は、ドイツやアメリカの台頭により、世界におけるイギリスの絶対的優位性が危ぶまれ始めた時期であった。二つの世界大戦を経て、「英国病」と呼ばれた長期の経済停滞に苦しみ、「イギリス衰退論」が盛んに論じられるようになった一九七〇年代には、ナショナル・アイデンティティの危機は、ますます重大な問題として問い直されるようになったといえよう。

第二次世界大戦後、帝国の解体を経験したイギリスは、大陸ヨーロッパとアメリカの間で自国のアイデンティティを模索し続ける歴史を歩んできた。国内に目を向けると、一九九九年にウェールズ、スコットランド両議会の制定など権限委譲がなされ、各ネイションを統合するイギリスという枠組みが問われている。つまり、現代のイギリス社会が直面するアイデンティティの揺らぎという問題は、前世紀転換期よりもはるかに深化しているといえよう。イギリスであることとは何を指すのか、イギリス人とは何か、という問題が近年のイギリス史研究で盛んに議論されてきたのは、イギリスが置かれている今の状況と深く関わっているのである。今日、「イギリスらしさ」を守るというトラストの活動が社会に支持を広げていることと、ナショナル・アイデンティティに対する危機感は決して無関係ではないのである。

トラストとイギリスの自己イメージ

トラストは、イギリスらしさの表象としてどのような場所を選んだのだろうか。そこからトラストが創り出そうとした過去のイメージやナショナル・アイデンティティのあり方が見えてくる。当然、何を「イギリスらしい」と定義するかは、その時代の社会状況によって変化してきた。また、トラストが示した「イギリスらしさ」に対する評価も時代によって異なる。

創設期のトラストが資産として獲得した、あるいは資産にならずとも保存に関わった場所のなかには、ネルソン提督ゆかりの地キューミン・ヒルなどイギリスの偉人を記念する空間や、一四世紀に建てられた牧師館、エリザベス時代のギルド・ホールなどの歴史的建造物があった。景勝地の場合、単に自然景観が美しいばかりでなく、イギリスの歴史を表象する場所であることが重視された。たとえば、湖水地方は、風光明媚で有名な湖水地方は、景勝地としての美しさに加えて、古代ローマの要塞の遺跡やドルイド・サークル（古代の環状列石《ストーンサークル》）が残っていること、ウィリアム・ワーズワースらロマン主義文学者とのつながりが深いことも保存の理由として重要であった。

図2　湖水地方のストーンサークル

　トラストが関わった場所はイングランドに限定されず、ウェールズ、スコットランド、アイルランドも含まれていた。たとえば、スコットランドにあるローマ人侵入の最北端の境界を示すアントニヌスの城壁、聖パトリックがアイルランド王をキリスト教に改宗させたとされるタラの丘などがあった。トラストの中枢はイングランド人のエリート層でほぼ占められていたが、先住民ケルト人、ローマ人の侵入、ノルマン人による征服などは、イギリスにおける民族融合の過程として捉えていた。彼らは、アングロ・サクソンの歴史文化のほうがケルトのそれよりも価値が上であるといったケルト文化蔑視の風潮を批判し、あくまでも、イギリスを構成するすべての景勝地や歴史的建造物に同等の価値を認めるという姿勢をとった。つまり、連合王国としてのイギリス内に共通の過去を創出し、国民の一体感をもたらすことを目指していたといえる。

　しかし、ナショナル・アイデンティティのあり方に関する見解は、トラストのメンバー内でも二分されていた。ひとつは、イギリス国内の地域ごとの差異は認めつつ、将来的には融合が進み、イギリスという一つのネイションになるという見方である。もうひとつは、スコットランド、アイルランドというナショナリティとイギリスというより大きなナショナリティは共存するという二重のナショナリティ論である。トラストに参加した前世紀転換期のエリート層は、二つのアイデンティティのあり方の間で揺れ動いていたと考えられる。

　第一次世界大戦後になると、トラストをめぐる状況は大きく変わった。まず、一九二二年にアイルランド自由国が成立したことにより、ダブリンにあった支部との関係が断たれた。一方、スコットランドでも、一九三一年に別組織としてスコットランド・ナショナル・トラストが設立された。これ以降、ロンドンに本部を置くトラストのナショナル・アイデンティティの枠組みは、事実上イギリスからイングランドに収斂していくことになった。

　一九三〇年代からトラストが力を注ぐようになったのは、イギリスの伝統的な支配階級であった地主貴族の邸宅、カントリーハウスの保存である。これには、付属する広大な庭園や農地も含まれている。前世紀転換期から不動産に相続税と累進課税が導入されたことにより、大土地所有制度が崩壊し始め、資産を手放す地主が増えた。トラストは、彼らが維持できなくなったカントリーハウスを相続税の免除などの優遇措置をとって資産として獲得した。彼らは一定期間、邸宅を一般公開することを条件にそのまま住むことを許されたため、第二次世界大戦後、ますます多くのカントリーハウスがトラストに集まるようになった。

カントリーハウスを含め田園を愛する国民文化がイギリスの経済衰退の要因であると指摘したのが、マーティン・ウィーナの『英国産業精神の衰退』である。彼の解釈は「イギリス衰退論」とも相まって多くの歴史家に影響を与え、ノスタルジックな、ステレオタイプ化された田園イメージが構築されていった。トラストをはじめイギリスの歴史的景観を国民の遺産として保存する活動は、経済的衰退という厳しい現実から目をそらし、過去を理想化し、回帰したいと望む後ろ向きの価値観を醸成して、衰退の風潮をより悪化させると批判を受けた。カントリーハウスの保存にしても、かつての支配階級の遺産を国民の遺産と読み替えることであるとみなされ、地主が支配した伝統的な農村生活を理想化する反動的なものと非難されていた。

しかし、イギリスが経済的衰退を抜け出した一九九〇年代後半以降、ウィーナの示した田園イメージの偏りや一面性が批判を受け、再考されるとともに、国民の過去への関心をどう捉えるかについても読み替えられている。今やカントリーハウスは、国民文化として人びとが享受するもののひとつと考えられ、地主貴族がその保護者という役割を担っていることに批判的な声は少なくなった。トラストが社会に示してきたのは、イギリスがこれまでたどった歴史を称賛するものであり、だからこそ未来へ継承されていくべきだという前向きな、理想化されたイギリスの自画像であった。今日では、トラストが創出するイギリスの過去と国民の求める過去が合致し、それが肯定的に評価されるようになったといえよう。というのも、こうした歴史のイメージが、ナショナル・アイデンティティのあり方に揺れ動く現在のイギリス人の誇りや愛国心を支える役割を果たしているからであろう。

トラストの保護する景観は、まるで「イングランド・ランド」ともいうべきテーマパークのようだと揶揄する声もある。芝生と花々で飾られた英国式庭園と邸宅、緩やかな緑の丘陵と小川や湖のある景観など、観光客が思い浮かべるイギリスらしさは、イングランドらしさの表象と重なる場合が多い。「ハリー・ポッター」シリーズや「日の名残り」、「いつか晴れた日に」などイギリスを舞台にした映画の撮影地としてトラストの資産がよく利用されることからも明らかなように、トラストは、国内外に向けて「古きよき本物のイギリスに触れる場所」を公開することで、「歴史と伝統を重んじる国イギリス」というイメージを誇示しているといえよう。

自発的結社としてのトラスト

トラストが設立された前世紀転換期は、何らかの結社に関わる社会層がかつてない規模で広がった時代だった。結社へ自発的に参加すること、つまり、ある目的のために積極的に自分の時間を割くという行為は、当時のイギリス社会の担い手としてふさわしい市民的美徳を備えていることを証明するという意味をもった。

前世紀転換期とは、様々な社会問題に対する取り組みが、個人的な自助の重視から国家による支援に移行し始めた時代だった。そのなかで結社は、国家や地方自治体が取り組むべき社会問題の所在をいち早く明確にし、公的権力がとるべき道を方向づけるという役割を担っていたのである。ここでは自発的結社としてのトラストの活動を分析することで、その社会的役割や存在意義を考えてみよう。

トラストは公的権力から独立していたが、活動に必要な法的援助については、トラストの評議会メンバーである議員の影響力を行使して積極的に求めた。ただし、フランスやアメリカのように国家が歴史的建造物や景勝地の保護に莫大な公金を費やし、強制的に購入するやり方には批判的であった。イギリス社会で望ましい方法とは、あくまでも個人の自発的な意志によって行われるべきものであり、国家はそうした自発性を促すために法的援助をすべきというのがトラストの方針であった。

すでに述べたように一九世紀末からの農業不況や相続税法の改正により、地主階級の経済状況が悪化し、土地を手放す者も出てきた。トラストは評議会メンバーである地主貴族のネットワークを通じて働きかけ、資産を入手することがしばしばあった。こうした場合、トラストの年次報告書や新聞などで寄贈者の氏名を公表し、「自発的な公共心」を称賛することで、寄贈者の名誉となるようにした。

トラストは、土地をもたぬ人びとに対しても自発的な協力を求めた。トラストの会員として、あるいは会員にならずともトラストに寄付することで国民の遺産を守るという活動に参加する人びとに、よき市民としての自負を与え、イギリス国民というアイデンティティを強めるというのが、トラストのねらいであった。トラストの中枢であるエリート層は、会員の大半を占める中産階級ばかりでなく、労働者階級も「国民」のなかに取り込もうとした。

こうしたエリート層の意図に対し、労働者階級はどう反応しただろうか。この点を明らかにするために、会員以外から多額の寄付を集めた湖水地方のケースをみていこう。一九〇一年のブランデルハウ・パークと一九〇四〜〇六年のガウバロウ・パークの購入資金はきわめて高額であり、通常の会費収入で賄えるものではなかった。そのためトラストは富裕層に寄付を呼びかけるとともに、湖水地方に近い大都市マンチェスター、リヴァプールなどで一般大衆に向けて湖水地方の保護を訴える集会を何度も開いた。その結果、それぞれ一〇〇〇を超える人びとから約一万ポンドの寄付を集め、資産の購入に成功したのである。

この募金に応じた者のなかには労働者階級も含まれていた。トラストは、パンフレットや新聞を通じて労働者階級

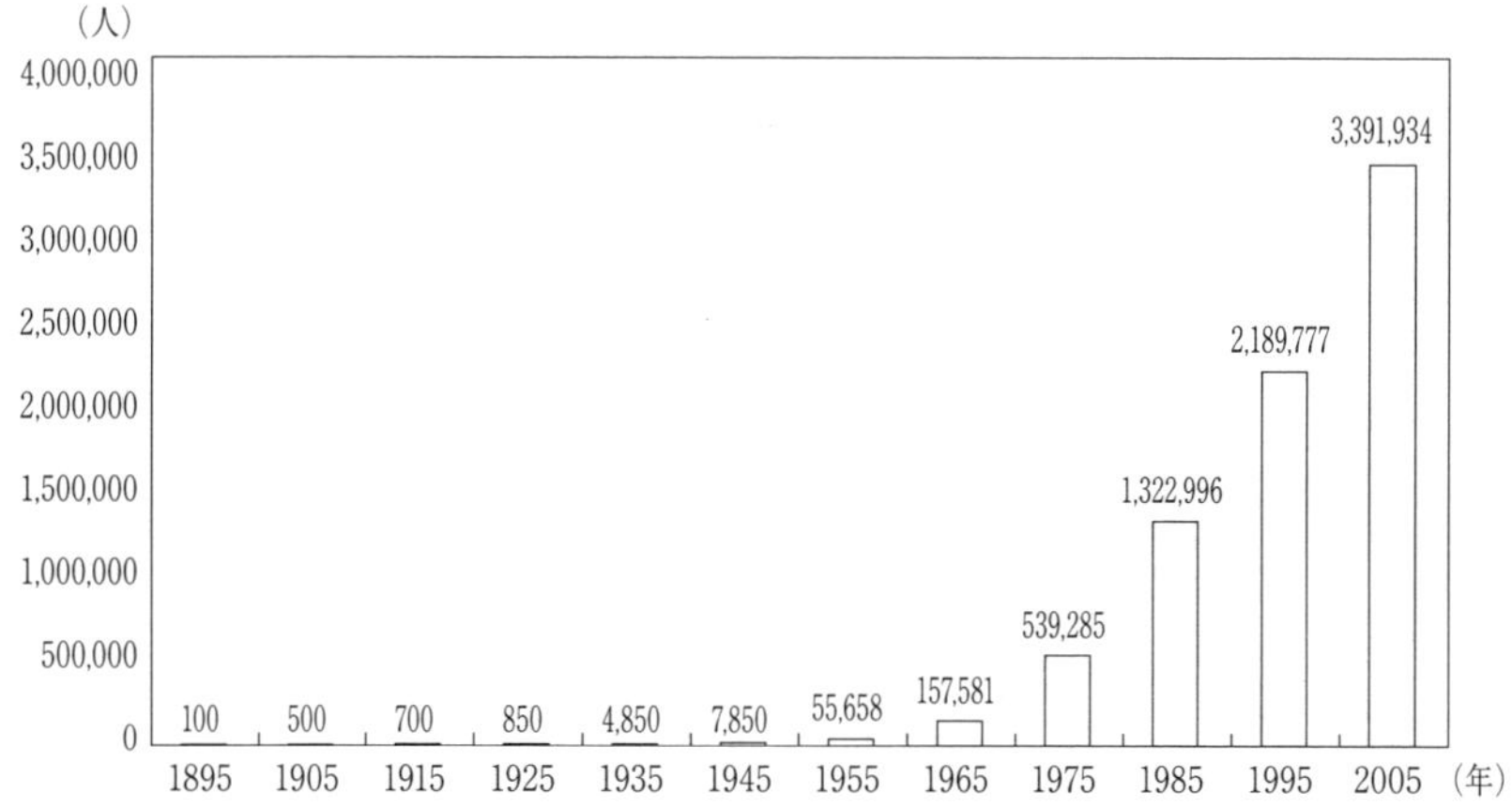

図3　ナショナル・トラスト会員数の推移

のなかにもトラストに賛同する者が現れたことを強調し、その名称にあるように「ナショナル」な活動になりつつあることを印象づけようとした。もっとも、トラストのアピールに応えたのは、比較的生活に余裕のある労働者階級の上層部に限られていただろう。また、湖水地方は、一九世紀半ばという早い時期からワーズワースやジョン・ラスキンらによって鉄道建設反対運動が起こるなど、「国民全体の財産」として保護の関心が高く、特別な場所といえるかもしれない。前世紀転換期のトラストの活動は、あくまでもエリート層の主導下で広い社会層を巻き込もうとするものであったといえよう。

　このような自発的結社としてのトラストのあり方は、一九七〇年代以降、大きく変わることになる。変化の引き金となったのは、六〇年代後半からの会員数の増加である。なぜこの時期から会員が増え始めたのだろうか。六五年から始まったイギリスの海岸線を守ろうというネプチューン・キャンペーンの影響もあるが、より重要なのは、第二次世界大戦後の社会の変化だろう。国民所得の増加や労働時間の減少、交通手段の向上によって、休日に田園に出かける人びとが増加した。歴史的建造物や自然環境への関心の高まりは、保護活動を促進するとともに、保護した場所の一般公開を求める圧力にもなった。

　こうした会員や一般大衆からの要求は、トラストの組織のあり方や運営方針の抜本的変化を促した。一九六七年の臨時総会では、資産の保護をアクセスよりも優先すべきだという従来の方針に対し、会員からの不満が噴出した。それればかりか、トラストの中核を担うメンバー間の緊密な関係や、そこから派生するネットワークを基盤とする従来の結社のあり方が「時代遅れのエリート主義」と批判され、意思決定に一般会員がもっと参加できるよう要求された。こうした動きを受けて一九七一年にナショナル・トラスト法が改正された結果、評議会選挙に一般会員の影響力が増すことになり、評議会の構成や権限が変化した。こうして、創設時から続いていた評議会、執行委員会などの中心メンバー間の閉じられたネットワークに基づく運営から、一般会員やトラストの資産を訪れる一般の人びととの関係を重視する方針へと変わっていったのである。

図3に見られるように、一九七〇年代以降、トラストの会員数はかつてないスピードで急増し続けた。それに伴い下層中産階級や労働者階級の参加が目立つようになった。収入源として会費の占める割合は、七〇年に一三・八パーセントだったのが、二〇〇四年には三六パーセントにまで増加した。トラストは会員を増やすために積極的な広報活動を行うようになり、会員や会員以外の資産の来訪者の要求に積極的に応えるようになったのである。

また、トラストの職員という観点からも、組織としての変化がわかる。創設時からトラストは基本的には無給の、つまりボランティアによって運営されていた。大戦間期までは、それが典型的な自発的結社のあり方であった。しかし、有給の常勤職員数は一九五五年には一〇〇人、一九七五年には一一四六人、二〇一〇年には四九六四人となり、その多くは資産の保護に関する専門的知識や技術をもった人びとになっている。

こうしたトラストの変化をどう捉えればいいのだろうか。柔軟性は結社の特徴のひとつであり、組織そのものや組織をめぐる社会状況の変化に応じて具体的な活動を変化させるのは当然といえるだろう。一九五〇年代から市場を通じて提供される余暇活動の機会が増加し、大衆レジャー産業が拡大していった。カントリーハウスの訪問が流行するなど、田園は観光資源としての役割を担うようになり、八〇年代半ばにはヘリテージ・ツーリズムはイギリスの成長産業のひとつとなり、約二〇〇万人の雇用を支えるまでになった。

こうした田園への観光人気の影響を受けて一九七〇年以降に急増したトラストの会員のなかには、それ以前の会員とは質的に異なる部分があるかもしれない。入会の動機として保護活動への参加というよりも、会員になれば入場料が無料になるという経済性を挙げる人も一定数は存在するだろう。しかし、これでトラストのボランタリー団体としての性格が弱まったと考えるのは早計ではないだろうか。二〇一〇年の年次報告書によると、トラストの活動は年間六万一〇〇〇人のボランティアによる、のべ三五〇〇万時間もの奉仕によって支えられたという。その活動内容は、庭園やオープン・スペースの整備や歴史的建造物の補修、資産のガイドなど多岐にわたっており、参加者が与えられる時間や技術を選び、自分のできることをするというボランタリズムの精神が生き続けていることがわかる。自発的に社会に奉仕することをよしとすることも、現代まで続く「イギリスらしさ」のひとつと言えるだろう。

（水野祥子）

参考文献

マーティン・ウィーナ著、原剛訳『英国産業精神の衰退――文化史的接近』勁草書房、一九八四年。
エリック・ホブズボウム／テレンス・レンジャー編、前川啓治・梶原景昭他訳『創られた伝統』紀伊國屋書店、一九九二年。
井野瀬久美惠編『イギリス文化史』昭和堂、二〇一〇年。

第11章
大衆文化の時代

私家版と生活のなかの文字

アーツ・アンド・クラフト運動のひとつとして、ウィリアム・モリスが晩年に取り組んだのが、「ケルムスコット・プレス」という私家版《プライヴェイト・プレス》出版であった。工業化による印刷技術の発展は、大量印刷を可能にしたが、質の低下をもたらしたと考えたモリスは、一五世紀の印刷黎明期の書物を理想として、質の高い手作りの書物を復活させようとしたのである。この運動は、イギリスのみならず、合衆国やドイツなどにも強い影響を与え、一九世紀末から一九三〇年代の大恐慌まで、多くの私家版工房が生まれた。そこで培われた、活字の選択やレイアウトに配慮

WITH torment, and with shameful deeth echon,
This provost dooth these Jewes for to sterve
That of this mordre wiste, and that anon;
He nolde no swich cursednesse observe.
Yvele shal have, that yvele wol deserve.
Therfore with wilde hors he dide hem drawe,
And after that he heng hem, by the lawe.

UPON his beere ay lith this innocent
Biforn the chief auter, whil masse laste,
And after that, the abbot with his covent
Han sped hem for to burien hym ful faste;
And whan they hooly water on hym caste,
Yet spak this child whan spreynd was hooly water,
And song, O Alma redemptoris mater!

This abbot, which that was an hooly man,
As monkes been, or ellen oghten be,
This yonge child to conjure he bigan,
And seyde, O deere child, I halse thee,
In vertu of the hooly Trinitee,
Tel me what is thy cause for to synge,
Sith that thy throte is kut, to my semynge?

My throte is kut unto my nekke-boon,
Seyde this child, and, as by wey of kynde,
I sholde have deyed, ye, longe tyme agon;
But Jhesu Crist, as ye in bookes fynde,
Wil that his glorie laste and be in mynde,
And, for the worship of his mooder deere,
Yet may I synge O Alma, loude and cleere.

This welle of mercy, Cristes mooder sweete,
I loved alwey, as after my konnynge,
And whan that I my lyf sholde forlete,
To me she cam, and bad me for to synge
This anthem verraily in my deyynge,
As ye han herd, and whan that I hadde songe,
Methoughte she leyde a greyn upon my tonge:

Wherfore I synge, and synge I moot certeyn
In honour of that blisful mayden free,
Til fro my tonge oftaken is the greyn;
And afterward thus seyde she to me,
My litel child, now wol I feeche thee
Whan that the greyn is fro thy tonge ytake;
Be nat agast, I wol thee nat forsake.

THIS hooly monk, this abbot, hym meene I,
His tonge outcaughte, and took awey the greyn,

図 11－1　ケルムスコット・プレス版『チョーサー著作集』(1896年)
W・モリスが生涯最後の事業として力を注いだのが，印刷出版であった。自らの著作や英国詩人の作品などを刊行したが，チョーサーの著作集はモリスがとくに刊行を切望したもので，完成したときモリスは死の床にあった。図版はその試し刷りの一頁。

した「美しい本」の理想は、その後、商業出版にも引き継がれ、二〇世紀の書籍デザインの基礎となった。

こうした運動と平行して、美しい手書き文字の復権を進めようという動きもあった。これは活字デザインにも応用され、読みやすく、美しい書体が生み出されることになる。書家エドワード・ジョンストンがロンドン交通局のために作った書体は、いまだに地下鉄やバスなどの表示に用いられている。二〇世紀の大量生産される商品にとって、広告や商品自体に表示される文字の魅力は、販売上重要な要素になっていった。

二〇世紀前半、こうした私家版と文字デザインの両分野で活躍したのが、エリック・ギルである。彫刻家でもあった彼は、版画家としても優れ、自ら制作した版画と活字を巧みに組み合わせた『四福音書』（一九三一年）は、私家版運動のひとつの到達点といえるグラフィック・デザインの傑作である。また彼がデザインした活字体「ギルサン」は、今日でも多くの公共機関などで用いられ、イギリスで日常的に目にする機会のもっとも多い書体のひとつとなっている。

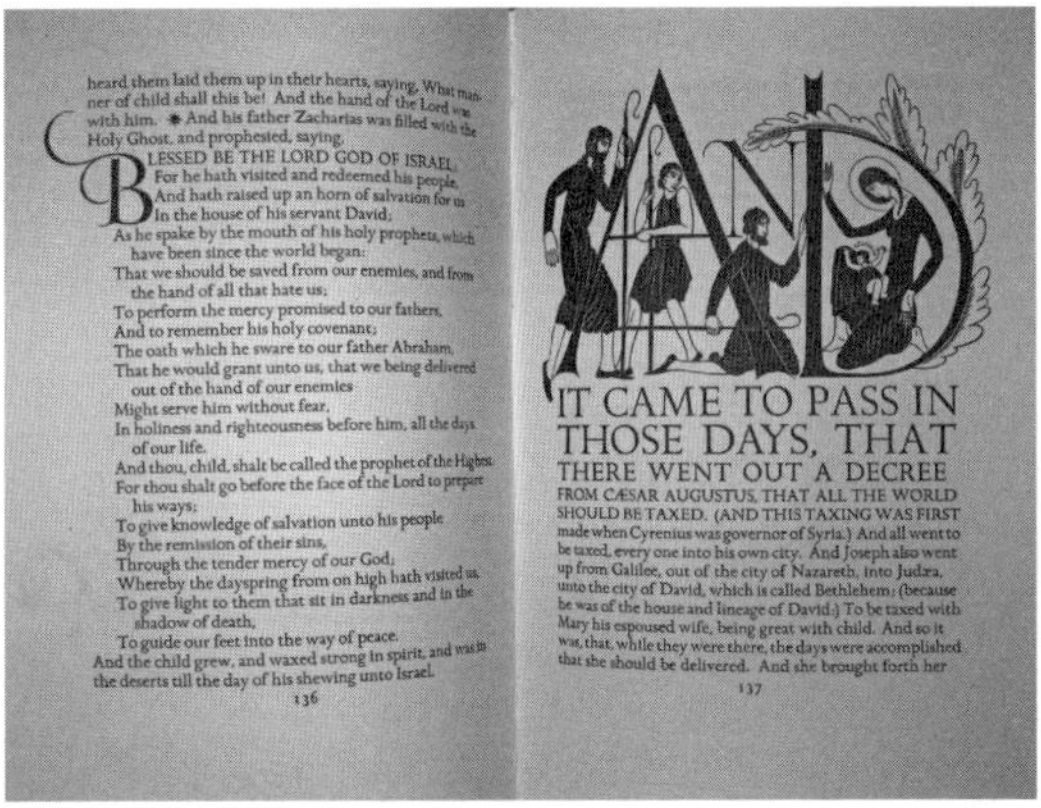
heard them laid them up in their hearts, saying, What manner of child shall this be! And the hand of the Lord was with him. ❋ And his father Zacharias was filled with the Holy Ghost, and prophesied, saying,

BLESSED BE THE LORD GOD OF ISRAEL;
For he hath visited and redeemed his people,
And hath raised up an horn of salvation for us
In the house of his servant David;
As he spake by the mouth of his holy prophets, which have been since the world began:
That we should be saved from our enemies, and from the hand of all that hate us;
To perform the mercy promised to our fathers,
And to remember his holy covenant;
The oath which he sware to our father Abraham,
That he would grant unto us, that we being delivered out of the hand of our enemies
Might serve him without fear,
In holiness and righteousness before him, all the days of our life.
And thou, child, shalt be called the prophet of the Highest:
For thou shalt go before the face of the Lord to prepare his ways;
To give knowledge of salvation unto his people
By the remission of their sins,
Through the tender mercy of our God;
Whereby the dayspring from on high hath visited us,
To give light to them that sit in darkness and in the shadow of death,
To guide our feet into the way of peace.
And the child grew, and waxed strong in spirit, and was in the deserts till the day of his shewing unto Israel.

136

AND IT CAME TO PASS IN THOSE DAYS, THAT THERE WENT OUT A DECREE FROM CÆSAR AUGUSTUS, THAT ALL THE WORLD SHOULD BE TAXED. (AND THIS TAXING WAS FIRST made when Cyrenius was governor of Syria.) And all went to be taxed, every one into his own city. And Joseph also went up from Galilee, out of the city of Nazareth, into Judæa, unto the city of David, which is called Bethlehem; (because he was of the house and lineage of David:) To be taxed with Mary his espoused wife, being great with child. And so it was, that, while they were there, the days were accomplished that she should be delivered. And she brought forth her

137

図 11 - 2　ギル『四福音書』(1931年)
文字と挿絵を一体化させた，グラフィック・デザインの歴史に残る傑作。

二〇世紀の文学

一九一〇年代ころ、モダニズムの影響を受けた文学作品が登場する。それまでのヴィクトリア朝小説の伝統を拒否し、実験的・前衛的な作品が生まれた。新しい文学手法として、「意識の流れ」を捉えて表現する試みがなされ、ジェイムズ・ジョイスの小説『ユリシーズ』（一九二二年）や『フェネガンズ・ウェイク』（一九三九年）、ヴァージニア・ウルフの小説『ダロウェイ夫人』（一九二五年）や『灯台へ』（一九二七年）などが代表的な作品である。詩の分野では、Ｔ・Ｓ・エリオットの詩集『荒地』（一九二二年）が、モダニズムを代表し、日本の文学にも影響を与えた。

第一次世界大戦は、文学作品にも大きな影響を与えた。エリオットの作品にも戦争の影響は色濃いが、「戦争詩人」と呼ばれるルパート・ブルックスやエドマンド・ブランデン、シーグフリード・サスーンなどが、戦争体験を直接表現した作品を発表した。戦争による精神へのダメージは、その後のイギリス文学でしばしば取り上げられる主題となった。

スペイン内戦の記録である『カタロニア讃歌』（一九三八年）で知られるジョージ・オーウェルは、ジャーナリストとしてその経歴を始め、ロンドンの下層社会を描いた『パリ・ロンドン放浪記』（一九三三年）などを発表したのち、小説『動物農場』（一九四五年）や『一九八四年』（一九四九年）で全体主義的な社会を厳しく批判した。

イギリスには、一九世紀末にコナン・ドイルが創造したシャーロック・ホームズ以来、探偵小説の伝統がある。二〇世紀に入ってもその人気は衰えず、とくに戦間期には、アガサ・クリスティやドロシー・セイヤーズ、Ｇ・Ｋ・チェスタトン、Ｆ・Ｗ・クロフツ、ディクスン・カー（合衆国生まれ）をはじめとして、多くの作家が精力的に作品を発表し、探偵小説の黄金時代といわれる。

イギリスではファンタジー小説も盛んで、Ｊ・Ｒ・Ｒ・トールキンの『指輪物語』（一九五四〜五五年）、Ｃ・Ｓ・ルイスの『ナルニア国物語』（一九五〇〜五六年）、Ｊ・Ｋ・ローリングの「ハリー・ポッター」シリーズ（一九九七〜二〇〇七年）など、世界的な人気をもち映画化される作品も多い。

二〇世紀後半以降のイギリスでは、社会の多文化状況を反映して、日系のカズオ・イシグロのように、様々な出自の作家も活躍している。また、ウェールズ語やゲール語など英語以外での創作活動も盛んである。

ブルームズベリ・グループ

二〇世紀初め、ロンドンのブルームズベリにあったヴァージニア・ウルフの自宅に集まった知識人たちを「ブルームズベリ・グループ」と呼ぶ。主なメンバーは、ヴァージニアの姉ヴァネッサ・ベル、経済学者のJ・M・ケインズ、『インドへの道』で知られる作家E・M・フォースター、イギリスへの印象派紹介に努めた美術評論家ロジャー・フライなど、分野は様々であったが、相互に刺激し合う知的なサークルとして果たした役割は大きい。

こうした様々な人士の集まるサロンは一九世紀からあり、知的交流の場として、ときには政治的な決定がなされる場としても機能した。ブルームズベリ・グループは、旧来の道徳や価値観の打破を目指した点で、関心を集めるとともに、リベラルな言動には風当たりも強かった。

二〇世紀の美術

二〇世紀の美術は、とくにイギリスという場所に限定した運動として捉えることはむずかしい。モダニズム、シュルレアリズム、抽象絵画など、欧米での潮流がそのまま反映した芸術が展開したといってよいだろう。

重要な作家としては、色彩を抑えた静謐な抽象画を描いたベン・ニコルソン、二度の戦争に参加して、その情景をシュルレアリズムに通じる厳しい画面で表現したポール・ナッシュ、戦後の不安を歪んだ人物像で表現したフランシス・ベイコンなどが挙げられる。

長らく国際的な名声を得る作家の乏しかった彫刻の分野でも、ヘンリ・ムーアやバーバラ・ヘプワースといった抽象表現の作家が活躍した。

陶芸の分野では、日本で育ち、民芸運動を通じてアーツ・アンド・クラフト運動の影響を受けたバーナード・

図11－3　ポール・ナッシュ「死の海」（1940-41年）
ナッシュは2つの大戦に従軍画家として参加し，凄惨な戦場の情景を美的に昇華させた優れた作品を残している。この作品でも，撃墜されたドイツ軍用機の墓場のような情景を，シュルレアリズムの手法で詩的に表現している。

リーチが、コーンウォールのセント・アイヴスに窯を開いて、イギリスの古陶器「スリップウェア」と東洋の古陶器に想を得た作品を作った。リーチの活動は、友人の浜田庄司など日本の陶芸にも影響を与えた。

映画

二〇世紀に大きな存在になったのが映画である。イギリスは、映画の歴史のごく初期に技法や表現面での新しい試みを行っているが、商業映画製作の面では「後進国」であった。同じ英語圏ということで、アメリカ映画との関係が深く、資本やスタッフ、俳優など、いずれとも分類できない作品も多い。チャップリンやヒチコックなど、多くのイギリスの映画人がアメリカに渡って活動したことも両者の区別を曖昧にしている。イギリス出身のエリザベス・テーラー、オードリー・ヘプバーン、ジュリー・アンドリュースなども、ハリウッド俳優の印象が強い。

そうしたイギリス映画にあって、最初の成功作とされるのが「ヘンリ八世の私生活」（一九三三年）である。ただ、この映画も、監督のA・コルダ（ハンガリー人）をはじめとして、様々な国籍のスタッフの共同作業であった。第二次大戦後、M・パウエルとE・プレスバーガーのコンビが監督した「天国への階段」（一九四六年）、「黒水仙」（一九四六年）、「赤い靴」（一九四八年）の一連のカラー作品は、その巧みな色彩設計で注目された。

しかし、アメリカ映画との関係は戦後も変わりなく、イギリスで成功した監督や俳優がハリウッドに招かれることが常態化している。

歴史の扉
13

スウィンギング・シックスティーズの文化

「にわかに躍り出たロンドンは、スウィングしている。華やかで活気あふれるポップ・カルチャーだけではない。ロンドンのすべてが大きくスウィングしている。うぬぼれや特権を振りかざした傲慢さ、愚かな自負心をいやというほどまき散らしてきたロンドンは、長い間、みすぼらしく古ぼけた心と身体をひきずっていた。それが何ともすがすがしい変身をとげたのだ。このお祭り騒ぎの正体は、祝杯をあげるロンドンっ子たちの熱狂なのだ」（『タイム』一九六六年四月一五日号）

図１　『TIME』表紙（1966年）
（From Time Magazine, 04/15/1966 © 1966 Time Inc. Used under licence）

伝統への挑戦状

一九六六年四月、米国『タイム』誌が当時もっともエキサイティングな都市としてロンドンを取り上げる特集を組んだ。その表紙には『ロンドン、ザ・スウィンギング・シティ』とあり、ユニオン・ジャックの空を背景に、当時のロンドンの特徴的な姿がユニークに描き出されている――旧時代からの象徴としてだろう、ロンドンの不変不動を示すものとしては唯一ビッグ・ベンの姿が確認できるのみである。それ以外の所狭しと散りばめられた人びとやモノは、当時のロンドンの変容ぶりを示している。映画館のネオン・サインで浮かび上がる「ＡＬＦＩＥ」の文字は、マイケル・ケイン（労働者階級出身で成功した初めての映画俳優とされた）の最新主演作品のタイトルである。後ろのほうで英国旗を振っているのはトレードマークのレイン・コートを着、パイプをふかすウィルソン首相だ。写真家がディスコの入り口でカメラを構えている。赤い二階建てバスの手前の道路には、黄色いジャガー（イギリスの高級車）のスポーツカーや青のミニ・クーパー（大衆車）、ピンクのロールス・ロイスといったイギリス六〇年代を代表する車が走っている。

しかし、何よりも印象的なのは若者たちの出で立ちである。白黒のオプ・ファッションに身を包んではしゃいでいる金髪の女性に、派手な白縁サングラスに「ザ・フー」のTシャツを着たモッズ・ファン、陽気なキャップを被った片目が隠れるほどの長髪の男性。メインテーマは絵の真ん中の男女――フロント・ダブルの紺のジャケットを着、チェックのパンタロンをはいた男と、大きなイヤリングをつけて黄色いニー・ブーツを履き、ポップな配色の帽子とミニ・ワンピースに身を包んだ女性である。ジェフリー・ディキンソンが描いたこの絵は、すっかり様変わりしてしまったロンドンの特徴をよく捉え、時代の主人公が若者になったことを示している。

一九六〇年代、ニューヨークでもパリでもなく、時代の最先端都市はロンドンだった。当時のロンドンを撮った大量の写真や映画、それについて書かれた世界中の記事、新聞、雑誌の多さは、世界がどれほど注目していたかの紛れもない証拠である。この表紙絵は、それを見事に描き出している。「快楽的都市消費生活」と「ファッション革命」。それらは戦後一〇年の時を経てなお旧来のしがらみを引きずり続けたロンドンから突如として発信された、歴史的価値観・社会基盤を揺るがすアンチテーゼか、そうでなければ生意気で不遜な変革者たちが突きつけた伝統への挑戦状であった。

揺れる六〇年代

「スウィンギング・シックスティーズ」――西ヨーロッパや北アメリカ、日本といった先進国で、ありとあらゆるものが大きく揺れていた、激動の一九六〇年代を形容する言葉である。「スウィンギング」という言葉にはっきりとした定義はなく、しばしば字義通り「揺れる」などと訳されることが多いが、まさに六〇年代という時代のムードを端的に表している。経済、社会制度、紛争・戦争、デモ、ファッション、音楽、テレビ、映画、アート、スポーツ、建築……世界中のあらゆる分野が自由と興奮と混乱のなかにあった流動的な時代であった。絶えず新しいものが生まれ、世界中を駆けめぐった時代。

しかし、国際政治に目を転じれば、そのような享楽的ムードからは程遠かった。合衆国とソ連、二大勢力間の冷戦という、不安定な構図に巻き込まれていった時代であった。アルジェリアでは対フランス独立戦争が泥沼化しており、南アフリカでは、有色人種隔離・差別政策（アパルトヘイト）が制度化されていた。合衆国では公民権運動が展開し、キング牧師が凶弾に倒れた。ベトナム戦争の勃発は、世界中で反戦運動を引き起こし、六二年のキューバ危機で世界に緊張が走った。第三次中東戦争の戦火もあがった。中国では、ソ連との間に亀裂が走り（中ソ対立）、国際共産主義が決して一枚岩ではないことを浮き彫りにし、国内では文化大革命という、民衆を巻き込む大粛清につながった。ヨーロッパでは、六一年にベルリンの壁が築かれ、六八年にはチェコスロヴァキアで「プラハの春」とソ連の軍事介入があった。

これだけ世界が不安定だったのだから、民衆が平静を保てなかったのも無理はない。六八年、パリ大学での学生と大学の対立は、フランス全土を巻き込む政治問題に発展、いわゆる「五月革命」となった。学生運動は世界中に広がり、熱い政治の季節が到来した。

ニューヨークではウーマン・リヴのデモ隊が闊歩する一方で、社会や政治に対する不平・不満・怒り、縛りや無意味さに異を唱えるために、また手っ取り早くその鬱憤を晴らすために、ドラッグやフリー・セックスが手段とみなされた。これらは当時の時代の雰囲気を示す一例にすぎない。六〇年代、常に争いの火種は燻り続けていたし、近しい者を失う悲しみ、命が脅かされる恐怖、不平不満がはびこる社会は不安定だった。

しかし、それでも六〇年代は魅力的だった。人びとは次々と登場するスターに憧れ、熱狂した。ラジオ、テレビ、レコード、雑誌といったメディアの大衆化に伴い、有名人たちを身近に感じることができるようになった（たとえば、イギリスでのテレビ保有率は一九五〇年には全世帯の六パーセントにすぎなかったが、六五年には九五パーセント強にまで上昇していた）。なかでも一番のヒーローは、リヴァプール出身の4人組ザ・ビートルズ。ロンドンだけではない、世界中が彼らに熱狂していた。彼らの「マージー・ビート」は、世界のポピュラー音楽に革命をもたらした。彼らを真似て「マッシュルーム・ヘアー」にした若者が巷にあふれた。行く先々でファンが殺到し、彼らに憧れ楽器を手にし、彼らを真似て「マッシュルーム・ヘアー」にした若者が巷にあふれた。

六〇年代ミュージック・シーンに名を残したのはビートルズだけではない。アニマルズ、ローリング・ストーンズ、ヤードバーズ、ザ・フー、クリーム……と、今や伝説となった名前が並ぶ。ダンスフロアやライブハウス、テレビの音楽番組に人びとは目を輝かせた。その音楽熱が最高潮に達したのが、六七年サンフランシスコの「サマー・オブ・ラブ」と六九年の「ウッドストック・ミュージック・フェスティバル」に代表される屋外型巨大コンサートだった。

華やかな世界に負けじと、平凡な人びとは奇妙なコンテストを考え出した——電話ボックスにもっとも多くの人間を押し込められるのは誰か、バイクでもっとも広い亀裂を飛び越えられるのは誰か、もっともエキセントリックないかだで川や海を渡れるのは誰か。それで何を得たというわけでもないが、やっている本人たちは本気だった。時代の気分とはそういうものである。

アートの世界は、絵画で得られる巨万の富を意識し始めていた。六七年、パリではピカソの作品展示に数十万人が訪れた。ワシントンのナショナル・ギャラリーはレオナルド・ダ・ヴィンチの『ジネーヴラ・ベンチの肖像』に当時最高額の五〇〇万ドルを支払った。しかし、それよりも六〇年代を象徴するアートは、もっと身近なところにあった。キャンベル・スープの缶、洗剤の箱、やたらにカラフルな顔色のマリリン・モンロー……戦後の先進国では、本格的な大量生産・大量消費を背景に、日常ありふれ、溢れかえったモノをテーマとして扱う「ポップ・アート」が登場した。雑誌や広告、コミック、報道写真などを素材にして繰り広げられるポップ・アートの運動は六〇年代に全盛を迎え、アメリカからはロイ・リキテンシュタインやアンディ・ウォーホル、イギリスからはデイヴィッド・ホックニーらのスター作家が現れた。コミックのもつような単純だが強烈な線、メリハリのある明快な配色は、見る者を一瞬にして魅了し、心も体も愉快に弾み出すような、力強い印象を与えた。メリハリというなら、白黒のオプティカル・アートのほうが上だったかもしれない。ブリジット・ライリーの作品に典型的なように、縞模様や市松模様のようにパネル状に並んだ配色――色彩や形態を精密に構成・操作することで、視覚に特殊な躍動感や遠近感、点滅といった錯覚が引き起こされた。

若者が主役

戦後の都市計画で、戦争で傷ついた古い町並みが消え、鉄とコンクリートとガラスでできた、いかにも人工的で新奇な建物が増えると、生まれ変わりつつある都市の急速な変化に合わせて、そこに出入りする人びとや、そのライフスタイルも変化した。若者が主役となったのだ。

ロンドンの人口構成もまた大きく変化し始めていた。戦後のベビー・ブーマー世代が六〇年代には立派な青年に育ち、その人口規模がロンドンを象徴するまでに増加していた。青年期の彼らは労働力として機能し、これは若者の完全雇用と個人所得の増加、さらには購買力の向上へとつながった。豊かな若者の時代がやって来たのだ。そして彼らの生活はしばしば、金とエネルギーを惜しげもなく浪費した。

一九五九年の市場調査に基づき、マーク・エイブラムズが著した『十代の消費者』では、「一五歳以上、二五歳未満の未婚者」をティーンエイジャーと定義し、この集団を「経済的には新たに市民権を得た人たち」とした。エイブラムズによれば、五八年にはティーンエイジャーだけで年間イギリスの個人所得の総計の約八・五パーセントを稼ぎ出し、彼らの実質所得は三九年当時に比べて五〇パーセント増であった。成年全体の実質所得増加率の実に二倍である。独自の可処分所得を得るようになると、豊かな若者たちは上の世代とは異なる価値観を見出し、それに基づいた消費活動を開始した。五七年当時のデータによれば、この若い集団の消費はイギリス全体のレコードおよびレコードプレーヤーの消費の四四パーセント、映画館入場者の二六パーセント、化粧品消費の二四パーセント、靴の購入の一九パーセント、婦人服購入の一六パーセントを占めた（アンドリュー・ローゼン著、『現代イギリス社会史一九五〇―二〇〇〇』、一四八～一四九頁）。いかにティーンエイジャーたちが自分の趣味にお金を費やしていたかがうかがえる（もっとも、多くの若者は依然親元で暮らしていて、家賃や水道・光熱費、食費などをあまり払う必要がなかったのではあるが）。

この新しい若者文化の特徴のひとつは、持ち物や衣服など「目に見え、形のある」物的消費に傾いていることである。自分が一体誰なのかとは、かなりの程度まで、自分が何をもっていて、どんな格好をしているかといった外見的特徴にかかっており、若者は独自の消費スタイルを通じて自己アイデンティティを形成していった。また、商品を供給する若者に、それを消費するのもまた同世代という、若者による「自己完結経済」が成り立っていったのも、スウィンギング・ロンドンの特記すべき特徴のひとつである。

消費が当時の若者文化を象徴する一側面なら、自分たちに見合った新しい生活様式を見出すこともまた、重要なテーマであった。若者はバイクやスクーターなど自分の移動手段を手に入れ、これにより行動範囲はぐっと広がり、それらをカスタマイズすることも彼らの新しい趣味になった。当時のロンドンの重要な現象に、深夜営業のカフェ・バーやクラブの流行があるが、そういった場所にもロンドンの若者は自分の乗り物で駆けつけてたむろした。夜を遊ぶようになった若者は（そして同時にロンドンも）眠らなくなった。

彼らには理想的なモデルが必要だった。それは映画俳優でも、ファッションモデルでも、「新しく見える」なら誰でもよかったのだが、当時の若者に絶大な影響を与えた一つのテレビ番組があった。『レディ・ステディ・ゴー』（六三年放送開始）――「週末のスターはここにいる」が合言葉の、週に一度のこの音楽番組は、六〇年代にもっとも成功した番組だったが、旬のファッション・トレンドを紹介するという役割も果たしていた。これに出演する若い歌手に、ファッション・デザイナーやショップ経営者は宣伝効果を兼ねて、自分たちの服を着せたがった。この女性司会キャシー・マクゴーワンの影響力も大きかった。「放送日の金曜の夜にマクゴーワンがあるドレスを着ていたとしよう。すると、同じドレス、あるいはよく似たドレスが次の日の午後にはイギリス中のショップで売切れてしまう」（C・ブリュワード他、『スウィンギング・シックスティーズ』、一三五頁）始末。

それは、服飾史のひとつの転機でもあった。若者から発信されるファッション、すなわち「若者（＝ユース）・ファッション」の登場である。それまでのハイ・ファッション主導の流行とは明らかに異なる、若者から発信され、若者の間で重要な価値をもつファッションと、それを支持するデザイナーと市場が現れたのである。「パリのクチュール・デザイナーの意見など、あなたやわたしのこの冬のファッションには何の関係もない。どんなおしゃれをすることになるのか、それを決めるのは……何といってもわたしたちの国のデザイナー」（雑誌『ノヴァ』、一九六六年）といった状況になったのだ。

六〇年代の若者ファッションを象徴する女性といえば、モデルのツウィギーとデザイナーのマリー・クワントである。

ツウィギーの登場は、「理想の」女性像を一変させた。それまで理想とされてきた女性は、洗練された大人の女性か、あるいはマリリン・モンローのような豊満で健康的、セクシーな肉体美をそなえた女性であった。それに対して、ロンドン新時代が求めたのは、目まぐるしく変化していく都市消費生活に見合った、新たな女性のヴィジョン。少女のようなかわいらしさと、活動的で、盛り場を飛び回る享楽的なライフ・スタイルであった。ツウィギーの、小柄で人形のように痩せっぽちな身体に、ショートヘア、アイラインやマスカラで強調された大きな瞳、ミニ・スカートとカラー・タイツが、若い女性の新しいおしゃれの基準となった。

当時の若者文化の聖地チェルシーのキングス・ロードのショップから新しい大胆なファッションを世に出したのが、マリー・クワントだった。彼女が登場する以前のロンドンでは、若い女性は母親と同じ衣服を身につけ、「大人の身だしなみの規則に従っていた」。しかし、「周囲の「女性はこういう服を着るべき」っていう保守的な考え方が大嫌いだった」クワントは、大人の女性とは異なる、若い女性の欲求に応える、より自由でカラフルで活動的なファッションを提案し始めた。彼女のデザインはシンプルで力強く、五八年に初めてミニスカートを発売すると飛ぶように売れた。貪欲に新しさに挑戦した彼女は、ビニルやPVCなど新素材のアイテムを次々に発表していった。

ミニスカートそれ自体は、すでに五〇年代半ばには登場し、若者が自分で既製服を短くするなどしていた。それに目をつけて、世に広めるのに一役買ったのが、五八年のクワントであり、モード界においては六四年のアンドレ・クレージュであった。こうしてミニはロンドンを越えて世界中で、強い批判と拒否反応を引き起こしながらも――ガブリエル・シャネルさえもが「膝は美しくないので出してはいけない」と否定的であった――大流行し、ついには年齢を超えて定着した。ミニは、「より活動的になっていく女性の身体をいかに開放すべきか」という新たな時代のエネルギッシュな空気に合わせて、ロンドンの少女たちのなかで自然発生し、やがて世界に広まったものであった。

六〇年代、すべてが善だったわけではなく、今より貧しく、今より抑圧され、今よりはるかに不便であったことは確かである。しかし、それを補って余りあるほどのクリエイティヴさとエンターテイメント性をこの時代はもっていた。フル・スピードで次々と変わりゆく画期的できらびやかな世界に人びとは目を奪われ、翻弄され、無我夢中になってそれを追いかけた。これがスウィンギング・シックスティーズがしばしば神話化され、今なお人びとを惹きつける理由である。

（芦田惇輔）

参考文献

C・ブリュワード他著、古谷直子訳『スウィンギング・シックスティーズ――ファッション・イン・ロンドン一九五五―一九七〇』ブルースインターアクションズ、二〇〇六年。

成実弘至『二〇世紀ファッションの文化史』河出書房新社、二〇〇七年。

ジョン・サベージ著、岡崎真理訳『イギリス「族」物語』毎日新聞社、一九九九年。

森正人『大衆音楽史』中央公論新社、二〇〇八年。

アンドリュー・ローゼン著、川北稔訳『現代イギリス社会史一九五〇―二〇〇〇』岩波書店、二〇〇五年。

読書案内

本書でイギリス史の面白さ、奥深さを感じて、もっと詳しくイギリスの歴史について知りたいと思った人には、次のような本が参考になるだろう。


『世界歴史大系　イギリス』全三巻、山川出版社、一九九〇～九一年。

川北稔編『世界各国史　イギリス』山川出版社、一九九八年。

指昭博『図説イギリスの歴史』河出書房新社、二〇〇二年。

『オックスフォード　ブリテン島の歴史』全一〇巻、慶應義塾大学出版会、二〇〇九年～刊行中。

富沢霊岸『イギリス中世史』ミネルヴァ書房、一九八八年。

エドマンド・キング（吉武憲司・高森彰弘・赤江雄一訳）『中世のイギリス』慶應義塾大学出版会、二〇〇六年。

水井万里子『テューダー朝の歴史』河出書房新社、二〇一一年。

村岡健次・川北稔編著『イギリス近代史』ミネルヴァ書房、一九八六年。

川北稔・木畑洋一編『イギリスの歴史　帝国＝コモンウェルスのあゆみ』有斐閣、二〇〇〇年。

川北稔『イギリス近代史講義』講談社現代新書、二〇一〇年。

木畑洋一・秋田茂編著『近代イギリスの歴史』ミネルヴァ書房、二〇一一年。

個別の時代やテーマを扱った研究書はたくさんあるが、すぐに専門書を手にするのはちょっと、という人には、次に挙げる本がそうした専門研究への橋渡しになってくれるだろう。


角山榮・村岡健次・川北稔『産業革命と民衆』河出書房新社、一九八〇年。

角山榮・川北稔編『路地裏の大英帝国』平凡社、一九八二年。

川北稔『洒落者たちのイギリス史』平凡社、一九八六年。

川北稔編『非労働時間の生活史』リブロポート、一九八七年。

川北稔・指昭博編『周縁からのまなざし――もうひとつのイギリス近代』山川出版社、二〇〇〇年。

川北稔編『結社のイギリス史』山川出版社、二〇〇五年。

川北稔・藤川隆男編『空間のイギリス史』山川出版社、二〇〇五年。

佐久間康夫・中野葉子・太田雅孝編著『概説イギリス文化史』ミネルヴァ書房、二〇〇二年。

井野瀬久美惠編『イギリス文化史』昭和堂、二〇一〇年。

指昭博編『祝祭がレジャーに変わるとき――英国余暇生活史』創知社、一九九三年。

指昭博編『生活文化のイギリス史――紅茶からギャンブルまで』同文舘、一九九六年。

指昭博編『〈イギリス〉であること――アイデンティティ探求の歴史』刀水書房、一九九九年。

指昭博編『王はいかに受け入れられたか――政治文化のイギリス史』刀水書房、二〇〇七年。

指昭博編『ヘンリ八世の迷宮』昭和堂、二〇一二年。

近藤和彦編『長い一八世紀のイギリス史――その政治社会』山川出版社、二〇〇二年。

山本正編『ジェントルマンであること』刀水書房、二〇〇〇年。

木畑洋一編著『大英帝国と帝国意識』ミネルヴァ書房、一九九八年。

木畑洋一・後藤春美編著『帝国の長い影――二〇世紀国際秩序の変容』ミネルヴァ書房、二〇一〇年。

S・ギリー、W・シールズ編（指昭博・並河葉子監訳）『イギリス宗教史――前ローマ時代から現代まで』法政大学出版局、二〇一四年。


さらに本格的に深くイギリス史を研究してみようと思う人には、次の書物が研究の案内書として役に立つだろう。


近藤和彦編『イギリス史研究入門』山川出版社、二〇一〇年。

岩井淳・指昭博編『イギリス史の新潮流――修正主義の近世史』彩流社、二〇〇〇年。

《編著者紹介》

指　昭博（さし・あきひろ）

1957年　生まれ。
1987年　大阪大学大学院文学研究科博士課程単位取得満期退学。
2008年　博士（文学，大阪大学）。
現　在　神戸市外国語大学学長。
主　著　『イギリス宗教改革の光と影』ミネルヴァ書房，2010年。
　　　　『イギリス発見の旅』刀水書房，2010年。
　　　　『図説イギリスの歴史』河出書房新社，2002年。

はじめて学ぶイギリスの歴史と文化

2012年7月31日　初版第1刷発行　　〈検印省略〉
2019年11月25日　初版第6刷発行

定価はカバーに
表示しています

編著者　指　昭博
発行者　杉田啓三
印刷者　田中雅博

発行所　株式会社　ミネルヴァ書房
607-8494　京都市山科区日ノ岡堤谷町1
電話代表　(075)581-5191番
振替口座　01020-0-8076番

創栄図書印刷・藤沢製本

ISBN978-4-623-06376-5

Printed in Japan

執筆者紹介（執筆順）

指　昭博（さし・あきひろ）　**はじめに・第Ⅰ部〜第Ⅴ部・歴史の扉5・読書案内**

奥付編著者紹介参照。

赤江　雄一（あかえ・ゆういち）　**歴史の扉1**

リーズ大学大学院中世研究所博士課程修了（Ph. D. 取得）。

現　在　慶應義塾大学文学部准教授。

主　著　「中世後期の説教としるしの概念――14世紀の一説教集から」『西洋中世研究』第2号，知泉書館，2010年。

ラルフ・グリフィス編『オックスフォード　ブリテン諸島の歴史　第5巻　14・15世紀』（共訳）慶應義塾大学出版会，2009年。

エドマンド・キング著『中世のイギリス』（共訳）慶應義塾大学出版会，2006年。

山本　信太郎（やまもと・しんたろう）　**歴史の扉2**

立教大学大学院文学研究科史学専攻博士課程単位取得満期退学，博士（文学，立教大学）。

現　在　神奈川大学外国語学部准教授。

主　著　P・コリンソン編『オックスフォード　ブリテン諸島の歴史　第6巻　16世紀 1485-1603年』（共訳）慶應義塾大学出版会，2010年。

『イングランド宗教改革の社会史――ミッド・テューダー期の教区教会』立教大学出版会，2009年。

『ヨーロッパ宗教改革の連携と断絶』（共著）教文館，2009年。

能登原　由美（のとはら・ゆみ）　**歴史の扉3**

広島大学大学院教育学研究科博士課程修了，学術博士（広島大学）。

現　在　大阪音楽大学非常勤講師。

主　著　『「ヒロシマ」が鳴り響くとき』春秋社，2015年。

「ウィリアム・バードの楽譜出版――声楽曲集『詩編，ソネット，悲しみと敬虔の歌曲集』と『くさぐさの歌』に焦点をあてて」『音楽学』第48巻第2号，2003年。

「ウィリアム・バード中期の楽譜出版活動における二面性――楽譜受容に対する意識とカトリック信仰」『藝術研究』第15号，広島芸術学会，2003年。

長谷川　直子（はせがわ・なおこ）**歴史の扉 4**

ヨーク大学大学院歴史学部近中世史学科修士課程修了。

主　著　ベーリンガー著『魔女と魔女狩り』（訳）刀水書房，2014年。
『ヘンリ八世の迷宮』（共著訳）昭和堂，2012年。

小林　麻衣子（こばやし・まいこ）**歴史の扉 6**

一橋大学大学院社会学研究科総合社会科学専攻博士課程修了，博士（社会学，一橋大学）。

現　在　防衛大学校人文社会科学群教授。

主　著　『近世スコットランドの王権――ジェイムズ６世と「君主の鑑」』ミネルヴァ書房，2014年。
「英国人のグランドツアー――その起源と歴史的発展」『Booklet 18：文化観光『観光』のリマスタリング』慶應義塾大学アート・センター，2010年。
「ジョージ・ブキャナンの抵抗権論」『一橋論叢』第127巻第２号，2002年。

中川　麻子（なかがわ・あさこ）**歴史の扉 7**

共立女子大学大学院家政学研究科人間生活学専攻博士課程修了，学術博士（共立女子大学）。

現　在　大妻女子大学家政学部准教授。

主　著　「美術染織――成立と構造」2011年度共立女子大学博士論文。
「明治期万国博覧会出品染織品の変遷に関する一考察」『服飾文化学会誌』第９号，2008年。
「ヴィクトリア時代における『ベルリン刺繍』と『芸術刺繍』について」『服飾文化学会誌』第７号，2006年。

水田　大紀（みずた・とものり）**歴史の扉 8**

大阪大学大学院文学研究科博士課程修了，博士（文学，大阪大学）。

現　在　佛教大学歴史学部准教授。

主　著　「近代イギリス官僚制度改革史再考――調査委員会と官僚たちの同床異夢」『史林』第94巻第６号，2011年。
「“ティーカップ”のなかの『帝国』――1870-80年代マルタにおける政治改革と言語教育」『歴史評論』第692号，2007年。
「19世紀後半イギリスにおける官僚制度とクラミング――自助による『競争精神』の浸透」『西洋史学』第219号，2005年。

光永　雅明（みつなが・まさあき）　**歴史の扉9**

一橋大学大学院社会学研究科博士課程中退。
現　在　神戸市外国語大学外国語学部教授。
主　著　『英国福祉ボランタリズムの起源——資本・コミュニティ・国家』（共著）ミネルヴァ書房，2012年。
『近代イギリスの歴史——16世紀から現代まで』（共著）ミネルヴァ書房，2011年。

松井　良明（まつい・よしあき）　**歴史の扉10**

奈良教育大学大学院教育学研究科修士課程修了，博士（体育科学，日本体育大学）。

現　在　奈良工業高等専門学校教授。

主　著　『スポーツと政治的なるもの——英国法からの問い』叢文社，2010年。

『ボクシングはなぜ合法化されたのか——英国スポーツの近代史』平凡社，2007年。

『近代スポーツの誕生』講談社現代新書，2000年。

中村　武司（なかむら・たけし）　**歴史の扉11**

大阪大学大学院文学研究科博士課程修了，博士（文学，大阪大学）。

現　在　弘前大学人文社会科学部准教授。

主　著　『アニメで読む世界史』（共著）山川出版社，2011年。

「ネルソンの国葬——セント・ポール大聖堂における軍人のコメモレイション」『史林』第91巻第1号，2008年。

『空間のイギリス史』（共著）山川出版社，2005年。

水野　祥子（みずの・しょうこ）　**歴史の扉12**

大阪大学大学院文学研究科博士課程修了，博士（文学，大阪大学）。

現　在　駒澤大学経済学部教授。

主　著　「大戦間期におけるグローバルな環境危機論の形成」『史林』第92巻第1号，2009年。

『イギリス帝国からみる環境史——インド支配と森林保護』岩波書店，2006年。

「世紀転換期イギリスの環境保護活動——ナショナル・トラスト創設をめぐる新たな展開」『西洋史学』第191号，1998年。

芦田　惇輔（あしだ・しゅんすけ）　**歴史の扉13**

神戸市外国語大学外国語学部卒業。

索　引

あ 行

か　行

さ　行

た　行

な 行

は 行

ま　行

や　行

ら・わ行

イギリス史年表

前7世紀頃	大陸からのケルト人が渡来を始めたとされる。
前55-54	カエサルの2次にわたるブリタニア遠征。
61	ボウディッカの反乱。
122	ハドリアヌスの城壁建造始まる。
2世紀頃	キリスト教の伝来。
5～6世紀	ローマの支配が終わり，アングロ＝サクソン人の渡来。
597	アウグスティヌスによるローマ・カトリックの伝道。
8世紀末	デーン人の来襲始まる（～9世紀）。
843	アルバ王国（スコットランド）の成立。
871	ウェセックス王アルフレッド即位（～899）。
1015	カヌートの侵入，1017年イングランド王に（～1035）。
1042	エドワード証聖者王即位（～1066）。
1066	ヘイスティングスの戦いでウィリアム征服王の勝利（ノルマン征服）。
1085	ドゥームズ・デイ・ブック作成。
1135	ヘンリ1世の没後，スティーヴンとマティルダの戦い始まる（～1153）。
1154	ヘンリ2世の即位（プランタジネット朝の始まり）。
1215	ジョン王，マグナ・カルタを承認。
1264	シモン・ド・モンフォールの乱（～1265）。
1276	エドワード1世によるウェールズへの侵攻始まる。
	さらに，スコットランドへの介入を強化。
1295	模範議会が開かれる。
1296	イングランドとスコットランドの戦争始まる。
1314	バノックバーンの戦いで，スコットランドがエドワード2世を破る。
1327	エドワード2世の廃位，エドワード3世即位。
1337	百年戦争が始まる（1346年クレシーの戦い）。
1348	黒死病の流行（～1349）。
1381	ワット・タイラーの乱。
1399	リチャード2世廃位，ヘンリ4世の即位（ランカスタ朝の成立）。
1415	ヘンリ5世による対仏戦争再開，アザンクールの戦い。
1429	ジャンヌ・ダルクの活躍によるオルレアン解放，シャルル7世の戴冠。
1453	百年戦争終結。
1455	ばら戦争始まる。

1461	エドワード4世即位（ヨーク朝の成立）。
1476	カクストンがイギリス最初の活版印刷所をウェストミンスターに開く。
1483	リチャード3世，エドワード5世を廃し，即位。
1485	リチャード3世敗死。ヘンリ7世即位（テューダー朝の成立）。
1501	皇太子アーサーとアラゴンのキャサリンの結婚，翌年アーサー死去。
1509	ヘンリ8世即位，アラゴンのキャサリンとの結婚。
1529	宗教改革議会の始まり（～1536）。
1534	国王至上法により国教会の確立。
1536	修道院解散（～1539）ウェールズの合同。
1541	ヘンリ8世，アイルランド王を称する。
1542	スコットランド，イングランド侵攻に失敗し，国王ジェイムズ5世敗死。メアリ・ステュアートの即位。
1547	エドワード6世即位，プロテスタント化の進展。
1553	メアリ1世即位，カトリック復活を進める。
1558	エリザベス1世の即位。
1559	国王至上法・礼拝統一法により国教会の再確立。
1567	スコットランド女王メアリ・ステュアート廃位，イングランドへ亡命。
1587	メアリ・ステュアートの処刑。
1588	スペイン無敵艦隊の襲来。
1600	東インド会社設立。
1603	エリザベス1世死去，ジェイムズ1世即位（ステュアート朝の成立）。
1605	火薬陰謀事件。
1628	権利の請願。
1640	長期議会開会。
1642	国王軍と議会軍の内戦勃発。
1648	議会からの長老派の追放。
1649	チャールズ1世の処刑，王政を廃し，共和政成立。
	クロムウェルのアイルランド征服。
1653	クロムウェル護国卿となる（～1658）。
1660	王政復古。
1665	ロンドンでペスト流行。
1666	ロンドン大火。
1685	ジェイムズ2世即位。
1688	名誉革命。
1689	ウィリアム3世・メアリ2世の即位，権利の章典制定。
1694	イングランド銀行設立。
1702	アン女王即位，スペイン継承戦争へ参戦。
1707	スコットランドとの合同「グレートブリテン王国」の成立。
1714	ジョージ1世即位（ハノーヴァ朝の成立）。

1745	ジャコバイトの反乱（～1746）。
1775	アメリカ独立戦争始まる（～1783）。
	このころ，産業革命が本格的に進行。
1789	フランス革命勃発。
1793	第1回対仏大同盟，以後3次にわたり対仏大同盟。
1801	アイルランドの併合により「グレートブリテンおよびアイルランド連合王国」の成立。
1805	トラファルガ沖海戦でフランス・スペイン艦隊を撃破。
1807	奴隷貿易の禁止。
1815	ウィーン会議。ワーテルローの戦い。
1829	カトリック解放法の成立。
1830	マンチェスター・リヴァプール間の鉄道開通。
1832	第1次選挙法改正。
1833	帝国内での奴隷制廃止。工場法制定。
1838	人民憲章。チャーティスト運動の盛り上がり。
1840	アヘン戦争（～1842）。
1846	穀物法廃止。
1851	ロンドンで初めての万国博覧会。
1854	クリミア戦争（～1856）。
1857	インド大反乱（セポイの反乱）。
1858	東インド会社解散，インドを直轄統治領とする。
1875	スエズ運河株の購入。
1877	ヴィクトリア女王，「インド皇帝」を称する。
1880	教育法により，就学の義務化。
1884	フェビアン協会の結成。
1887	ヴィクトリア女王即位50年記念式典。
1893	独立労働党の結成。
1897	ヴィクトリア女王即位60年記念式典。
1899	南アフリカ戦争始まる（～1902）。
1901	ヴィクトリア女王死去，エドワード7世即位。
1902	日英同盟の締結。
1907	英仏露の三国協商成立。
1914	アイルランド自治法の成立（実施は第1次世界大戦のため延期）。
	第1次世界大戦勃発（～1918）。
1916	アイルランドで即時独立を求めるイースター蜂起。
1918	選挙法改正，30歳以上の女性に参政権が認められる。
1919	パリ平和会議（～1920）。
1920	アイルランド統治法。
1922	アイルランド自由国成立。

1924	初の労働党内閣成立（マクドナルド首相）。
1931	ウェストミンスター憲章。コモンウェルス（英連邦）の発足。
1935	インド統治法。
1936	エドワード8世，結婚問題で退位。
1938	ミュンヘン会談。
1939	第2次世界大戦勃発（～1945）。
1940	チャーチルによる戦時挙国一致内閣（～1945）。
1941	チャーチルとルーズベルト大統領，大西洋憲章を発表。
1945	アトリー首相の労働党内閣，主要産業の国有化を進める。
1947	インド・パキスタンの独立。
1951	英国祭の開催。
1952	エリザベス2世即位。
1956	スエズ戦争。
1968	北アイルランド紛争始まる。
1972	北アイルランドの自治停止。
1973	EC（ヨーロッパ共同体）加盟の発効。
1979	サッチャー保守党政権の発足。
1982	フォークランド戦争。
1984	中国との協定により1997年の香港返還を決定。
1997	ブレア労働党内閣の成立。
	国民投票でスコットランド・ウェールズへの地域議会設置を決定。
1999	貴族院の改革，世襲貴族の議員資格を大幅に制限。
2003	対イラク戦争に参加。
2005	ロンドン同時多発テロ。
2010	保守党・自由民主党の連立政権（キャメロン首相）。